Fra...

# Die Verw......ung
# Brief an den Vater

und weitere Werke

Herausgegeben von
Johannes Diekhans

Erarbeitet und mit
Anmerkungen versehen
von Elisabeth Becker

EINFACH DEUTSCH

Schöningh Verlag

© 1998 Ferdinand Schöningh, Paderborn

© ab 2004 Bildungshaus Schulbuchverlage
Westermann Schroedel Diesterweg Schöningh Winklers GmbH
Braunschweig, Paderborn, Darmstadt

www.schoeningh-schulbuch.de
Schöningh Verlag, Jühenplatz 1–3, 33098 Paderborn

Druck 13 12 11 / Jahr 2009 08 07
Die letzte Zahl bezeichnet das Jahr dieses Druckes.

Umschlaggestaltung: Peter Wypior
Umschlagmotiv: Günter Ludwig, www.artgalerie-europe.de
Druck und Bindung: westermann druck GmbH, Braunschweig

ISBN 978-3-14-022290-7

# Franz Kafka:
# Die Verwandlung / Brief an den Vater und weitere Werke

# Die Verwandlung

## I.

Als Gregor Samsa eines Morgens aus unruhigen Träumen erwachte, fand er sich in seinem Bett zu einem ungeheueren Ungeziefer verwandelt. Er lag auf seinem panzerartig harten Rücken und sah, wenn er den Kopf ein wenig hob, seinen gewölbten, braunen, von bogen- 5 förmigen Versteifungen geteilten Bauch, auf dessen Höhe sich die Bettdecke, zum gänzlichen Niedergleiten bereit, kaum noch erhalten konnte. Seine vielen im Vergleich zu seinem sonstigen Umfang kläglich dünnen Beine flimmerten ihm hilflos vor den Augen. 10
»Was ist mit mir geschehen?«, dachte er. Es war kein Traum. Sein Zimmer, ein richtiges, nur etwas zu kleines Menschenzimmer, lag ruhig zwischen den vier wohlbekannten Wänden. Über dem Tisch, auf dem eine auseinandergepackte Musterkollektion von Tuchwaren 15 ausgebreitet war – Samsa war Reisender[1] –, hing das Bild, das er vor kurzem aus einer illustrierten Zeitschrift ausgeschnitten und in einem hübschen, vergoldeten Rahmen untergebracht hatte. Es stellte eine Dame dar, die, mit einem Pelzhut und einer Pelzboa[2] versehen, auf- 20 recht dasaß und einen schweren Pelzmuff[3], in dem ihr ganzer Unterarm verschwunden war, dem Beschauer entgegenhob.
Gregors Blick richtete sich dann zum Fenster und das trübe Wetter – man hörte Regentropfen auf das Fenster- 25 blech aufschlagen – machte ihn ganz melancholisch.

---

[1]  Vertreter
[2]  im 18. und 19. Jh. langer, schmaler Halsschmuck aus Pelz oder Federn
[3]  modisches Accessoire der Damenkleidung von zylindrischer Form zum Wärmen der Hände. Der Muff wurde über dem Mantel an einer Kordel um den Hals getragen.

»Wie wäre es, wenn ich noch ein wenig weiterschliefe und alle Narrheiten vergäße«, dachte er, aber das war gänzlich undurchführbar, denn er war gewöhnt, auf der rechten Seite zu schlafen, konnte sich aber in seinem ge-
5 genwärtigen Zustand nicht in diese Lage bringen. Mit welcher Kraft er sich auch auf die rechte Seite warf, immer wieder schaukelte er in die Rückenlage zurück. Er versuchte es wohl hundertmal, schloss die Augen, um die zappelnden Beine nicht sehen zu müssen, und ließ
10 erst ab, als er in der Seite einen noch nie gefühlten, leichten, dumpfen Schmerz zu fühlen begann.

»Ach Gott«, dachte er, »was für einen anstrengenden Beruf habe ich gewählt! Tag aus, Tag ein auf der Reise. Die geschäftlichen Aufregungen sind viel größer als im ei-
15 gentlichen Geschäft zu Hause und außerdem ist mir noch diese Plage des Reisens auferlegt, die Sorgen um die Zuganschlüsse, das unregelmäßige, schlechte Essen, ein immer wechselnder, nie andauernder, nie herzlich werdender menschlicher Verkehr. Der Teufel soll das al-
20 les holen!« Er fühlte ein leichtes Jucken oben auf dem Bauch; schob sich auf dem Rücken langsam näher zum Bettpfosten, um den Kopf besser heben zu können; fand die juckende Stelle, die mit lauter kleinen weißen Pünktchen besetzt war, die er nicht zu beurteilen verstand;
25 und wollte mit einem Bein die Stelle betasten, zog es aber gleich zurück, denn bei der Berührung umwehten ihn Kälteschauer.

Er glitt wieder in seine frühere Lage zurück. »Dies frühzeitige Aufstehen«, dachte er, »macht einen ganz blöd-
30 sinnig. Der Mensch muss seinen Schlaf haben. Andere Reisende leben wie Haremsfrauen. Wenn ich zum Beispiel im Laufe des Vormittags ins Gasthaus zurückgehe, um die erlangten Aufträge zu überschreiben[1], sitzen diese Herren erst beim Frühstück. Das sollte ich bei mei-
35 nem Chef versuchen; ich würde auf der Stelle hinausfliegen. Wer weiß übrigens, ob das nicht sehr gut für mich wäre. Wenn ich mich nicht wegen meiner Eltern zurückhielte, ich hätte längst gekündigt, ich wäre vor den Chef

---

[1]    Übertragen der Bestellungen der Kunden in ein Auftragsbuch

hingetreten und hätte ihm meine Meinung von Grund
des Herzens aus gesagt. Vom Pult hätte er fallen müssen! Es ist auch eine sonderbare Art, sich auf das Pult zu
setzen und von der Höhe herab mit dem Angestellten zu
reden, der überdies wegen der Schwerhörigkeit des 5
Chefs ganz nahe herantreten muss. Nun, die Hoffnung
ist noch nicht gänzlich aufgegeben; habe ich einmal das
Geld beisammen, um die Schuld der Eltern an ihn abzu-
zahlen – es dürfte noch fünf bis sechs Jahre dauern –,
mache ich die Sache unbedingt. Dann wird der große 10
Schnitt gemacht. Vorläufig allerdings muss ich aufstehen, denn mein Zug fährt um fünf.«
Und er sah zur Weckuhr hinüber, die auf dem Kasten
tickte. »Himmlischer Vater!«, dachte er. Es war halb sieben Uhr und die Zeiger gingen ruhig vorwärts, es war 15
sogar halb vorüber, es näherte sich schon dreiviertel.
Sollte der Wecker nicht geläutet haben? Man sah vom
Bett aus, dass er auf vier Uhr richtig eingestellt war; gewiss hatte er auch geläutet. Ja, aber war es möglich, dieses möbelerschütternde Läuten ruhig zu verschlafen? 20
Nun, ruhig hatte er ja nicht geschlafen, aber wahrscheinlich desto fester. Was aber sollte er jetzt tun? Der nächste
Zug ging um sieben Uhr; um den einzuholen, hätte er
sich unsinnig beeilen müssen, und die Kollektion war
noch nicht eingepackt und er selbst fühlte sich durchaus 25
nicht besonders frisch und beweglich. Und selbst wenn
er den Zug einholte, ein Donnerwetter des Chefs war
nicht zu vermeiden, denn der Geschäftsdiener hatte
beim Fünfuhrzug gewartet und die Meldung von seiner
Versäumnis längst erstattet. Es war eine Kreatur des 30
Chefs, ohne Rückgrat und Verstand. Wie nun, wenn er
sich krank meldete? Das wäre aber äußerst peinlich und
verdächtig, denn Gregor war während seines fünfjähri-
gen Dienstes noch nicht einmal krank gewesen. Gewiss
würde der Chef mit dem Krankenkassenarzt kommen, 35
würde den Eltern wegen des faulen Sohnes Vorwürfe
machen und alle Einwände durch den Hinweis auf den
Krankenkassenarzt abschneiden, für den es ja überhaupt
nur ganz gesunde, aber arbeitsscheue Menschen gibt.
Und hätte er übrigens in diesem Falle so ganz Unrecht? 40

Gregor fühlte sich tatsächlich, abgesehen von einer nach dem langen Schlaf wirklich überflüssigen Schläfrigkeit, ganz wohl und hatte sogar einen besonders kräftigen Hunger.

5 Als er dies alles in größter Eile überlegte, ohne sich entschließen zu können, das Bett zu verlassen – gerade schlug der Wecker dreiviertel sieben – klopfte es vorsichtig an die Tür am Kopfende seines Bettes. »Gregor«, rief es – es war die Mutter –, »es ist dreiviertel sieben. 10 Wolltest du nicht wegfahren?« Die sanfte Stimme! Gregor erschrak, als er seine antwortende Stimme hörte, die wohl unverkennbar seine frühere war, in die sich aber, wie von unten her, ein nicht zu unterdrückendes, schmerzliches Piepsen mischte, das die Worte förmlich 15 nur im ersten Augenblick in ihrer Deutlichkeit beließ, um sie im Nachklang derart zu zerstören, dass man nicht wusste, ob man recht gehört hatte. Gregor hatte ausführlich antworten und alles erklären wollen, beschränkte sich aber bei diesen Umständen darauf zu sa- 20 gen: »Ja, ja, danke Mutter, ich stehe schon auf.« Infolge der Holztür war die Veränderung in Gregors Stimme draußen wohl nicht zu merken, denn die Mutter beruhigte sich mit dieser Erklärung und schlürfte davon. Aber durch das kleine Gespräch waren die anderen Fa- 25 milienmitglieder darauf aufmerksam geworden, dass Gregor wider Erwarten noch zu Hause war, und schon klopfte an der einen Seitentür der Vater, schwach, aber mit der Faust. »Gregor, Gregor«, rief er, »was ist denn?« Und nach einer kleinen Weile mahnte er nochmals mit 30 tieferer Stimme: »Gregor! Gregor!« An der anderen Seitentür aber klagte leise die Schwester: »Gregor? Ist dir nicht wohl? Brauchst du etwas?« Nach beiden Seiten hin antwortete Gregor: »Bin schon fertig«, und bemühte sich durch die sorgfältigste Aussprache und durch Ein- 35 schaltung von langen Pausen zwischen den einzelnen Worten seiner Stimme alles Auffallende zu nehmen. Der Vater kehrte auch zu seinem Frühstück zurück, die Schwester aber flüsterte: »Gregor, mach auf, ich beschwöre dich.« Gregor aber dachte gar nicht daran auf- 40 zumachen, sondern lobte die vom Reisen her übernom-

mene Vorsicht, auch zu Hause alle Türen während der
Nacht zu versperren.

Zunächst wollte er ruhig und ungestört aufstehen, sich
anziehen und vor allem frühstücken, und dann erst das
Weitere überlegen, denn, das merkte er wohl, im Bett
würde er mit dem Nachdenken zu keinem vernünftigen
Ende kommen. Er erinnerte sich, schon öfters im Bett irgendeinen vielleicht durch ungeschicktes Liegen erzeug-
ten, leichten Schmerz empfunden zu haben, der sich
dann beim Aufstehen als reine Einbildung herausstellte,
und er war gespannt, wie sich seine heutigen Vorstellungen allmählich auflösen würden. Dass die Veränderung
der Stimme nichts anderes war als der Vorbote einer
tüchtigen Verkühlung, einer Berufskrankheit der Reisenden, daran zweifelte er nicht im Geringsten.

Die Decke abzuwerfen war ganz einfach; er brauchte
sich nur ein wenig aufzublasen und sie fiel von selbst.
Aber weiterhin wurde es schwierig, besonders weil er so
ungemein breit war. Er hätte Arme und Hände gebraucht, um sich aufzurichten; stattdessen aber hatte er
nur die vielen Beinchen, die ununterbrochen in der verschiedensten Bewegung waren und die er überdies nicht
beherrschen konnte. Wollte er eines einmal einknicken,
so war es das Erste, dass es sich streckte; und gelang es
ihm endlich, mit diesem Bein das auszuführen, was er
wollte, so arbeiteten inzwischen alle anderen, wie freige-
lassen, in höchster, schmerzlicher Aufregung. »Nur sich
nicht im Bett unnütz aufhalten«, sagte sich Gregor.

Zuerst wollte er mit dem unteren Teil seines Körpers
aus dem Bett hinauskommen, aber dieser untere Teil,
den er übrigens noch nicht gesehen hatte und von dem
er sich auch keine rechte Vorstellung machen konnte,
erwies sich als zu schwer beweglich; es ging so langsam; und als er schließlich, fast wild geworden, mit gesammelter Kraft, ohne Rücksicht, sich vorwärtsstieß,
hatte er die Richtung falsch gewählt, schlug an den
unteren Bettpfosten heftig an, und der brennende
Schmerz, den er empfand, belehrte ihn, dass gerade der
untere Teil seines Körpers augenblicklich vielleicht der
empfindlichste war.

Er versuchte es daher, zuerst den Oberkörper aus dem Bett zu bekommen, und drehte vorsichtig den Kopf dem Bettrand zu. Dies gelang auch leicht, und trotz ihrer Breite und Schwere folgte schließlich die Körpermasse lang-
5 sam der Wendung des Kopfes. Aber als er den Kopf endlich außerhalb des Bettes in der freien Luft hielt, bekam er Angst, weiter auf diese Weise vorzurücken, denn wenn er sich schließlich so fallen ließ, musste geradezu ein Wunder geschehen, wenn der Kopf nicht verletzt werden soll-
10 te. Und die Besinnung durfte er gerade jetzt um keinen Preis verlieren; lieber wollte er im Bett bleiben.
Aber als er wieder nach gleicher Mühe aufseufzend so dalag wie früher und wieder seine Beinchen womöglich noch ärger gegeneinander kämpfen sah und keine Mög-
15 lichkeit fand, in diese Willkür Ruhe und Ordnung zu bringen, sagte er sich wieder, dass er unmöglich im Bett bleiben könne und dass es das Vernünftigste sei, alles zu opfern, wenn auch nur die kleinste Hoffnung bestünde, sich dadurch vom Bett zu befreien. Gleichzeitig aber ver-
20 gaß er nicht, sich zwischendurch daran zu erinnern, dass viel besser als verzweifelte Entschlüsse ruhige und ruhigste Überlegung sei. In solchen Augenblicken richtete er die Augen möglichst scharf auf das Fenster, aber leider war aus dem Anblick des Morgennebels, der sogar die
25 andere Seite der engen Straße verhüllte, wenig Zuversicht und Munterkeit zu holen. »Schon sieben Uhr«, sagte er sich beim neuerlichen Schlagen des Weckers, »schon sieben Uhr und noch immer ein solcher Nebel.« Und ein Weilchen lang lag er ruhig mit schwachem Atem, als er-
30 warte er vielleicht von der völligen Stille die Wiederkehr der wirklichen und selbstverständlichen Verhältnisse.
Dann aber sagte er sich: »Ehe es ein Viertel acht[1] schlägt, muss ich unbedingt das Bett vollständig verlassen haben. Im Übrigen wird auch bis dahin jemand aus dem
35 Geschäft kommen, um nach mir zu fragen, denn das Geschäft wird vor sieben Uhr geöffnet.« Und er machte sich nun daran, den Körper in seiner ganzen Länge vollständig gleichmäßig aus dem Bett hinauszuschaukeln.

---

[1]    ein Viertel nach sieben

Wenn er sich auf diese Weise aus dem Bett fallen ließ,
blieb der Kopf, den er beim Fall scharf heben wollte,
voraussichtlich unverletzt. Der Rücken schien hart zu
sein; dem würde wohl bei dem Fall auf den Teppich
nichts geschehen. Das größte Bedenken machte ihm die 5
Rücksicht auf den lauten Krach, den es geben müsste
und der wahrscheinlich hinter allen Türen wenn nicht
Schrecken, so doch Besorgnisse erregen würde. Das
musste aber gewagt werden.

Als Gregor schon zur Hälfte aus dem Bette ragte – die 10
neue Methode war mehr ein Spiel als eine Anstrengung,
er brauchte immer nur ruckweise zu schaukeln –, fiel
ihm ein, wie einfach alles wäre, wenn man ihm zu Hilfe
käme. Zwei starke Leute – er dachte an seinen Vater und
das Dienstmädchen – hätten vollständig genügt; sie hät- 15
ten ihre Arme nur unter seinen gewölbten Rücken schieben, ihn so aus dem Bett schälen, sich mit der Last nie-
derbeugen und dann bloß vorsichtig dulden müssen,
dass er den Überschwung auf dem Fußboden vollzog,
wo dann die Beinchen hoffentlich einen Sinn bekommen 20
würden. Nun, ganz abgesehen davon, dass die Türen
versperrt waren, hätte er wirklich um Hilfe rufen sollen?
Trotz aller Not konnte er bei diesem Gedanken ein
Lächeln nicht unterdrücken.

Schon war er so weit, dass er bei stärkerem Schaukeln 25
kaum das Gleichgewicht noch erhielt, und sehr bald
musste er sich nun endgültig entscheiden, denn es war
in fünf Minuten ein Viertel acht, – als es an der Wohnungstür läutete. »Das ist jemand aus dem Geschäft«,
sagte er sich und erstarrte fast, während seine Beinchen 30
nur desto eiliger tanzten. Einen Augenblick blieb alles
still. »Sie öffnen nicht«, sagte sich Gregor, befangen in irgendeiner unsinnigen Hoffnung. Aber dann ging natürlich wie immer das Dienstmädchen festen Schrittes zur
Tür und öffnete. Gregor brauchte nur das erste 35
Grußwort des Besuchers zu hören und wusste schon,
wer es war – der Prokurist[1] selbst. Warum war nur Gre-

---

[1] mit besonderer Vollmacht ausgestatteter Vertreter des Firmenin-
habers

gor dazu verurteilt, bei einer Firma zu dienen, wo man bei der kleinsten Versäumnis gleich den größten Verdacht fasste? Waren denn alle Angestellten samt und sonders Lumpen, gab es denn unter ihnen keinen treu-
5 en, ergebenen Menschen, der, wenn er auch nur ein paar Morgenstunden für das Geschäft nicht ausgenützt hatte, vor Gewissensbissen närrisch wurde und geradezu nicht imstande war, das Bett zu verlassen? Genügte es wirklich nicht, einen Lehrjungen nachfragen zu lassen –
10 wenn überhaupt diese Fragerei nötig war –, musste da der Prokurist selbst kommen und musste dadurch der ganzen unschuldigen Familie gezeigt werden, dass die Untersuchung dieser verdächtigen Angelegenheit nur dem Verstand des Prokuristen anvertraut werden konn-
15 te? Und mehr infolge der Erregung, in welche Gregor durch diese Überlegungen versetzt wurde, als infolge eines richtigen Entschlusses, schwang er sich mit aller Macht aus dem Bett. Es gab einen lauten Schlag, aber ein eigentlicher Krach war es nicht. Ein wenig wurde der
20 Fall durch den Teppich abgeschwächt, auch war der Rücken elastischer, als Gregor gedacht hatte, daher kam der nicht gar so auffallende dumpfe Klang. Nur den Kopf hatte er nicht vorsichtig genug gehalten und ihn angeschlagen; er drehte ihn und rieb ihn an dem Tep-
25 pich vor Ärger und Schmerz.

»Da drin ist etwas gefallen«, sagte der Prokurist im Nebenzimmer links. Gregor suchte sich vorzustellen, ob nicht auch einmal dem Prokuristen etwas Ähnliches passieren könnte wie heute ihm; die Möglichkeit dessen
30 musste man doch eigentlich zugeben. Aber wie zur rohen Antwort auf diese Frage machte jetzt der Prokurist im Nebenzimmer ein paar bestimmte Schritte und ließ seine Lackstiefel knarren. Aus dem Nebenzimmer rechts flüsterte die Schwester, um Gregor zu verständigen:
35 »Gregor, der Prokurist ist da.« »Ich weiß«, sagte Gregor vor sich hin; aber so laut, dass es die Schwester hätte hören können, wagte er die Stimme nicht zu erheben.

»Gregor«, sagte nun der Vater aus dem Nebenzimmer links, »der Herr Prokurist ist gekommen und erkundigt
40 sich, warum du nicht mit dem Frühzug weggefahren

bist. Wir wissen nicht, was wir ihm sagen sollen. Übrigens will er auch mit dir persönlich sprechen. Also bitte mach die Tür auf. Er wird die Unordnung im Zimmer zu entschuldigen schon die Güte haben.« »Guten Morgen, Herr Samsa«, rief der Prokurist freundlich dazwischen. »Ihm ist nicht wohl«, sagte die Mutter zum Prokuristen, während der Vater noch an der Tür redete, »ihm ist nicht wohl, glauben Sie mir, Herr Prokurist. Wie würde denn Gregor sonst einen Zug versäumen! Der Junge hat ja nichts im Kopf als das Geschäft. Ich ärgere mich schon fast, dass er abends niemals ausgeht; jetzt war er doch acht Tage in der Stadt, aber jeden Abend war er zu Hause. Da sitzt er bei uns am Tisch und liest still die Zeitung oder studiert Fahrpläne. Es ist schon eine Zerstreuung für ihn, wenn er sich mit Laubsägearbeiten beschäftigt. Da hat er zum Beispiel im Laufe von zwei, drei Abenden einen kleinen Rahmen geschnitzt; Sie werden staunen, wie hübsch er ist; er hängt drin im Zimmer; Sie werden ihn gleich sehen, bis Gregor aufmacht. Ich bin übrigens glücklich, dass Sie da sind, Herr Prokurist; wir allein hätten Gregor nicht dazu gebracht, die Tür zu öffnen; er ist so hartnäckig; und bestimmt ist ihm nicht wohl, trotzdem er es am Morgen geleugnet hat.« »Ich komme gleich«, sagte Gregor langsam und bedächtig und rührte sich nicht, um kein Wort der Gespräche zu verlieren. »Anders, gnädige Frau, kann ich es mir auch nicht erklären«, sagte der Prokurist, »hoffentlich ist es nichts Ernstes. Wenn ich auch andererseits sagen muss, dass wir Geschäftsleute – wie man will, leider oder glücklicherweise – ein leichtes Unwohlsein sehr oft aus geschäftlichen Rücksichten einfach überwinden müssen.« »Also kann der Herr Prokurist schon zu dir hinein?«, fragte der ungeduldige Vater und klopfte wiederum an die Tür. »Nein«, sagte Gregor. Im Nebenzimmer links trat eine peinliche Stille ein, im Nebenzimmer rechts begann die Schwester zu schluchzen.

Warum ging denn die Schwester nicht zu den anderen? Sie war wohl erst jetzt aus dem Bett aufgestanden und hatte noch gar nicht angefangen, sich anzuziehen. Und warum weinte sie denn? Weil er nicht aufstand und den

Prokuristen nicht hereinließ, weil er in Gefahr war, den Posten zu verlieren und weil dann der Chef die Eltern mit den alten Forderungen wieder verfolgen würde? Das waren doch vorläufig wohl unnötige Sorgen. Noch war Gregor hier und dachte nicht im Geringsten daran, seine Familie zu verlassen. Augenblicklich lag er wohl da auf dem Teppich und niemand, der seinen Zustand gekannt hätte, hätte im Ernst von ihm verlangt, dass er den Prokuristen hereinlasse. Aber wegen dieser kleinen Unhöflichkeit, für die sich ja später leicht eine passende Ausrede finden würde, konnte Gregor doch nicht gut sofort weggeschickt werden. Und Gregor schien es, dass es viel vernünftiger wäre, ihn jetzt in Ruhe zu lassen, statt ihn mit Weinen und Zureden zu stören. Aber es war eben die Ungewissheit, welche die anderen bedrängte und ihr Benehmen entschuldigte.

»Herr Samsa«, rief nun der Prokurist mit erhobener Stimme, »was ist denn los? Sie verbarrikadieren sich da in Ihrem Zimmer, antworten bloß mit ja und nein, machen Ihren Eltern schwere, unnötige Sorgen und versäumen – dies nur nebenbei erwähnt – Ihre geschäftlichen Pflichten in einer eigentlich unerhörten Weise. Ich spreche hier im Namen Ihrer Eltern und Ihres Chefs und bitte Sie ganz ernsthaft um eine augenblickliche, deutliche Erklärung. Ich staune, ich staune. Ich glaubte, Sie als einen ruhigen, vernünftigen Menschen zu kennen, und nun scheinen Sie plötzlich anfangen zu wollen, mit sonderbaren Launen zu paradieren. Der Chef deutete mir zwar heute früh eine mögliche Erklärung für Ihr Versäumnis an – sie betraf das Ihnen seit kurzem anvertraute Inkasso[1] –, aber ich legte wahrhaftig fast mein Ehrenwort dafür ein, dass diese Erklärung nicht zutreffen könne. Nun aber sehe ich hier Ihren unbegreiflichen Starrsinn und verliere ganz und gar jede Lust, mich auch nur im Geringsten für Sie einzusetzen. Und Ihre Stellung ist durchaus nicht die festeste. Ich hatte ursprünglich die Absicht, Ihnen das alles unter vier Augen zu sagen, aber da Sie mich hier nutzlos meine Zeit ver-

---

[1]   die Ihnen erteilte Erlaubnis zum Einzug fälliger Zahlungen

säumen lassen, weiß ich nicht, warum es nicht auch Ihre
Herren Eltern erfahren sollen. Ihre Leistungen in der
letzten Zeit waren also sehr unbefriedigend; es ist zwar
nicht die Jahreszeit, um besondere Geschäfte zu machen,
das erkennen wir an; aber eine Jahreszeit, um keine Ge- 5
schäfte zu machen, gibt es überhaupt nicht, Herr Samsa,
darf es nicht geben.«
»Aber Herr Prokurist«, rief Gregor außer sich und vergaß in der Aufregung alles andere, »ich mache ja sofort,
augenblicklich auf. Ein leichtes Unwohlsein, ein Schwin- 10
delanfall, haben mich verhindert aufzustehen. Ich liege
noch jetzt im Bett. Jetzt bin ich aber schon wieder ganz
frisch. Eben steige ich aus dem Bett. Nur einen kleinen
Augenblick Geduld! Es geht noch nicht so gut, wie ich
dachte. Es ist mir aber schon wohl. Wie das nur einen 15
Menschen so überfallen kann! Noch gestern Abend war
mir ganz gut, meine Eltern wissen es ja, oder besser,
schon gestern Abend hatte ich eine kleine Vorahnung.
Man hätte es mir ansehen müssen. Warum habe ich es
nur im Geschäfte nicht gemeldet! Aber man denkt eben 20
immer, dass man die Krankheit ohne Zuhausebleiben
überstehen wird. Herr Prokurist! Schonen Sie meine Eltern! Für alle die Vorwürfe, die Sie mir jetzt machen, ist
ja kein Grund; man hat mir ja davon auch kein Wort gesagt. Sie haben vielleicht die letzten Aufträge, die ich ge- 25
schickt habe, nicht gelesen. Übrigens, noch mit dem
Achtuhrzug fahre ich auf die Reise, die paar Stunden
Ruhe haben mich gekräftigt. Halten Sie sich nur nicht
auf, Herr Prokurist; ich bin gleich selbst im Geschäft,
und haben Sie die Güte, das zu sagen und mich dem 30
Herrn Chef zu empfehlen!«
Und während Gregor dies alles hastig ausstieß und
kaum wusste, was er sprach, hatte er sich leicht, wohl
infolge der im Bett bereits erlangten Übung, dem Kasten[1] genähert und versuchte nun, an ihm sich aufzurich- 35
ten. Er wollte tatsächlich die Tür aufmachen, tatsächlich
sich sehen lassen und mit dem Prokuristen sprechen; er
war begierig zu erfahren, was die anderen, die jetzt so

---

[1]  Schrank (österr.)

nach ihm verlangten, bei seinem Anblick sagen würden.
Würden sie erschrecken, dann hatte Gregor keine Verantwortung mehr und konnte ruhig sein. Würden sie
aber alles ruhig hinnehmen, dann hatte auch er keinen
5 Grund, sich aufzuregen, und konnte, wenn er sich be-
eilte, um acht Uhr tatsächlich auf dem Bahnhof sein. Zuerst glitt er nun einige Male von dem glatten Kasten ab,
aber endlich gab er sich einen letzten Schwung und
stand aufrecht da; auf die Schmerzen im Unterleib ach-
10 tete er gar nicht mehr, so sehr sie auch brannten. Nun
ließ er sich gegen die Rückenlehne eines nahen Stuhles
fallen, an deren Rändern er sich mit seinen Beinchen
festhielt. Damit hatte er aber auch die Herrschaft über
sich erlangt und verstummte, denn nun konnte er den
15 Prokuristen anhören.
»Haben Sie auch nur ein Wort verstanden?«, fragte der
Prokurist die Eltern, »er macht sich doch wohl nicht einen Narren aus uns?« »Um Gottes willen«, rief die Mutter schon unter Weinen, »er ist vielleicht schwer krank
20 und wir quälen ihn. Grete! Grete!«, schrie sie dann.
»Mutter?«, rief die Schwester von der anderen Seite. Sie
verständigten sich durch Gregors Zimmer. »Du musst
augenblicklich zum Arzt. Gregor ist krank. Rasch um den
Arzt. Hast du Gregor jetzt reden hören?« »Das war eine
25 Tierstimme«, sagte der Prokurist, auffallend leise gegenüber dem Schreien der Mutter. »Anna! Anna!«, rief
der Vater durch das Vorzimmer in die Küche und
klatschte in die Hände, »sofort einen Schlosser holen!«
Und schon liefen die zwei Mädchen mit rauschenden
30 Röcken durch das Vorzimmer – wie hatte sich die
Schwester denn so schnell angezogen? – und rissen die
Wohnungstüre auf. Man hörte gar nicht die Türe zu-
schlagen; sie hatten sie wohl offen gelassen, wie es in
Wohnungen zu sein pflegt, in denen ein großes Unglück
35 geschehen ist.
Gregor war aber viel ruhiger geworden. Man verstand
zwar also seine Worte nicht mehr, trotzdem sie ihm genug klar, klarer als früher, vorgekommen waren, vielleicht infolge der Gewöhnung des Ohres. Aber immer-
40 hin glaubte man nun schon daran, dass es mit ihm nicht

ganz in Ordnung war, und war bereit, ihm zu helfen. Die Zuversicht und Sicherheit, mit welchen die ersten Anordnungen getroffen worden waren, taten ihm wohl. Er fühlte sich wieder einbezogen in den menschlichen Kreis und erhoffte von beiden, vom Arzt und vom 5 Schlosser, ohne sie eigentlich genau zu scheiden, großartige und überraschende Leistungen. Um für die sich nähernden entscheidenden Besprechungen eine möglichst klare Stimme zu bekommen, hustete er ein wenig ab, allerdings bemüht, dies ganz gedämpft zu tun, da 10 möglicherweise auch schon dieses Geräusch anders als menschlicher Husten klang, was er selbst zu entscheiden sich nicht mehr getraute. Im Nebenzimmer war es inzwischen ganz still geworden. Vielleicht saßen die Eltern mit dem Prokuristen beim Tisch und tuschelten, viel- 15 leicht lehnten alle an der Türe und horchten.

Gregor schob sich langsam mit dem Sessel zur Tür hin, ließ ihn dort los, warf sich gegen die Tür, hielt sich an ihr aufrecht – die Ballen seiner Beinchen hatten ein wenig Klebstoff – und ruhte sich dort einen Augenblick lang 20 von der Anstrengung aus. Dann aber machte er sich daran, mit dem Mund den Schlüssel im Schloss umzudrehen. Es schien leider, dass er keine eigentlichen Zähne hatte, – womit sollte er gleich den Schlüssel fassen? – aber dafür waren die Kiefer freilich sehr stark; mit ihrer 25 Hilfe brachte er auch wirklich den Schlüssel in Bewegung und achtete nicht darauf, dass er sich zweifellos irgendeinen Schaden zufügte, denn eine braune Flüssigkeit kam ihm aus dem Mund, floss über den Schlüssel und tropfte auf den Boden. »Hören Sie nur«, sagte der 30 Prokurist im Nebenzimmer, »er dreht den Schlüssel um.« Das war für Gregor eine große Aufmunterung; aber alle hätten ihm zurufen sollen, auch der Vater und die Mutter: »Frisch, Gregor«, hätten sie rufen sollen, »immer nur heran, fest an das Schloss heran!« Und in 35 der Vorstellung, dass alle seine Bemühungen mit Spannung verfolgten, verbiss er sich mit allem, was er an Kraft aufbringen konnte, besinnungslos in den Schlüssel. Je nach dem Fortschreiten der Drehung des Schlüssels umtanzte er das Schloss; hielt sich jetzt nur noch mit 40

dem Munde aufrecht und je nach Bedarf hing er sich an den Schlüssel oder drückte ihn dann wieder nieder mit der ganzen Last seines Körpers. Der hellere Klang des endlich zurückschnappenden Schlosses erweckte Gregor
5 förmlich. Aufatmend sagte er sich: »Ich habe also den Schlosser nicht gebraucht«, und legte den Kopf auf die Klinke um die Türe gänzlich zu öffnen.

Da er die Türe auf diese Weise öffnen musste, war sie eigentlich schon recht weit geöffnet und er selbst noch
10 nicht zu sehen. Er musste sich erst langsam um den einen Türflügel herumdrehen, und zwar sehr vorsichtig, wenn er nicht gerade vor dem Eintritt ins Zimmer plump auf den Rücken fallen wollte. Er war noch mit jener schwierigen Bewegung beschäftigt und hatte nicht
15 Zeit, auf anderes zu achten, da hörte er schon den Prokuristen ein lautes »Oh!« ausstoßen – es klang, wie wenn der Wind saust – und nun sah er ihn auch, wie er, der der Nächste an der Türe war, die Hand gegen den offenen Mund drückte und langsam zurückwich, als
20 vertreibe ihn eine unsichtbare, gleichmäßig fortwirkende Kraft. Die Mutter – sie stand hier trotz der Anwesenheit des Prokuristen mit von der Nacht her noch aufgelösten, hoch sich sträubenden Haaren – sah zuerst mit gefalteten Händen den Vater an, ging dann zwei Schritte
25 zu Gregor hin und fiel inmitten ihrer rings um sie herum sich ausbreitenden Röcke nieder, das Gesicht ganz unauffindbar zu ihrer Brust gesenkt. Der Vater ballte mit feindseligem Ausdruck die Faust, als wolle er Gregor in sein Zimmer zurückstoßen, sah sich dann unsicher im
30 Wohnzimmer um, beschattete dann mit den Händen die Augen und weinte, dass sich seine mächtige Brust schüttelte.

Gregor trat nun gar nicht in das Zimmer, sondern lehnte sich von innen an den festgeriegelten Türflügel, sodass
35 sein Leib nur zur Hälfte und darüber der seitlich geneigte Kopf zu sehen war, mit dem er zu den anderen hinüberlugte. Es war inzwischen viel heller geworden; klar stand auf der anderen Straßenseite ein Ausschnitt des gegenüberliegenden, endlosen, grauschwarzen Hauses –
40 es war ein Krankenhaus – mit seinen hart die Front

durchbrechenden regelmäßigen Fenstern; der Regen fiel
noch nieder, aber nur mit großen, einzeln sichtbaren und
förmlich auch einzelnweise auf die Erde hinuntergeworfenen Tropfen. Das Frühstücksgeschirr stand in überreicher Zahl auf dem Tisch, denn für den Vater war das ₅
Frühstück die wichtigste Mahlzeit des Tages, die er bei
der Lektüre verschiedener Zeitungen stundenlang hinzog. Gerade an der gegenüberliegenden Wand hing eine
Fotografie Gregors aus seiner Militärzeit, die ihn als
Leutnant darstellte, wie er, die Hand am Degen, sorglos ₁₀
lächelnd, Respekt für seine Haltung und Uniform verlangte. Die Tür zum Vorzimmer war geöffnet und man
sah, da auch die Wohnungstür offen war, auf den Vorplatz der Wohnung hinaus und auf den Beginn der abwärtsführenden Treppe.                                    ₁₅
»Nun«, sagte Gregor und war sich dessen wohl bewusst,
dass er der Einzige war, der die Ruhe bewahrt hatte, »ich
werde mich gleich anziehen, die Kollektion zusammenpacken und wegfahren. Wollt ihr, wollt ihr mich wegfahren lassen? Nun, Herr Prokurist, Sie sehen, ich bin ₂₀
nicht starrköpfig und ich arbeite gern; das Reisen ist beschwerlich, aber ich könnte ohne das Reisen nicht leben.
Wohin gehen Sie denn, Herr Prokurist? Ins Geschäft? Ja?
Werden Sie alles wahrheitsgetreu berichten? Man kann
im Augenblick unfähig sein zu arbeiten, aber dann ist ₂₅
gerade der richtige Zeitpunkt, sich an die früheren Leistungen zu erinnern und zu bedenken, dass man später,
nach Beseitigung des Hindernisses, gewiss desto fleißiger und gesammelter arbeiten wird. Ich bin ja dem
Herrn Chef so sehr verpflichtet, das wissen Sie doch ₃₀
recht gut. Andererseits habe ich die Sorge um meine Eltern und die Schwester. Ich bin in der Klemme, ich werde mich aber auch wieder herausarbeiten. Machen Sie es
mir aber nicht schwieriger, als es schon ist. Halten Sie im
Geschäft meine Partei! Man liebt den Reisenden nicht, ₃₅
ich weiß. Man denkt, er verdient ein Heidengeld und
führt dabei ein schönes Leben. Man hat eben keine besondere Veranlassung, dieses Vorurteil besser zu durchdenken. Sie aber, Herr Prokurist, Sie haben einen besseren Überblick über die Verhältnisse als das sonstige ₄₀

Personal, ja sogar, ganz im Vertrauen gesagt, einen besseren Überblick, als der Herr Chef selbst, der in seiner
Eigenschaft als Unternehmer sich in seinem Urteil leicht
zu Ungunsten eines Angestellten beirren lässt. Sie wis-
5 sen auch sehr wohl, dass der Reisende, der fast das
ganze Jahr außerhalb des Geschäftes ist, so leicht ein Op-
fer von Klatschereien, Zufälligkeiten und grundlosen
Beschwerden werden kann, gegen die sich zu wehren
ihm ganz unmöglich ist, da er von ihnen meistens gar
10 nichts erfährt und nur dann, wenn er erschöpft eine Reise beendet hat, zu Hause die schlimmen, auf ihre Ursa-
chen hin nicht mehr zu durchschauenden Folgen am eigenen Leibe zu spüren bekommt. Herr Prokurist, gehen
Sie nicht weg, ohne mir ein Wort gesagt zu haben, das
15 mir zeigt, dass Sie mir wenigstens zu einem kleinen Teil
Recht geben!«
Aber der Prokurist hatte sich schon bei den ersten Worten Gregors abgewendet und nur über die zuckende
Schulter hinweg sah er mit aufgeworfenen Lippen nach
20 Gregor zurück. Und während Gregors Rede stand er
keinen Augenblick still, sondern verzog sich, ohne Gregor aus den Augen zu lassen, gegen die Tür, aber ganz
allmählich, als bestehe ein geheimes Verbot, das Zimmer
zu verlassen. Schon war er im Vorzimmer, und nach der
25 plötzlichen Bewegung, mit der er zum letzten Mal den
Fuß aus dem Wohnzimmer zog, hätte man glauben können, er habe sich soeben die Sohle verbrannt. Im Vorzimmer aber streckte er die rechte Hand weit von sich
zur Treppe hin, als warte dort auf ihn eine geradezu
30 überirdische Erlösung.
Gregor sah ein, dass er den Prokuristen in dieser Stimmung auf keinen Fall weggehen lassen dürfe, wenn dadurch seine Stellung im Geschäft nicht aufs Äußerste ge-
fährdet werden sollte. Die Eltern verstanden das alles
35 nicht so gut; sie hatten sich in den langen Jahren die
Überzeugung gebildet, dass Gregor in diesem Geschäft
für sein Leben versorgt war, und hatten außerdem jetzt
mit den augenblicklichen Sorgen so viel zu tun, dass ihnen jede Voraussicht abhanden gekommen war. Aber
40 Gregor hatte diese Voraussicht. Der Prokurist musste ge-

halten, beruhigt, überzeugt und schließlich gewonnen werden; die Zukunft Gregors und seiner Familie hing doch davon ab! Wäre doch die Schwester hier gewesen! Sie war klug; sie hatte schon geweint, als Gregor noch ruhig auf dem Rücken lag. Und gewiss hätte der Proku- 5 rist, dieser Damenfreund, sich von ihr lenken lassen; sie hätte die Wohnungstür zugemacht und ihm im Vorzimmer den Schrecken ausgeredet. Aber die Schwester war eben nicht da, Gregor selbst musste handeln. Und ohne daran zu denken, dass er seine gegenwärtigen Fähigkei- 10 ten, sich zu bewegen, noch gar nicht kannte, ohne auch daran zu denken, dass seine Rede möglicher- ja wahrscheinlicherweise wieder nicht verstanden worden war, verließ er den Türflügel; schob sich durch die Öffnung; wollte zum Prokuristen hingehen, der sich schon am 15 Geländer des Vorplatzes lächerlicherweise mit beiden Händen festhielt; fiel aber sofort, nach einem Halt suchend, mit einem kleinen Schrei auf seine vielen Beinchen nieder. Kaum war das geschehen, fühlte er zum ersten Mal an diesem Morgen ein körperliches Wohlbe- 20 hagen; die Beinchen hatten festen Boden unter sich; sie gehorchten vollkommen, wie er zu seiner Freude merkte; strebten sogar danach, ihn fortzutragen, wohin er wollte; und schon glaubte er, die endgültige Besserung alles Leidens stehe unmittelbar bevor. Aber im gleichen 25 Augenblick, als er da schaukelnd vor verhaltener Bewegung, gar nicht weit von seiner Mutter entfernt, ihr gerade gegenüber auf dem Boden lag, sprang diese, die doch so ganz in sich versunken schien, mit einem Male in die Höhe, die Arme weit ausgestreckt, die Finger ge- 30 spreizt, rief: »Hilfe, um Gottes willen Hilfe!«, hielt den Kopf geneigt, als wolle sie Gregor besser sehen, lief aber, im Widerspruch dazu, sinnlos zurück; hatte vergessen, dass hinter ihr der gedeckte Tisch stand; setzte sich, als sie bei ihm angekommen war, wie in Zerstreutheit, eilig 35 auf ihn; und schien gar nicht zu merken, dass neben ihr aus der umgeworfenen großen Kanne der Kaffee in vollem Strome auf den Teppich sich ergoss.

»Mutter, Mutter«, sagte Gregor leise, und sah zu ihr hinauf. Der Prokurist war ihm für einen Augenblick ganz 40

aus dem Sinn gekommen; dagegen konnte er sich nicht versagen, im Anblick des fließenden Kaffees mehrmals mit den Kiefern ins Leere zu schnappen. Darüber schrie die Mutter neuerdings auf, flüchtete vom Tisch und fiel
5 dem ihr entgegeneilenden Vater in die Arme. Aber Gregor hatte jetzt keine Zeit für seine Eltern; der Prokurist war schon auf der Treppe; das Kinn auf dem Geländer, sah er noch zum letzten Male zurück. Gregor nahm einen Anlauf, um ihn möglichst sicher einzuholen; der
10 Prokurist musste etwas ahnen, denn er machte einen Sprung über mehrere Stufen und verschwand; »Huh!«, aber schrie er noch, es klang durchs ganze Treppenhaus. Leider schien nun auch diese Flucht des Prokuristen den Vater, der bisher verhältnismäßig gefasst gewesen war,
15 völlig zu verwirren, denn statt selbst dem Prokuristen nachzulaufen oder wenigstens Gregor in der Verfolgung nicht zu hindern, packte er mit der Rechten den Stock des Prokuristen, den dieser mit Hut und Überzieher auf einem Sessel zurückgelassen hatte, holte mit der Linken
20 eine große Zeitung vom Tisch und machte sich unter Füßestampfen daran, Gregor durch Schwenken des Stockes und der Zeitung in sein Zimmer zurückzutreiben. Kein Bitten Gregors half, kein Bitten wurde auch verstanden, er mochte den Kopf noch so demütig dre-
25 hen, der Vater stampfte nur stärker mit den Füßen. Drüben hatte die Mutter trotz des kühlen Wetters ein Fenster aufgerissen, und hinausgelehnt drückte sie ihr Gesicht weit außerhalb des Fensters in ihre Hände. Zwischen Gasse und Treppenhaus entstand eine starke Zug-
30 luft, die Fenstervorhänge flogen auf, die Zeitungen auf dem Tische rauschten, einzelne Blätter wehten über den Boden hin. Unerbittlich drängte der Vater und stieß Zischlaute aus, wie ein Wilder. Nun hatte aber Gregor noch gar keine Übung im Rückwärtsgehen, es ging
35 wirklich sehr langsam. Wenn sich Gregor nur hätte umdrehen dürfen, er wäre gleich in seinem Zimmer gewesen, aber er fürchtete sich, den Vater durch die zeitraubende Umdrehung ungeduldig zu machen, und jeden Augenblick drohte ihm doch von dem Stock in des Va-
40 ters Hand der tödliche Schlag auf den Rücken oder auf

den Kopf. Endlich aber blieb Gregor doch nichts anderes
übrig, denn er merkte mit Entsetzen, dass er im Rückwärtsgehen nicht einmal die Richtung einzuhalten
verstand; und so begann er, unter unaufhörlichen ängst-
lichen Seitenblicken nach dem Vater, sich nach Möglich- 5
keit rasch, in Wirklichkeit aber doch nur sehr langsam
umzudrehen. Vielleicht merkte der Vater seinen guten
Willen, denn er störte ihn hierbei nicht, sondern dirigier-
te sogar hie und da die Drehbewegung von der Ferne
mit der Spitze seines Stockes. Wenn nur nicht dieses un- 10
erträgliche Zischen des Vaters gewesen wäre! Gregor
verlor darüber ganz den Kopf. Er war schon fast ganz
umgedreht, als er sich, immer auf dieses Zischen hor-
chend, sogar irrte und sich wieder ein Stück zurück-
drehte. Als er aber endlich glücklich mit dem Kopf vor 15
der Türöffnung war, zeigte es sich, dass sein Körper zu
breit war, um ohne weiteres durchzukommen. Dem Vater fiel es natürlich in seiner gegenwärtigen Verfassung
auch nicht entfernt ein, etwa den anderen Türflügel zu
öffnen, um für Gregor einen genügenden Durchgang zu 20
schaffen. Seine fixe Idee[1] war bloß, dass Gregor so
rasch als möglich in sein Zimmer müsse. Niemals hätte
er auch die umständlichen Vorbereitungen gestattet, die
Gregor brauchte, um sich aufzurichten und vielleicht auf
diese Weise durch die Tür zu kommen. Vielmehr trieb 25
er, als gäbe es kein Hindernis, Gregor jetzt unter besonderem Lärm vorwärts; es klang schon hinter Gregor gar
nicht mehr wie die Stimme bloß eines einzigen Vaters;
nun gab es wirklich keinen Spaß mehr und Gregor
drängte sich – geschehe was wolle – in die Tür. Die eine 30
Seite seines Körpers hob sich, er lag schief in der Türöffnung, seine eine Flanke war ganz wundgerieben, an der
weißen Tür blieben hässliche Flecken, bald steckte er fest
und hätte sich allein nicht mehr rühren können, die
Beinchen auf der einen Seite hingen zitternd oben in der 35
Luft, die auf der anderen waren schmerzhaft zu Boden
gedrückt – da gab ihm der Vater von hinten einen jetzt
wahrhaftig erlösenden starken Stoß und er flog, heftig

---

[1]  Zwangsvorstellung, hartnäckig festgehaltene Vorstellung

blutend, weit in sein Zimmer hinein. Die Tür wurde noch mit dem Stock zugeschlagen, dann war es endlich still.

II.

Erst in der Abenddämmerung erwachte Gregor aus seinem schweren ohnmachtsähnlichen Schlaf. Er wäre gewiss nicht viel später auch ohne Störung erwacht, denn er fühlte sich genügend ausgeruht und ausgeschlafen, doch schien es ihm, als hätte ihn ein flüchtiger Schritt und ein vorsichtiges Schließen der zum Vorzimmer führenden Tür geweckt. Der Schein der elektrischen Straßenlampen lag bleich hier und da auf der Zimmerdecke und auf den höheren Teilen der Möbel, aber unten bei Gregor war es finster. Langsam schob er sich, noch ungeschickt mit seinen Fühlern tastend, die er jetzt schätzen lernte, zur Türe hin um nachzusehen, was dort geschehen war. Seine linke Seite schien eine einzige lange, unangenehm spannende Narbe und er musste auf seinen zwei Beinreihen regelrecht hinken. Ein Beinchen war übrigens im Laufe der vormittägigen Vorfälle schwer verletzt worden – es war fast ein Wunder, dass nur eines verletzt worden war – und schleppte leblos nach.

Erst bei der Tür merkte er, was ihn dorthin eigentlich gelockt hatte; es war der Geruch von etwas Essbarem gewesen. Denn dort stand ein Napf mit süßer Milch gefüllt, in der kleine Schnitten von Weißbrot schwammen. Fast hätte er vor Freude gelacht, denn er hatte noch größeren Hunger als am Morgen, und gleich tauchte er seinen Kopf fast bis über die Augen in die Milch hinein. Aber bald zog er ihn enttäuscht wieder zurück; nicht nur, dass ihm das Essen wegen seiner heiklen linken Seite Schwierigkeiten machte – und er konnte nur essen, wenn der ganze Körper schnaufend mitarbeitete –, so schmeckte ihm überdies die Milch, die sonst sein Lieblingsgetränk war und die ihm gewiss die Schwester deshalb hereingestellt hatte, gar nicht, ja er wandte sich fast mit Widerwillen von dem Napf ab und kroch in die Zimmermitte zurück.

Im Wohnzimmer war, wie Gregor durch die Türspalte
sah, das Gas angezündet, aber während sonst zu dieser
Tageszeit der Vater seine nachmittags erscheinende Zeitung der Mutter und manchmal auch der Schwester mit
erhobener Stimme vorzulesen pflegte, hörte man jetzt 5
keinen Laut. Nun vielleicht war dieses Vorlesen, von
dem ihm die Schwester immer erzählte und schrieb, in
der letzten Zeit überhaupt aus der Übung gekommen.
Aber auch ringsherum war es so still, trotzdem doch gewiss die Wohnung nicht leer war. »Was für ein stilles Le- 10
ben die Familie doch führte«, sagte sich Gregor und
fühlte, während er starr vor sich ins Dunkle sah, einen
großen Stolz darüber, dass er seinen Eltern und seiner
Schwester ein solches Leben in einer so schönen Wohnung hatte verschaffen können. Wie aber, wenn jetzt alle 15
Ruhe, aller Wohlstand, alle Zufriedenheit ein Ende mit
Schrecken nehmen sollte? Um sich nicht in solche Gedanken zu verlieren, setzte sich Gregor lieber in Bewegung und kroch im Zimmer auf und ab.
Einmal während des langen Abends wurde die eine Sei- 20
tentüre und einmal die andere bis zu einer kleinen Spalte geöffnet und rasch wieder geschlossen; jemand hatte
wohl das Bedürfnis hereinzukommen, aber auch wieder
zu viele Bedenken. Gregor machte nun unmittelbar bei
der Wohnzimmertür halt, entschlossen, den zögernden 25
Besucher doch irgendwie hereinzubringen oder doch
wenigstens zu erfahren, wer es sei; aber nun wurde die
Tür nicht mehr geöffnet und Gregor wartete vergebens.
Früh, als die Türen versperrt waren, hatten alle zu ihm
hereinkommen wollen, jetzt, da er die eine Tür geöffnet 30
hatte und die anderen offenbar während des Tages
geöffnet worden waren, kam keiner mehr und die
Schlüssel steckten nun auch von außen.
Spät erst in der Nacht wurde das Licht im Wohnzimmer
ausgelöscht und nun war leicht festzustellen, dass die 35
Eltern und die Schwester so lange wach geblieben waren,
denn wie man genau hören konnte, entfernten sich jetzt
alle drei auf den Fußspitzen. Nun kam gewiss bis zum
Morgen niemand mehr zu Gregor herein; er hatte also
eine lange Zeit, um ungestört zu überlegen, wie er sein 40

Leben jetzt neu ordnen sollte. Aber das hohe freie Zimmer, in dem er gezwungen war, flach auf dem Boden zu liegen, ängstigte ihn, ohne dass er die Ursache herausfinden konnte, denn es war ja sein seit fünf Jahren von
5 ihm bewohntes Zimmer – und mit einer halb unbewussten Wendung und nicht ohne eine leichte Scham eilte er unter das Kanapee[1], wo er sich, trotzdem sein Rücken ein wenig gedrückt wurde und trotzdem er den Kopf nicht mehr erheben konnte, gleich sehr behaglich fühlte
10 und nur bedauerte, dass sein Körper zu breit war, um vollständig unter dem Kanapee untergebracht zu werden.

Dort blieb er die ganze Nacht, die er zum Teil im Halbschlaf, aus dem ihn der Hunger immer wieder auf-
15 schreckte, verbrachte, zum Teil aber in Sorgen und undeutlichen Hoffnungen, die aber alle zu dem Schlusse führten, dass er sich vorläufig ruhig verhalten und durch Geduld und größte Rücksichtnahme der Familie die Unannehmlichkeiten erträglich machen müsse, die
20 er ihr in seinem gegenwärtigen Zustand nun einmal zu verursachen gezwungen war.

Schon am frühen Morgen, es war fast noch Nacht, hatte Gregor Gelegenheit, die Kraft seiner eben gefassten Entschlüsse zu prüfen, denn vom Vorzimmer her öffnete
25 die Schwester, fast völlig angezogen, die Tür und sah mit Spannung herein. Sie fand ihn nicht gleich, aber als sie ihn unter dem Kanapee bemerkte – Gott, er musste doch irgendwo sein, er hatte doch nicht wegfliegen können – erschrak sie so sehr, dass sie, ohne sich beherr-
30 schen zu können, die Tür von außen wieder zuschlug. Aber als bereue sie ihr Benehmen, öffnete sie die Tür sofort wieder und trat, als sei sie bei einem Schwerkranken oder gar bei einem Fremden, auf den Fußspitzen herein. Gregor hatte den Kopf bis knapp zum Rande des Kana-
35 pees vorgeschoben und beobachtete sie. Ob sie wohl bemerken würde, dass er die Milch stehen gelassen hatte, und zwar keineswegs aus Mangel an Hunger, und ob sie eine andere Speise hereinbringen würde, die ihm besser

---

[1]  Couch, Sofa

entsprach? Täte sie es nicht von selbst, er wollte lieber
verhungern, als sie darauf aufmerksam machen, trotzdem es ihn eigentlich ungeheuer drängte, unterm Kanapee vorzuschießen, sich der Schwester zu Füßen zu werfen und sie um irgendetwas Gutes zum Essen zu bitten. 5
Aber die Schwester bemerkte sofort mit Verwunderung
den noch vollen Napf, aus dem nur ein wenig Milch
ringsherum verschüttet war, sie hob ihn gleich auf, zwar
nicht mit den bloßen Händen, sondern mit einem Fet-
zen, und trug ihn hinaus. Gregor war äußerst neugierig, 10
was sie zum Ersatze bringen würde, und er machte sich
die verschiedensten Gedanken darüber. Niemals aber
hätte er erraten können, was die Schwester in ihrer Güte
wirklich tat. Sie brachte ihm, um seinen Geschmack zu
prüfen, eine ganze Auswahl, alles auf einer alten Zei- 15
tung ausgebreitet. Da war altes halb verfaultes Gemüse;
Knochen vom Nachtmahl her, die von fest gewordener
weißer Sauce umgeben waren; ein paar Rosinen und
Mandeln; ein Käse, den Gregor vor zwei Tagen für un-
genießbar erklärt hatte; ein trockenes Brot, ein mit But- 20
ter beschmiertes Brot und ein mit Butter beschmiertes
und gesalzenes Brot. Außerdem stellte sie zu dem allen
noch den wahrscheinlich ein für allemal für Gregor bestimmten Napf, in den sie Wasser gegossen hatte. Und
aus Zartgefühl, da sie wusste, dass Gregor vor ihr nicht 25
essen würde, entfernte sie sich eiligst und drehte sogar
den Schlüssel um, damit nur Gregor merken könnte,
dass er es sich so behaglich machen dürfe, wie er wolle.
Gregors Beinchen schwirrten, als es jetzt zum Essen
ging. Seine Wunden mussten übrigens auch schon voll- 30
ständig geheilt sein, er fühlte keine Behinderung mehr,
er staunte darüber und dachte daran, wie er vor mehr
als einem Monat sich mit dem Messer ganz wenig in
den Finger geschnitten, und wie ihm diese Wunde noch
vorgestern genug wehgetan hatte. »Sollte ich jetzt weni- 35
ger Feingefühl haben?«, dachte er und saugte schon gie-
rig an dem Käse, zu dem es ihn vor allen anderen Speisen sofort und nachdrücklich gezogen hatte. Rasch
hintereinander und mit vor Befriedigung tränenden Augen verzehrte er den Käse, das Gemüse und die Sauce; 40

die frischen Speisen dagegen schmeckten ihm nicht, er
konnte nicht einmal ihren Geruch vertragen und
schleppte sogar die Sachen, die er essen wollte, ein
Stückchen weiter weg. Er war schon längst mit allem
5 fertig und lag nur noch faul auf der gleichen Stelle, als
die Schwester zum Zeichen, dass er sich zurückziehen
solle, langsam den Schlüssel umdrehte. Das schreckte
ihn sofort auf, trotzdem er schon fast schlummerte, und
er eilte wieder unter das Kanapee. Aber es kostete ihn
10 große Selbstüberwindung, auch nur die kurze Zeit,
während welcher die Schwester im Zimmer war, unter
dem Kanapee zu bleiben, denn von dem reichlichen Essen hatte sich sein Leib ein wenig gerundet und er konnte dort in der Enge kaum atmen. Unter kleinen Er-
15 stickungsanfällen sah er mit etwas hervorgequollenen
Augen zu, wie die nichts ahnende Schwester mit einem
Besen nicht nur die Überbleibsel zusammenkehrte, sondern selbst die von Gregor gar nicht berührten Speisen,
als seien also auch diese nicht mehr zu gebrauchen, und
20 wie sie alles hastig in einen Kübel schüttete, den sie mit
einem Holzdeckel schloss, worauf sie alles hinaustrug.
Kaum hatte sie sich umgedreht, zog sich schon Gregor
unter dem Kanapee hervor und streckte und blähte sich.
Auf diese Weise bekam nun Gregor täglich sein Essen,
25 einmal am Morgen, wenn die Eltern und das Dienstmädchen noch schliefen, das zweite Mal nach dem allgemeinen Mittagessen, denn dann schliefen die Eltern
gleichfalls noch ein Weilchen und das Dienstmädchen
wurde von der Schwester mit irgendeiner Besorgung
30 weggeschickt. Gewiss wollten auch sie nicht, dass Gregor verhungere, aber vielleicht hätten sie es nicht ertragen können, von seinem Essen mehr als durch Hörensa-
gen zu erfahren, vielleicht wollte die Schwester ihnen
auch eine möglicherweise nur kleine Trauer ersparen,
35 denn tatsächlich litten sie ja gerade genug.
Mit welchen Ausreden man an jenem ersten Vormittag
den Arzt und den Schlosser wieder aus der Wohnung
geschafft hatte, konnte Gregor gar nicht erfahren, denn
da er nicht verstanden wurde, dachte niemand daran,
40 auch die Schwester nicht, dass er die anderen verstehen

könne, und so musste er sich, wenn die Schwester in seinem Zimmer war, damit begnügen, nur hier und da ihre Seufzer und Anrufe der Heiligen zu hören. Erst später, als sie sich ein wenig an alles gewöhnt hatte – von vollständiger Gewöhnung konnte natürlich niemals die Rede sein –, erhaschte Gregor manchmal eine Bemerkung, die freundlich gemeint war oder so gedeutet werden konnte. »Heute hat es ihm aber geschmeckt«, sagte sie, wenn Gregor unter dem Essen tüchtig aufgeräumt hatte, während sie im gegenteiligen Fall, der sich allmählich immer häufiger wiederholte, fast traurig zu sagen pflegte: »Nun ist wieder alles stehengeblieben.«

Während aber Gregor unmittelbar keine Neuigkeit erfahren konnte, erhorchte er manches aus den Nebenzimmern, und wo er nur einmal Stimmen hörte, lief er gleich zu der betreffenden Tür und drückte sich mit ganzem Leib an sie. Besonders in der ersten Zeit gab es kein Gespräch, das nicht irgendwie, wenn auch nur im Geheimen, von ihm handelte. Zwei Tage lang waren bei allen Mahlzeiten Beratungen darüber zu hören, wie man sich jetzt verhalten solle; aber auch zwischen den Mahlzeiten sprach man über das gleiche Thema, denn immer waren zumindest zwei Familienmitglieder zu Hause, da wohl niemand allein zu Hause bleiben wollte und man die Wohnung doch auf keinen Fall gänzlich verlassen konnte. Auch hatte das Dienstmädchen gleich am ersten Tag – es war nicht ganz klar, was und wie viel sie von dem Vorgefallenen wusste – kniefällig die Mutter gebeten, sie sofort zu entlassen, und als sie sich eine Viertelstunde danach verabschiedete, dankte sie für die Entlassung unter Tränen, wie für die größte Wohltat, die man ihr hier erwiesen hatte, und gab, ohne dass man es von ihr verlangte, einen fürchterlichen Schwur ab, niemandem auch nur das Geringste zu verraten.

Nun musste die Schwester im Verein mit der Mutter auch kochen; allerdings machte das nicht viel Mühe, denn man aß fast nichts. Immer wieder hörte Gregor, wie der eine den anderen vergebens zum Essen aufforderte und keine andere Antwort bekam, als: »Danke, ich habe genug« oder etwas Ähnliches. Getrunken wurde

vielleicht auch nichts. Öfters fragte die Schwester den
Vater, ob er Bier haben wolle, und herzlich erbot sie sich,
es selbst zu holen, und als der Vater schwieg, sagte sie,
um ihm jedes Bedenken zu nehmen, sie könne auch die
5 Hausmeisterin darum schicken, aber dann sagte der Vater schließlich ein großes »Nein«, und es wurde nicht
mehr davon gesprochen.

Schon im Laufe des ersten Tages legte der Vater die
ganzen Vermögensverhältnisse und Aussichten sowohl
10 der Mutter als auch der Schwester dar. Hie und da stand
er vom Tische auf und holte aus seiner kleinen Wert-
heimkassa[1], die er aus dem vor fünf Jahren erfolgten Zu-
sammenbruch seines Geschäftes gerettet hatte, irgendeinen Beleg oder irgendein Vormerkbuch[2]. Man hörte, wie
15 er das komplizierte Schloss aufsperrte und nach Entnah-
me des Gesuchten wieder verschloss. Diese Erklärungen
des Vaters waren zum Teil das erste Erfreuliche, was
Gregor seit seiner Gefangenschaft zu hören bekam. Er
war der Meinung gewesen, dass dem Vater von jenem
20 Geschäft her nicht das Geringste übrig geblieben war,
zumindest hatte ihm der Vater nichts Gegenteiliges gesagt und Gregor allerdings hatte ihn auch nicht darum
gefragt. Gregors Sorge war damals nur gewesen, alles
daranzusetzen, um die Familie das geschäftliche Un-
25 glück, das alle in eine vollständige Hoffnungslosigkeit
gebracht hatte, möglichst rasch vergessen zu lassen. Und
so hatte er damals mit ganz besonderem Feuer zu arbeiten angefangen und war fast über Nacht aus einem kleinen Kommis[3] ein Reisender geworden, der natürlich
30 ganz andere Möglichkeiten des Geldverdienens hatte,
und dessen Arbeitserfolge sich sofort in Form der Provi-
sion[4] zu Bargeld verwandelten, das der erstaunten und
beglückten Familie zu Hause auf den Tisch gelegt werden konnte. Es waren schöne Zeiten gewesen und nie-

[1] abschließbarer Metallbehälter der Firma Wertheim zum Aufbewah-
ren von Bargeld und Geschäftspapieren
[2] Auftragsbuch eines Handelsvertreters
[3] Handelsgehilfe, kaufmännischer Angestellter
[4] vereinbarte Gewinnbeteiligung

mals nachher hatten sie sich, wenigstens in diesem Glanze, wiederholt, trotzdem Gregor später so viel Geld verdiente, dass er den Aufwand der ganzen Familie zu tragen imstande war und auch trug. Man hatte sich eben daran gewöhnt, sowohl die Familie, als auch Gregor, man nahm das Geld dankbar an, er lieferte es gern ab, aber eine besondere Wärme wollte sich nicht mehr ergeben. Nur die Schwester war Gregor doch noch nahegeblieben und es war sein geheimer Plan, sie, die zum Unterschied von Gregor Musik sehr liebte und rührend Violine zu spielen verstand, nächstes Jahr, ohne Rücksicht auf die großen Kosten, die das verursachen musste und die man schon auf andere Weise hereinbringen würde, auf das Konservatorium zu schicken. Öfters während der kurzen Aufenthalte Gregors in der Stadt wurde in den Gesprächen mit der Schwester das Konservatorium erwähnt, aber immer nur als schöner Traum, an dessen Verwirklichung nicht zu denken war, und die Eltern hörten nicht einmal diese unschuldigen Erwähnungen gern; aber Gregor dachte sehr bestimmt daran und beabsichtigte, es am Weihnachtsabend feierlich zu erklären.

Solche in seinem gegenwärtigen Zustand ganz nutzlose Gedanken gingen ihm durch den Kopf, während er dort aufrecht an der Türe klebte und horchte. Manchmal konnte er vor allgemeiner Müdigkeit gar nicht mehr zuhören und ließ den Kopf nachlässig gegen die Tür schlagen, hielt ihn aber sofort wieder fest, denn selbst das kleine Geräusch, das er damit verursacht hatte, war nebenan gehört worden und hatte alle verstummen lassen. »Was er nur wieder treibt«, sagte der Vater nach einer Weile, offenbar zur Türe hingewendet, und dann erst wurde das unterbrochene Gespräch allmählich wieder aufgenommen.

Gregor erfuhr nun zur Genüge – denn der Vater pflegte sich in seinen Erklärungen öfters zu wiederholen, teils, weil er selbst sich mit diesen Dingen schon lange nicht beschäftigt hatte, teils auch, weil die Mutter nicht alles gleich beim ersten Mal verstand –, dass trotz allen Unglücks ein allerdings ganz kleines Vermögen aus der al-

ten Zeit noch vorhanden war, das die nicht angerührten
Zinsen in der Zwischenzeit ein wenig hatten anwachsen
lassen. Außerdem aber war das Geld, das Gregor allmo-
natlich nach Hause gebracht hatte – er selbst hatte nur
5 ein paar Gulden für sich behalten –, nicht vollständig
aufgebraucht worden und hatte sich zu einem kleinen
Kapital angesammelt. Gregor, hinter seiner Türe, nickte
eifrig, erfreut über diese unerwartete Vorsicht und Spar-
samkeit. Eigentlich hätte er ja mit diesen überschüssigen
10 Geldern die Schuld des Vaters gegenüber dem Chef weiter abgetragen haben können, und jener Tag, an dem er
diesen Posten hätte loswerden können, wäre weit näher
gewesen, aber jetzt war es zweifellos besser so, wie es
der Vater eingerichtet hatte.
15 Nun genügte dieses Geld aber ganz und gar nicht, um
die Familie etwa von den Zinsen leben zu lassen; es
genügte vielleicht, um die Familie ein, höchstens zwei
Jahre zu erhalten, mehr war es nicht. Es war also bloß eine Summe, die man eigentlich nicht angreifen durfte
20 und die für den Notfall zurückgelegt werden musste;
das Geld zum Leben aber musste man verdienen. Nun
war aber der Vater ein zwar gesunder, aber alter Mann,
der schon fünf Jahre nichts gearbeitet hatte und sich jedenfalls nicht viel zutrauen durfte; er hatte in diesen
25 fünf Jahren, welche die ersten Ferien seines mühevollen
und doch erfolglosen Lebens waren, viel Fett angesetzt
und war dadurch recht schwerfällig geworden. Und die
alte Mutter sollte nun vielleicht Geld verdienen, die an
Asthma litt, der eine Wanderung durch die Wohnung
30 schon Anstrengung verursachte und die jeden zweiten
Tag in Atembeschwerden auf dem Sofa beim offenen
Fenster verbrachte? Und die Schwester sollte Geld verdienen, die noch ein Kind war mit ihren siebzehn Jahren und der ihre bisherige Lebensweise so sehr zu gön-
35 nen war, die daraus bestanden hatte, sich nett zu
kleiden, lange zu schlafen, in der Wirtschaft mitzuhel-
fen, an ein paar bescheidenen Vergnügungen sich zu be-
teiligen und vor allem Violine zu spielen? Wenn die Rede auf die Notwendigkeit des Geldverdienens kam, ließ
40 zuerst immer Gregor die Türe los und warf sich auf das

neben der Tür befindliche kühle Ledersofa, denn ihm
war ganz heiß vor Beschämung und Trauer.

Oft lag er dort die ganzen langen Nächte über, schlief
keinen Augenblick und scharrte nur stundenlang auf
dem Leder. Oder er scheute nicht die große Mühe, einen
Sessel zum Fenster zu schieben, dann die Fensterbrüs-
tung hinaufzukriechen und, in den Sessel gestemmt,
sich ans Fenster zu lehnen, offenbar nur in irgendeiner
Erinnerung an das Befreiende, das früher für ihn darin
gelegen war, aus dem Fenster zu schauen. Denn tatsächlich sah er von Tag zu Tag die auch nur ein wenig entfernten Dinge immer undeutlicher; das gegenüberliegen-
de Krankenhaus, dessen nur allzu häufigen Anblick er
früher verflucht hatte, bekam er überhaupt nicht mehr
zu Gesicht, und wenn er nicht genau gewusst hätte, dass
er in der stillen, aber völlig städtischen Charlottenstraße
wohnte, hätte er glauben können, von seinem Fenster
aus in eine Einöde zu schauen, in welcher der graue
Himmel und die graue Erde ununterscheidbar sich vereinigten. Nur zweimal hatte die aufmerksame Schwester
sehen müssen, dass der Sessel beim Fenster stand, als sie
schon jedes Mal, nachdem sie das Zimmer aufgeräumt
hatte, den Sessel wieder genau zum Fenster hinschob, ja
sogar von nun ab den inneren Fensterflügel offen ließ.

Hätte Gregor nur mit der Schwester sprechen und ihr
für alles danken können, was sie für ihn machen musste, er hätte ihre Dienste leichter ertragen; so aber litt er
darunter. Die Schwester suchte freilich die Peinlichkeit
des Ganzen möglichst zu verwischen, und je längere
Zeit verging, desto besser gelang es ihr natürlich auch,
aber auch Gregor durchschaute mit der Zeit alles viel
genauer. Schon ihr Eintritt war für ihn schrecklich.
Kaum war sie eingetreten, lief sie, ohne sich Zeit zu nehmen, die Türe zu schließen, so sehr sie sonst darauf achtete, jedem den Anblick von Gregors Zimmer zu ersparen, geradewegs zum Fenster und riss es, als ersticke sie
fast, mit hastigen Händen auf, blieb auch, selbst wenn
es noch so kalt war, ein Weilchen beim Fenster und atmete tief. Mit diesem Laufen und Lärmen erschreckte
sie Gregor täglich zweimal; die ganze Zeit über zitterte

er unter dem Kanapee und wusste doch sehr gut, dass
sie ihn gewiss gerne damit verschont hätte, wenn es ihr
nur möglich gewesen wäre, sich in einem Zimmer, in
dem sich Gregor befand, bei geschlossenem Fenster auf-
5 zuhalten.

Einmal, es war wohl schon ein Monat seit Gregors Verwandlung vergangen, und es war doch schon für die
Schwester kein besonderer Grund mehr, über Gregors
Aussehen in Erstaunen zu geraten, kam sie ein wenig
10 früher als sonst und traf Gregor noch an, wie er, unbeweglich und so recht zum Erschrecken aufgestellt, aus
dem Fenster schaute. Es wäre für Gregor nicht unerwartet gewesen, wenn sie nicht eingetreten wäre, da er sie
durch seine Stellung verhinderte, sofort das Fenster zu
15 öffnen, aber sie trat nicht nur nicht ein, sie fuhr sogar
zurück und schloss die Tür; ein Fremder hätte geradezu
denken können, Gregor habe ihr aufgelauert und habe
sie beißen wollen. Gregor versteckte sich natürlich sofort
unter dem Kanapee, aber er musste bis zum Mittag war-
20 ten, ehe die Schwester wiederkam, und sie schien viel
unruhiger als sonst. Er erkannte daraus, dass ihr sein
Anblick noch immer unerträglich war und ihr auch weiterhin unerträglich bleiben müsse, und dass sie sich
wohl sehr überwinden musste, vor dem Anblick auch
25 nur der kleinen Partie seines Körpers nicht davonzulau-
fen, mit der er unter dem Kanapee hervorragte. Um ihr
auch diesen Anblick zu ersparen, trug er eines Tages auf
seinem Rücken – er brauchte zu dieser Arbeit vier Stunden – das Leintuch auf das Kanapee und ordnete es in
30 einer solchen Weise an, dass er nun gänzlich verdeckt
war und dass die Schwester, selbst wenn sie sich bückte,
ihn nicht sehen konnte. Wäre dieses Leintuch ihrer Meinung nach nicht nötig gewesen, dann hätte sie es ja entfernen können, denn dass es nicht zum Vergnügen Gre-
35 gors gehören konnte, sich so ganz und gar abzusperren,
war doch klar genug, aber sie ließ das Leintuch so, wie
es war, und Gregor glaubte sogar, einen dankbaren Blick
erhascht zu haben, als er einmal mit dem Kopf vorsichtig das Leintuch ein wenig lüftete, um nachzusehen, wie
40 die Schwester die neue Einrichtung aufnahm.

In den ersten vierzehn Tagen konnten es die Eltern nicht über sich bringen, zu ihm hereinzukommen, und er hörte oft, wie sie die jetzige Arbeit der Schwester völlig anerkannten, während sie sich bisher häufig über die Schwester geärgert hatten, weil sie ihnen als ein etwas nutzloses Mädchen erschienen war. Nun aber warteten oft beide, der Vater und die Mutter, vor Gregors Zimmer, während die Schwester dort aufräumte, und kaum war sie herausgekommen, musste sie ganz genau erzählen, wie es in dem Zimmer aussah, was Gregor gegessen hatte, wie er sich diesmal benommen hatte und ob vielleicht eine kleine Besserung zu bemerken war. Die Mutter übrigens wollte verhältnismäßig bald Gregor besuchen, aber der Vater und die Schwester hielten sie zuerst mit Vernunftgründen zurück, denen Gregor sehr aufmerksam zuhörte und die er vollständig billigte. Später aber musste man sie mit Gewalt zurückhalten, und wenn sie dann rief: »Lasst mich doch zu Gregor, er ist ja mein unglücklicher Sohn! Begreift ihr es denn nicht, dass ich zu ihm muss?«, dann dachte Gregor, dass es vielleicht doch gut wäre, wenn die Mutter hereinkäme, nicht jeden Tag natürlich, aber vielleicht einmal in der Woche; sie verstand doch alles viel besser als die Schwester, die trotz all ihrem Mute doch nur ein Kind war und im letzten Grunde vielleicht nur aus kindlichem Leichtsinn eine so schwere Aufgabe übernommen hatte.
Der Wunsch Gregors, die Mutter zu sehen, ging bald in Erfüllung. Während des Tages wollte Gregor schon aus Rücksicht auf seine Eltern sich nicht beim Fenster zeigen, kriechen konnte er aber auf den paar Quadratmetern des Fußbodens auch nicht viel, das ruhige Liegen ertrug er schon während der Nacht schwer, das Essen machte ihm bald nicht mehr das geringste Vergnügen und so nahm er zur Zerstreuung die Gewohnheit an, kreuz und quer über Wände und Plafond[1] zu kriechen. Besonders oben auf der Decke hing er gern; es war ganz anders als das Liegen auf dem Fußboden; man atmete freier; ein leichtes Schwingen ging durch den Körper;

---

[1]  Zimmerdecke

und in der fast glücklichen Zerstreutheit, in der sich
Gregor dort oben befand, konnte es geschehen, dass er
zu seiner eigenen Überraschung sich losließ und auf den
Boden klatschte. Aber nun hatte er natürlich seinen Kör-
5 per ganz anders in der Gewalt als früher und beschädig-
te sich selbst bei einem so großen Falle nicht. Die Schwester nun bemerkte sofort die neue Unterhaltung, die
Gregor für sich gefunden hatte – er hinterließ ja auch
beim Kriechen hie und da Spuren seines Klebstoffes –,
10 und da setzte sie es sich in den Kopf, Gregor das Kriechen in größtem Ausmaße zu ermöglichen und die Möbel, die es verhinderten, also vor allem den Kasten und
den Schreibtisch, wegzuschaffen. Nun war sie aber nicht
imstande, dies allein zu tun; den Vater wagte sie nicht
15 um Hilfe zu bitten; das Dienstmädchen hätte ihr ganz
gewiss nicht geholfen, denn dieses etwa sechzehnjähri-
ge Mädchen harrte zwar tapfer seit Entlassung der
früheren Köchin aus, hatte aber um die Vergünstigung
gebeten, die Küche unaufhörlich versperrt halten zu
20 dürfen und nur auf besonderen Anruf öffnen zu müssen; so blieb der Schwester also nichts übrig, als einmal
in Abwesenheit des Vaters die Mutter zu holen. Mit Aus-
rufen erregter Freude kam die Mutter auch heran, verstummte aber an der Tür vor Gregors Zimmer. Zuerst
25 sah natürlich die Schwester nach, ob alles im Zimmer in
Ordnung war; dann erst ließ sie die Mutter eintreten.
Gregor hatte in größter Eile das Leintuch noch tiefer und
mehr in Falten gezogen, das Ganze sah wirklich nur wie
ein zufällig über das Kanapee geworfenes Leintuch aus.
30 Gregor unterließ auch diesmal, unter dem Leintuch zu
spionieren; er verzichtete darauf, die Mutter schon diesmal zu sehen, und war nur froh, dass sie nun doch gekommen war. »Komm nur, man sieht ihn nicht«, sagte
die Schwester und offenbar führte sie die Mutter an der
35 Hand. Gregor hörte nun, wie die zwei schwachen Frau-
en den immerhin schweren alten Kasten von seinem
Platze rückten und wie die Schwester immerfort den
größten Teil der Arbeit für sich beanspruchte, ohne auf
die Warnungen der Mutter zu hören, welche fürchtete
40 dass sie sich überanstrengen werde. Es dauerte sehr lan-

ge. Wohl nach schon viertelstündiger Arbeit sagte die
Mutter, man solle den Kasten doch lieber hier lassen,
denn erstens sei er zu schwer, sie würden vor Ankunft
des Vaters nicht fertig werden und mit dem Kasten in
der Mitte des Zimmers Gregor jeden Weg verrammeln, 5
zweitens aber sei es doch gar nicht sicher, dass Gregor
mit der Entfernung der Möbel ein Gefallen geschehe. Ihr
scheine das Gegenteil der Fall zu sein; ihr bedrücke der
Anblick der leeren Wand geradezu das Herz; und warum solle nicht auch Gregor diese Empfindung haben, 10
da er doch an die Zimmermöbel längst gewöhnt sei und
sich deshalb im leeren Zimmer verlassen fühlen werde.
»Und ist es denn nicht so«, schloss die Mutter ganz leise,
wie sie überhaupt fast flüsterte, als wolle sie vermeiden,
dass Gregor, dessen genauen Aufenthalt sie ja nicht 15
kannte, auch nur den Klang der Stimme höre, denn dass
er die Worte nicht verstand, davon war sie überzeugt,
»und ist es nicht so, als ob wir durch die Entfernung der
Möbel zeigten, dass wir jede Hoffnung auf Besserung
aufgeben und ihn rücksichtslos sich selbst überlassen? 20
Ich glaube, es wäre das Beste, wir suchen das Zimmer
genau in dem Zustand zu erhalten, in dem es früher
war, damit Gregor, wenn er wieder zu uns zurück-
kommt, alles unverändert findet und umso leichter die
Zwischenzeit vergessen kann.«                              25
Beim Anhören dieser Worte der Mutter erkannte Gregor,
dass der Mangel jeder unmittelbaren menschlichen Ansprache, verbunden mit dem einförmigen Leben inmitten der Familie, im Laufe dieser zwei Monate seinen
Verstand hatte verwirren müssen, denn anders konnte er 30
es sich nicht erklären, dass er ernsthaft danach hatte verlangen können, dass sein Zimmer ausgeleert würde.
Hatte er wirklich Lust, das warme, mit ererbten Möbeln
gemütlich ausgestattete Zimmer in eine Höhle verwandeln zu lassen, in der er dann freilich nach allen Rich- 35
tungen ungestört würde kriechen können, jedoch auch
unter gleichzeitigem schnellen, gänzlichen Vergessen
seiner menschlichen Vergangenheit? War er doch jetzt
schon nahe daran zu vergessen, und nur die seit langem
nicht gehörte Stimme der Mutter hatte ihn aufgerüttelt. 40

Nichts sollte entfernt werden; alles musste bleiben; die guten Einwirkungen der Möbel auf seinen Zustand konnte er nicht entbehren; und wenn die Möbel ihn hinderten, das sinnlose Herumkriechen zu betreiben, so
5 war es kein Schaden, sondern ein großer Vorteil.

Aber die Schwester war leider anderer Meinung; sie hatte sich, allerdings nicht ganz unberechtigt, angewöhnt, bei Besprechung der Angelegenheiten Gregors als besonders Sachverständige gegenüber den Eltern aufzutre-
10 ten, und so war auch jetzt der Rat der Mutter für die Schwester Grund genug, auf der Entfernung nicht nur des Kastens und des Schreibtisches, an die sie zuerst allein gedacht hatte, sondern auf der Entfernung sämtlicher Möbel, mit Ausnahme des unentbehrlichen Kana-
15 pees, zu bestehen. Es war natürlich nicht nur kindlicher Trotz und das in der letzten Zeit so unerwartet und schwer erworbene Selbstvertrauen, das sie zu dieser Forderung bestimmte; sie hatte doch auch tatsächlich beobachtet, dass Gregor viel Raum zum Kriechen brauch-
20 te, dagegen die Möbel, soweit man sehen konnte, nicht im Geringsten benützte. Vielleicht aber spielte auch der schwärmerische Sinn der Mädchen ihres Alters mit, der bei jeder Gelegenheit seine Befriedigung sucht, und durch den Grete jetzt sich dazu verlocken ließ, die Lage
25 Gregors noch Schreck erregender machen zu wollen, um dann noch mehr als bis jetzt für ihn leisten zu können. Denn in einen Raum, in dem Gregor ganz allein die leeren Wände beherrschte, würde wohl kein Mensch außer Grete jemals einzutreten sich getrauen.
30 Und so ließ sie sich von ihrem Entschlusse durch die Mutter nicht abbringen, die auch in diesem Zimmer vor lauter Unruhe unsicher schien, bald verstummte und der Schwester nach Kräften beim Hinausschaffen des Kastens half. Nun, den Kasten konnte Gregor im Notfall
35 noch entbehren, aber schon der Schreibtisch musste bleiben. Und kaum hatten die Frauen mit dem Kasten, an den sie sich ächzend drückten, das Zimmer verlassen, als Gregor den Kopf unter dem Kanapee hervorstieß, um zu sehen, wie er vorsichtig und möglichst rücksichtsvoll
40 eingreifen könnte. Aber zum Unglück war es gerade die

Mutter, welche zuerst zurückkehrte, während Grete im
Nebenzimmer den Kasten umfangen hielt und ihn allein
hin und her schwang, ohne ihn natürlich von der Stelle
zu bringen. Die Mutter aber war Gregors Anblick nicht
gewöhnt, er hätte sie krank machen können, und so eilte 5
Gregor erschrocken im Rückwärtslauf bis an das andere
Ende des Kanapees, konnte es aber nicht mehr verhindern, dass das Leintuch vorne ein wenig sich bewegte.
Das genügte, um die Mutter aufmerksam zu machen.
Sie stockte, stand einen Augenblick still und ging dann 10
zu Grete zurück.
Trotzdem sich Gregor immer wieder sagte, dass ja nichts
Außergewöhnliches geschehe, sondern nur ein paar Möbel umgestellt würden, wirkte doch, wie er sich bald
eingestehen musste, dieses Hin- und Hergehen der 15
Frauen, ihre kleinen Zurufe, das Kratzen der Möbel auf
dem Boden, wie ein großer, von allen Seiten genährter
Trubel auf ihn, und er musste sich, so fest er Kopf und
Beine an sich zog und den Leib bis an den Boden drückte, unweigerlich sagen, dass er das Ganze nicht lange 20
aushalten werde. Sie räumten ihm sein Zimmer aus;
nahmen ihm alles, was ihm lieb war; den Kasten, in dem
die Laubsäge und andere Werkzeuge lagen, hatten sie
schon hinaufgetragen; lockerten jetzt den schon im Boden fest eingegrabenen Schreibtisch, an dem er als Han- 25
delsakademiker, als Bürgerschüler, ja sogar schon als
Volksschüler seine Aufgaben geschrieben hatte, – da hatte er wirklich keine Zeit mehr, die guten Absichten zu
prüfen, welche die zwei Frauen hatten, deren Existenz er
übrigens fast vergessen hatte, denn vor Erschöpfung ar- 30
beiteten sie schon stumm und man hörte nur das schwere
Tappen ihrer Füße.
Und so brach er denn hervor – die Frauen stützten sich
gerade im Nebenzimmer an den Schreibtisch, um ein wenig zu verschnaufen –, wechselte viermal die Richtung 35
des Laufes, er wusste wirklich nicht, was er zuerst retten
sollte, da sah er an der im Übrigen schon leeren Wand
auffallend das Bild der in lauter Pelzwerk gekleideten
Dame hängen, kroch eilends hinauf und presste sich an
das Glas, das ihn festhielt und seinem heißen Bauch 40

wohltat. Dieses Bild wenigstens, das Gregor jetzt ganz verdeckte, würde nun gewiss niemand wegnehmen. Er verdrehte den Kopf nach der Tür des Wohnzimmers, um die Frauen bei ihrer Rückkehr zu beobachten.

5 Sie hatten sich nicht viel Ruhe gegönnt und kamen schon wieder; Grete hatte den Arm um die Mutter gelegt und trug sie fast. »Also was nehmen wir jetzt?«, sagte Grete und sah sich um. Da kreuzten sich ihre Blicke mit denen Gregors an der Wand. Wohl nur infolge der
10 Gegenwart der Mutter behielt sie ihre Fassung, beugte ihr Gesicht zur Mutter, um diese vom Herumschauen abzuhalten, und sagte, allerdings zitternd und unüberlegt: »Komm, wollen wir nicht lieber auf einen Augenblick noch ins Wohnzimmer zurückgehen?« Die Absicht
15 Gretes war für Gregor klar, sie wollte die Mutter in Sicherheit bringen und dann ihn von der Wand hinunterjagen. Nun, sie konnte es ja immerhin versuchen! Er saß auf seinem Bild und gab es nicht her. Lieber würde er Grete ins Gesicht springen.

20 Aber Gretes Worte hatten die Mutter erst recht beunruhigt, sie trat zur Seite, erblickte den riesigen braunen Fleck auf der geblümten Tapete, rief, ehe ihr eigentlich zum Bewusstsein kam, dass das Gregor war, was sie sah, mit schreiender, rauer Stimme: »Ach Gott, ach
25 Gott!« und fiel mit ausgebreiteten Armen, als gebe sie alles auf, über das Kanapee hin und rührte sich nicht. »Du, Gregor!«, rief die Schwester mit erhobener Faust und eindringlichen Blicken. Es waren seit der Verwandlung die ersten Worte, die sie unmittelbar an ihn gerich-
30 tet hatte. Sie lief ins Nebenzimmer, um irgendeine Essenz zu holen, mit der sie die Mutter aus ihrer Ohnmacht wecken könnte; Gregor wollte auch helfen – zur Rettung des Bildes war noch Zeit –; er klebte aber fest an dem Glas und musste sich mit Gewalt losreißen;
35 er lief dann auch ins Nebenzimmer, als könne er der Schwester irgendeinen Rat geben, wie in früherer Zeit; musste dann aber untätig hinter ihr stehen, während sie in verschiedenen Fläschchen kramte; erschreckte sie noch, als sie sich umdrehte; eine Flasche fiel auf den Bo-
40 den und zerbrach; ein Splitter verletzte Gregor im Ge-

sicht, irgendeine ätzende Medizin umfloss ihn; Grete
nahm nun, ohne sich länger aufzuhalten, so viel Fläschchen, als sie nur halten konnte, und rannte mit ihnen zur
Mutter hinein; die Tür schlug sie mit dem Fuße zu. Gregor war nun von der Mutter abgeschlossen, die durch ₅
seine Schuld vielleicht dem Tode nahe war; die Tür durfte er nicht öffnen, wollte er die Schwester, die bei der
Mutter bleiben musste, nicht verjagen; er hatte jetzt
nichts zu tun, als zu warten; und von Selbstvorwürfen
und Besorgnis bedrängt, begann er zu kriechen, über- ₁₀
kroch alles, Wände, Möbel und Zimmerdecke und fiel
endlich in seiner Verzweiflung, als sich das ganze Zimmer schon um ihn zu drehen anfing, mitten auf den
großen Tisch.
Es verging eine kleine Weile, Gregor lag matt da, rings- ₁₅
herum war es still, vielleicht war das ein gutes Zeichen.
Da läutete es. Das Mädchen war natürlich in ihrer Küche
eingesperrt und Grete musste daher öffnen gehen. Der
Vater war gekommen. »Was ist geschehen?«, waren seine ersten Worte; Gretes Aussehen hatte ihm wohl alles ₂₀
verraten. Grete antwortete mit dumpfer Stimme, offenbar drückte sie ihr Gesicht an des Vaters Brust: »Die
Mutter war ohnmächtig, aber es geht ihr schon besser.
Gregor ist ausgebrochen.« »Ich habe es ja erwartet«, sagte der Vater, »ich habe es euch ja immer gesagt, aber ihr ₂₅
Frauen wollt nicht hören.« Gregor war es klar, dass der
Vater Gretes allzu kurze Mitteilung schlecht gedeutet
hatte und annahm, dass Gregor sich irgendeine Gewalt-
tat habe zuschulden kommen lassen. Deshalb musste
Gregor den Vater jetzt zu besänftigen suchen, denn ihn ₃₀
aufzuklären hatte er weder Zeit noch Möglichkeit. Und
so flüchtete er sich zur Tür seines Zimmers und drückte
sich an sie, damit der Vater beim Eintritt vom Vorzimmer her gleich sehen könne, dass Gregor die beste Absicht habe, sofort in sein Zimmer zurückzukehren, und ₃₅
dass es nicht nötig sei, ihn zurückzutreiben, sondern
dass man nur die Tür öffnen brauche, und gleich werde
er verschwinden.
Aber der Vater war nicht in der Stimmung, solche Fein-
heiten zu bemerken; »Ah!«, rief er gleich beim Eintritt in ₄₀

einem Tone, als sei er gleichzeitig wütend und froh. Gregor zog den Kopf von der Tür zurück und hob ihn gegen den Vater. So hatte er sich den Vater wirklich nicht vorgestellt, wie er jetzt dastand; allerdings hatte er in der
5 letzten Zeit über dem neuartigen Herumkriechen versäumt, sich so wie früher um die Vorgänge in der übrigen Wohnung zu kümmern, und hätte eigentlich darauf gefasst sein müssen, veränderte Verhältnisse anzutreffen. Trotzdem, trotzdem, war das noch der Vater? Der
10 gleiche Mann, der müde im Bett vergraben lag, wenn früher Gregor zu einer Geschäftsreise ausgerückt war; der ihn an Abenden der Heimkehr im Schlafrock im Lehnstuhl empfangen hatte; gar nicht recht imstande war aufzustehen, sondern zum Zeichen der Freude nur
15 die Arme gehoben hatte, und der bei den seltenen gemeinsamen Spaziergängen an ein paar Sonntagen im Jahr und an den höchsten Feiertagen zwischen Gregor und der Mutter, die schon an und für sich langsam gingen, immer noch ein wenig langsamer, in seinen alten
20 Mantel eingepackt, mit stets vorsichtig aufgesetztem Krückstock sich vorwärtsarbeitete und, wenn er etwas sagen wollte, fast immer still stand und seine Begleitung um sich versammelte? Nun aber war er recht gut aufgerichtet; in eine straffe blaue Uniform mit Goldknöpfen
25 gekleidet, wie sie Diener der Bankinstitute tragen; über dem hohen steifen Kragen des Rockes entwickelte sich sein starkes Doppelkinn; unter den buschigen Augenbrauen drang der Blick der schwarzen Augen frisch und aufmerksam hervor; das sonst zerzauste weiße Haar
30 war zu einer peinlich genauen, leuchtenden Scheitelfrisur niedergekämmt. Er warf seine Mütze, auf der ein Goldmonogramm, wahrscheinlich das einer Bank, angebracht war, über das ganze Zimmer im Bogen auf das Kanapee hin und ging, die Enden seines langen Uni-
35 formrockes zurückgeschlagen, die Hände in den Hosentaschen, mit verbissenem Gesicht auf Gregor zu. Er wusste wohl selbst nicht, was er vorhatte; immerhin hob er die Füße ungewöhnlich hoch, und Gregor staunte über die Riesengröße seiner Stiefelsohlen. Doch hielt er sich
40 dabei nicht auf, er wusste ja noch vom ersten Tage sei-

nes neuen Lebens her, dass der Vater ihm gegenüber nur
die größte Strenge für angebracht ansah. Und so lief er
vor dem Vater her, stockte, wenn der Vater stehen blieb,
und eilte schon wieder vorwärts, wenn sich der Vater
nur rührte. So machten sie mehrmals die Runde um das 5
Zimmer, ohne dass sich etwas Entscheidendes ereignete,
ja ohne dass das Ganze infolge seines langsamen Tem-
pos den Anschein einer Verfolgung gehabt hätte. Deshalb blieb auch Gregor vorläufig auf dem Fußboden, zu-
mal er fürchtete, der Vater könnte eine Flucht auf die 10
Wände oder den Plafond für besondere Bosheit halten.
Allerdings musste sich Gregor sagen, dass er sogar dieses Laufen nicht lange aushalten würde, denn während
der Vater einen Schritt machte, musste er eine Unzahl
von Bewegungen ausführen. Atemnot begann sich 15
schon bemerkbar zu machen, wie er ja auch in seiner
früheren Zeit keine ganz vertrauenswürdige Lunge besessen hatte. Als er nun so dahintorkelte, um alle Kräfte
für den Lauf zu sammeln, kaum die Augen offenhielt, in
seiner Stumpfheit an eine andere Rettung als durch Lau- 20
fen gar nicht dachte und fast schon vergessen hatte,
dass ihm die Wände freistanden, die hier allerdings mit
sorgfältig geschnitzten Möbeln voll Zacken und Spitzen
verstellt waren, da flog knapp neben ihm, leicht ge-
schleudert, irgendetwas nieder und rollte vor ihm her. 25
Es war ein Apfel; gleich flog ihm ein zweiter nach; Gregor blieb vor Schrecken stehen; ein Weiterlaufen war
nutzlos, denn der Vater hatte sich entschlossen, ihn zu
bombardieren. Aus der Obstschale auf der Kredenz[1] hatte er sich die Taschen gefüllt und warf nun, ohne vorläu- 30
fig scharf zu zielen, Apfel für Apfel. Diese kleinen roten
Äpfel rollten wie elektrisiert auf dem Boden herum und
stießen aneinander. Ein schwach geworfener Apfel
streifte Gregors Rücken, glitt aber unschädlich ab. Ein
ihm sofort nachfliegender drang dagegen förmlich in 35
Gregors Rücken ein; Gregor wollte sich weiterschleppen,
als könne der überraschende unglaubliche Schmerz mit

---

[1]  Esszimmermöbel, halbhoher Schrank zum Abstellen und Anrichten
der Speisen

dem Ortswechsel vergehen; doch fühlte er sich wie fest-
genagelt und streckte sich in vollständiger Verwirrung
aller Sinne. Nur mit dem letzten Blick sah er noch, wie
die Tür seines Zimmers aufgerissen wurde und vor der
5 schreienden Schwester die Mutter hervoreilte, im Hemd,
denn die Schwester hatte sie entkleidet, um ihr in der
Ohnmacht Atemfreiheit zu verschaffen, wie dann die
Mutter auf den Vater zulief und ihr auf dem Weg die
aufgebundenen Röcke einer nach dem anderen zu Bo-
10 den glitten, und wie sie stolpernd über die Röcke auf
den Vater eindrang und ihn umarmend, in gänzlicher
Vereinigung mit ihm – nun versagte aber Gregors Seh-
kraft schon – die Hände an des Vaters Hinterkopf um
Schonung von Gregors Leben bat.

III.

15 Die schwere Verwundung Gregors, an der er über einen
Monat litt – der Apfel blieb, da ihn niemand zu entfernen
wagte, als sichtbares Andenken im Fleisch sitzen –, schien
selbst den Vater daran erinnert zu haben, dass Gregor
trotz seiner gegenwärtigen traurigen und ekelhaften Ge-
20 stalt ein Familienmitglied war, das man nicht wie einen
Feind behandeln durfte, sondern dem gegenüber es das
Gebot der Familienpflicht war, den Widerwillen hinun-
terzuschlucken und zu dulden, nichts als zu dulden.
Und wenn nun auch Gregor durch seine Wunde an Be-
25 weglichkeit wahrscheinlich für immer verloren hatte
und vorläufig zur Durchquerung seines Zimmers wie
ein alter Invalide lange, lange Minuten brauchte – an das
Kriechen in der Höhe war nicht zu denken –, so bekam
er für diese Verschlimmerung seines Zustandes einen
30 seiner Meinung nach vollständig genügenden Ersatz dadurch, dass immer gegen Abend die Wohnzimmertür,
die er schon ein bis zwei Stunden vorher scharf zu beobachten pflegte, geöffnet wurde, sodass er, im Dunkel seines Zimmers liegend, vom Wohnzimmer aus unsichtbar,
35 die ganze Familie beim beleuchteten Tische sehen und
ihre Reden, gewissermaßen mit allgemeiner Erlaubnis,
also ganz anders als früher, anhören durfte.

Freilich waren es nicht mehr die lebhaften Unterhaltungen der früheren Zeiten, an die Gregor in den kleinen Hotelzimmern stets mit einigem Verlangen gedacht hatte, wenn er sich müde in das feuchte Bettzeug hatte werfen müssen. Es ging jetzt meist nur sehr still zu. Der Vater schlief bald nach dem Nachtessen in seinem Sessel ein; die Mutter und Schwester ermahnten einander zur Stille; die Mutter nähte, weit unter das Licht vorgebeugt, feine Wäsche für ein Modengeschäft; die Schwester, die eine Stellung als Verkäuferin angenommen hatte, lernte am Abend Stenografie und Französisch, um vielleicht später einmal einen besseren Posten zu erreichen. Manchmal wachte der Vater auf, und als wisse er gar nicht, dass er geschlafen habe, sagte er zur Mutter: »Wie lange du heute schon wieder nähst!«, und schlief sofort wieder ein, während Mutter und Schwester einander müde zulächelten.

Mit einer Art Eigensinn weigerte sich der Vater, auch zu Hause seine Dieneruniform abzulegen; und während der Schlafrock nutzlos am Kleiderhaken hing, schlummerte der Vater vollständig angezogen auf seinem Platz, als sei er immer zu seinem Dienste bereit und warte auch hier auf die Stimme des Vorgesetzten. Infolgedessen verlor die gleich anfangs nicht neue Uniform trotz aller Sorgfalt von Mutter und Schwester an Reinlichkeit, und Gregor sah oft ganze Abende lang auf dieses über und über fleckige mit seinen stets geputzten Goldknöpfen leuchtende Kleid[1], in dem der alte Mann höchst unbequem und doch ruhig schlief.

Sobald die Uhr zehn schlug, suchte die Mutter durch leise Zusprache den Vater zu wecken und dann zu überreden ins Bett zu gehen, denn hier war es doch kein richtiger Schlaf, und diesen hatte der Vater, der um sechs Uhr seinen Dienst antreten musste, äußerst nötig. Aber in dem Eigensinn, der ihn, seitdem er Diener war, ergriffen hatte, bestand er immer darauf, noch länger bei Tisch zu bleiben, trotzdem er regelmäßig einschlief, und war dann überdies nur mit der größten Mühe zu bewegen,

---

[1] hier Uniform

den Sessel mit dem Bett zu vertauschen. Da mochten
Mutter und Schwester mit kleinen Ermahnungen noch
so sehr auf ihn eindringen, viertelstundenlang schüttelte
er langsam den Kopf, hielt die Augen geschlossen und
5 stand nicht auf. Die Mutter zupfte ihn am Ärmel, sagte
ihm Schmeichelworte ins Ohr, die Schwester verließ ihre
Aufgabe, um der Mutter zu helfen, aber beim Vater ver-
fing das nicht. Er versank nur noch tiefer in seinen Sessel. Erst bis ihn die Frauen unter den Achseln fassten,
10 schlug er die Augen auf, sah abwechselnd die Mutter
und die Schwester an und pflegte zu sagen:»Das ist ein
Leben. Das ist die Ruhe meiner alten Tage.« Und auf die
beiden Frauen gestützt, erhob er sich, umständlich, als
sei er für sich selbst die größte Last, ließ sich von den
15 Frauen bis zur Türe führen, winkte ihnen dort ab und
ging nun selbstständig weiter, während die Mutter ihr
Nähzeug, die Schwester ihre Feder eiligst hinwarfen,
um hinter dem Vater zu laufen und ihm weiter behilflich
zu sein.
20 Wer hatte in dieser abgearbeiteten und übermüdeten Familie Zeit, sich um Gregor mehr zu kümmern, als unbedingt nötig war? Der Haushalt wurde immer mehr ein-
geschränkt; das Dienstmädchen wurde nun doch
entlassen; eine riesige knochige Bedienerin mit weißem,
25 den Kopf umflatterndem Haar kam des Morgens und
des Abends, um die schwerste Arbeit zu leisten; alles andere besorgte die Mutter neben ihrer vielen Näharbeit.
Es geschah sogar, dass verschiedene Familienschmuck-
stücke, welche früher die Mutter und die Schwester
30 überglücklich bei Unterhaltungen und Feierlichkeiten
getragen hatten, verkauft wurden, wie Gregor am
Abend aus der allgemeinen Besprechung der erzielten
Preise erfuhr. Die größte Klage war aber stets, dass man
diese für die gegenwärtigen Verhältnisse allzugroße
35 Wohnung nicht verlassen konnte, da es nicht auszudenken war, wie man Gregor übersiedeln sollte. Aber Gregor sah wohl ein, dass es nicht nur die Rücksicht auf ihn
war, welche eine Übersiedlung verhinderte, denn ihn
hätte man doch in einer passenden Kiste mit ein paar
40 Luftlöchern leicht transportieren können; was die Fami-

lie hauptsächlich vom Wohnungswechsel abhielt, war
vielmehr die völlige Hoffnungslosigkeit und der Gedanke daran, dass sie mit einem Unglück geschlagen war,
wie niemand sonst im ganzen Verwandten- und Be-
kanntenkreis. Was die Welt von armen Leuten verlangt, 5
erfüllten sie bis zum Äußersten, der Vater holte den kleinen Bankbeamten das Frühstück, die Mutter opferte sich
für die Wäsche fremder Leute, die Schwester lief nach
dem Befehl der Kunden hinter dem Pulte hin und her,
aber weiter reichten die Kräfte der Familie schon nicht. 10
Und die Wunde im Rücken fing Gregor wie neu zu
schmerzen an, wenn Mutter und Schwester, nachdem
sie den Vater zu Bett gebracht hatten, nun zurückkehr-
ten, die Arbeit liegen ließen, nahe zusammenrückten,
schon Wange an Wange saßen; wenn jetzt die Mutter, 15
auf Gregors Zimmer zeigend, sagte: »Mach' dort die Tür
zu, Grete«, und wenn nun Gregor wieder im Dunkel
war, während nebenan die Frauen ihre Tränen vermisch-
ten oder gar tränenlos den Tisch anstarrten.
Die Nächte und Tage verbrachte Gregor fast ganz ohne 20
Schlaf. Manchmal dachte er daran, beim nächsten Öffnen der Tür die Angelegenheiten der Familie ganz so
wie früher wieder in die Hand zu nehmen; in seinen Gedanken erschienen wieder nach langer Zeit der Chef
und der Prokurist, die Kommis und die Lehrjungen, der 25
so begriffsstutzige Hausknecht, zwei drei Freunde aus
anderen Geschäften, ein Stubenmädchen aus einem Ho-
tel in der Provinz, eine liebe, flüchtige Erinnerung, eine
Kassiererin aus einem Hutgeschäft, um die er sich ernsthaft, aber zu langsam beworben hatte – sie alle erschie- 30
nen untermischt mit Fremden oder schon Vergessenen,
aber statt ihm und seiner Familie zu helfen, waren sie
sämtlich unzugänglich und er war froh, wenn sie verschwanden. Dann aber war er wieder gar nicht in der
Laune, sich um seine Familie zu sorgen, bloß Wut über 35
die schlechte Wartung erfüllte ihn, und trotzdem er sich
nichts vorstellen konnte, worauf er Appetit gehabt hätte, machte er doch Pläne, wie er in die Speisekammer gelangen könnte, um dort zu nehmen, was ihm, auch
wenn er keinen Hunger hatte, immerhin gebührte. Ohne 40

jetzt mehr nachzudenken, womit man Gregor einen besonderen Gefallenen machen könnte, schob die Schwester eiligst, ehe sie morgens und mittags ins Geschäft lief,
mit dem Fuß irgendeine beliebige Speise in Gregors
5 Zimmer hinein, um sie am Abend, gleichgültig dagegen,
ob die Speise vielleicht nur verkostet[1] oder – der häufigste
Fall – gänzlich unberührt war, mit einem Schwenken des
Besens hinauszukehren. Das Aufräumen des Zimmers,
das sie nun immer abends besorgte, konnte gar nicht
10 mehr schneller getan sein. Schmutzstreifen zogen sich
die Wände entlang, hie und da lagen Knäuel von Staub
und Unrat. In der ersten Zeit stellte sich Gregor bei der
Ankunft der Schwester in derartige besonders bezeich-
nende Winkel, um ihr durch diese Stellung gewisser-
15 maßen einen Vorwurf zu machen. Aber er hätte wohl
wochenlang dort bleiben können, ohne dass sich die
Schwester gebessert hätte; sie sah ja den Schmutz genauso wie er, aber sie hatte sich eben entschlossen, ihn zu
lassen. Dabei wachte sie mit einer an ihr ganz neuen
20 Empfindlichkeit, die überhaupt die ganze Familie ergriffen hatte, darüber, dass das Aufräumen von Gregors
Zimmer ihr vorbehalten blieb. Einmal hatte die Mutter
Gregors Zimmer einer großen Reinigung unterzogen,
die ihr nur nach Verbrauch einiger Kübel Wasser gelun-
25 gen war – die viele Feuchtigkeit kränkte allerdings Gregor auch und er lag breit, verbittert und unbeweglich
auf dem Kanapee –, aber die Strafe blieb für die Mutter
nicht aus. Denn kaum hatte am Abend die Schwester die
Veränderung in Gregors Zimmer bemerkt, als sie, aufs
30 Höchste beleidigt, ins Wohnzimmer lief und, trotz der
beschwörend erhobenen Hände der Mutter, in einen
Weinkrampf ausbrach, dem die Eltern – der Vater war
natürlich aus seinem Sessel aufgeschreckt worden – zuerst erstaunt und hilflos zusahen, bis auch sie sich zu
35 rühren anfingen; der Vater rechts der Mutter Vorwürfe
machte, dass sie Gregors Zimmer nicht der Schwester
zur Reinigung überließ; links dagegen die Schwester an-
schrie, sie werde niemals mehr Gregors Zimmer reini-

---

[1]   probieren, schmeckend prüfen

gen dürfen; während die Mutter den Vater, der sich vor
Erregung nicht mehr kannte, ins Schlafzimmer zu
schleppen suchte; die Schwester, von Schluchzen ge-
schüttelt, mit ihren kleinen Fäusten den Tisch bearbeite-
te; und Gregor laut vor Wut darüber zischte, dass es kei- 5
nem einfiel, die Tür zu schließen und ihm diesen
Anblick und Lärm zu ersparen.

Aber selbst wenn die Schwester, erschöpft von ihrer Be-
rufsarbeit, dessen überdrüssig geworden war, für Gregor,
wie früher, zu sorgen, so hätte noch keineswegs die Mut- 10
ter für sie eintreten müssen und Gregor hätte doch nicht
vernachlässigt werden brauchen. Denn nun war die Bedienerin da. Diese alte Witwe, die in ihrem langen Leben
mit Hilfe ihres starken Knochenbaues das Ärgste überstanden haben mochte, hatte keinen eigentlichen Ab- 15
scheu vor Gregor. Ohne irgendwie neugierig zu sein, hatte sie zufällig einmal die Tür von Gregors Zimmer
aufgemacht und war beim Anblick Gregors, der, gänzlich
überrascht, trotzdem ihn niemand jagte, hin- und herzu-
laufen begann, die Hände im Schoß gefaltet staunend 20
stehen geblieben. Seitdem versäumte sie nicht, stets
flüchtig morgens und abends die Tür ein wenig zu öffnen und zu Gregor hineinzuschauen. Anfangs rief sie ihn
auch zu sich herbei, mit Worten, die sie wahrscheinlich
für freundlich hielt, wie »Komm mal herüber, alter Mist- 25
käfer!« oder »Seht mal den alten Mistkäfer!« Auf solche
Ansprachen antwortete Gregor mit nichts, sondern blieb
unbeweglich auf seinem Platz, als sei die Tür gar nicht
geöffnet worden. Hätte man doch dieser Bedienerin, statt
sie nach ihrer Laune ihn nutzlos stören zu lassen, lieber 30
den Befehl gegeben, sein Zimmer täglich zu reinigen!
Einmal am frühen Morgen – ein heftiger Regen, vielleicht
schon ein Zeichen des kommenden Frühjahrs, schlug an
die Scheiben – war Gregor, als die Bedienerin mit ihren
Redensarten wieder begann, derartig erbittert, dass er, 35
wie zum Angriff, allerdings langsam und hinfällig, sich
gegen sie wendete. Die Bedienerin aber, statt sich zu
fürchten, hob bloß einen in der Nähe der Tür befindli-
chen Stuhl hoch empor, und wie sie mit groß geöffnetem
Munde dastand, war ihre Absicht klar, den Mund erst zu 40

schließen, wenn der Sessel in ihrer Hand auf Gregors Rücken niederschlagen würde. »Also weiter geht es nicht?«, fragte sie, als Gregor sich wieder umdrehte, und stellte den Sessel ruhig in die Ecke zurück.

Gregor aß nun fast gar nichts mehr. Nur wenn er zufällig an der vorbereiteten Speise vorüberkam, nahm er zum Spiel einen Bissen in den Mund, hielt ihn dort stundenlang und spie ihn dann meist wieder aus. Zuerst dachte er, es sei die Trauer über den Zustand seines Zimmers, die ihn vom Essen abhalte, aber gerade mit den Veränderungen des Zimmers söhnte er sich sehr bald aus. Man hatte sich angewöhnt, Dinge, die man anderswo nicht unterbringen konnte, in dieses Zimmer hineinzustellen, und solcher Dinge gab es nun viele, da man ein Zimmer der Wohnung an drei Zimmerherren vermietet hatte. Diese ernsten Herren – alle drei hatten Vollbärte, wie Gregor einmal durch eine Türspalte feststellte – waren peinlich auf Ordnung, nicht nur in ihrem Zimmer, sondern, da sie sich nun einmal hier eingemietet hatten, in der ganzen Wirtschaft, also insbesondere in der Küche, bedacht. Unnützen oder gar schmutzigen Kram ertrugen sie nicht. Überdies hatten sie zum größten Teil ihre eigenen Einrichtungsstücke mitgebracht. Aus diesem Grunde waren viele Dinge überflüssig geworden, die zwar nicht verkäuflich waren, die man aber auch nicht wegwerfen wollte. Alle diese wanderten in Gregors Zimmer. Ebenso auch die Aschenkiste[1] und die Abfallkiste aus der Küche. Was nur im Augenblick unbrauchbar war, schleuderte die Bedienerin, die es immer sehr eilig hatte, einfach in Gregors Zimmer; Gregor sah glücklicherweise meist nur den betreffenden Gegenstand und die Hand, die ihn hielt. Die Bedienerin hatte vielleicht die Absicht, bei Zeit und Gelegenheit die Dinge wieder zu holen oder alle insgesamt mit einen Mal hinauszuwerfen, tatsächlich aber blieben sie dort liegen, wohin sie durch den ersten Wurf gekommen waren, wenn nicht Gregor sich durch das Rumpelzeug wand

---

[1] Behälter, in dem die Asche der einzelnen Kohleöfen der Wohnung vorläufig gesammelt wurde

und es in Bewegung brachte, zuerst gezwungen, weil
kein sonstiger Platz zum Kriechen frei war, später aber
mit wachsendem Vergnügen, obwohl er nach solchen
Wanderungen, zum Sterben müde und traurig, wieder
stundenlang sich nicht rührte.                                              5
Da die Zimmerherren manchmal auch ihr Abendessen
zu Hause im gemeinsamen Wohnzimmer einnahmen,
blieb die Wohnzimmertür an manchen Abenden geschlossen, aber Gregor verzichtete ganz leicht auf das
Öffnen der Tür, hatte er doch schon manche Abende, an  10
denen sie geöffnet war, nicht ausgenützt, sondern war,
ohne dass es die Familie merkte, im dunkelsten Winkel
seines Zimmers gelegen. Einmal aber hatte die Bedienerin die Tür zum Wohnzimmer ein wenig offen gelassen
und sie blieb so offen, auch als die Zimmerherren am  15
Abend eintraten und Licht gemacht wurde. Sie setzten
sich oben an den Tisch, wo in früheren Zeiten der Vater,
die Mutter und Gregor gesessen hatten, entfalteten die
Servietten und nahmen Messer und Gabel in die Hand.
Sofort erschien in der Tür die Mutter mit einer Schüssel  20
Fleisch und knapp hinter ihr die Schwester mit einer
Schüssel hochgeschichteter Kartoffeln. Das Essen
dampfte mit starkem Rauch. Die Zimmerherren beugten
sich über die vor sie hingestellten Schüsseln, als wollten
sie sie vor dem Essen prüfen, und tatsächlich zerschnitt  25
der, welcher in der Mitte saß und den anderen zwei als
Autorität zu gelten schien, ein Stück Fleisch noch auf
der Schüssel, offenbar um festzustellen, ob es mürbe genug sei und ob es nicht etwa in die Küche zurückge-
schickt werden solle. Er war befriedigt und Mutter und  30
Schwester, die gespannt zugesehen hatten, begannen
aufatmend zu lächeln.
Die Familie selbst aß in der Küche. Trotzdem kam der
Vater, ehe er in die Küche ging, in dieses Zimmer herein
und machte mit einer einzigen Verbeugung, die Kappe  35
in der Hand, einen Rundgang um den Tisch. Die Zimmerherren erhoben sich sämtlich und murmelten etwas
in ihre Bärte. Als sie dann allein waren, aßen sie fast unter vollkommenem Stillschweigen. Sonderbar schien es
Gregor, dass man aus allen mannigfachen Geräuschen  40

des Essens immer wieder ihre kauenden Zähne heraus-
hörte, als ob damit Gregor gezeigt werden sollte, dass
man Zähne brauche, um zu essen, und dass man auch
mit den schönsten zahnlosen Kiefern nichts ausrichten
5 könne. »Ich habe ja Appetit«, sagte sich Gregor sorgen-
voll, »aber nicht auf diese Dinge. Wie sich diese Zimmerherren nähren und ich komme um!«

Gerade an diesem Abend – Gregor erinnerte sich nicht,
während der ganzen Zeit die Violine gehört zu haben –
10 ertönte sie von der Küche her. Die Zimmerherren hatten
schon ihr Nachtmahl beendet, der mittlere hatte eine
Zeitung hervorgezogen, den zwei anderen je ein Blatt
gegeben, und nun lasen sie zurückgelehnt und rauchten.
Als die Violine zu spielen begann, wurden sie aufmerk-
15 sam, erhoben sich und gingen auf den Fußspitzen zur
Vorzimmertür, in der sie aneinandergedrängt stehen
blieben. Man musste sie von der Küche aus gehört haben, denn der Vater rief: »Ist den Herren das Spiel vielleicht unangenehm? Es kann sofort eingestellt werden.«
20 »Im Gegenteil«, sagte der mittlere der Herren, »möchte
das Fräulein nicht zu uns hereinkommen und hier im
Zimmer spielen, wo es doch viel bequemer und gemütli-
cher ist?« »O bitte«, rief der Vater, als sei er der Violin-
spieler. Die Herren traten ins Zimmer zurück und war-
25 teten. Bald kam der Vater mit dem Notenpult, die
Mutter mit den Noten und die Schwester mit der Violine. Die Schwester bereitete alles ruhig zum Spiele vor;
die Eltern, die niemals früher Zimmer vermietet hatten
und deshalb die Höflichkeit gegen die Zimmerherren
30 übertrieben, wagten gar nicht, sich auf ihre eigenen Sessel zu setzen; der Vater lehnte an der Tür, die rechte
Hand zwischen zwei Knöpfe des geschlossenen Livree-
rocks gesteckt; die Mutter aber erhielt von einem Herrn
einen Sessel angeboten und saß, da sie den Sessel dort
35 ließ, wohin ihn der Herr zufällig gestellt hatte, abseits in
einem Winkel.

Die Schwester begann zu spielen; Vater und Mutter verfolgten, jeder von seiner Seite, aufmerksam die Bewegungen ihrer Hände. Gregor hatte, von dem Spiele ange-
40 zogen, sich ein wenig weiter vorgewagt und war schon

mit dem Kopf im Wohnzimmer. Er wunderte sich kaum
darüber, dass er in letzter Zeit so wenig Rücksicht auf
die andern nahm; früher war diese Rücksichtnahme sein
Stolz gewesen. Und dabei hätte er gerade jetzt mehr
Grund gehabt, sich zu verstecken, denn infolge des 5
Staubes, der in seinem Zimmer überall lag und bei der
kleinsten Bewegung umherflog, war auch er ganz staub-
bedeckt; Fäden, Haare, Speiseüberreste schleppte er auf
seinem Rücken und an den Seiten mit sich herum; seine
Gleichgültigkeit gegen alles war viel zu groß, als dass er 10
sich, wie früher mehrmals während des Tages, auf den
Rücken gelegt und am Teppich gescheuert hätte. Und
trotz dieses Zustandes hatte er keine Scheu, ein Stück
auf dem makellosen Fußboden des Wohnzimmers vorzurücken.                                                    15
Allerdings achtete auch niemand auf ihn. Die Familie
war gänzlich vom Violinspiel in Anspruch genommen;
die Zimmerherren dagegen, die zunächst, die Hände in
den Hosentaschen, viel zu nahe hinter dem Notenpult
der Schwester sich aufgestellt hatten, sodass sie alle in 20
die Noten hätten sehen können, was sicher die Schwester stören musste, zogen sich bald unter halblauten Gesprächen mit gesenkten Köpfen zum Fenster zurück, wo
sie, vom Vater besorgt beobachtet, auch blieben. Es hatte
nun wirklich den überdeutlichen Anschein, als wären sie 25
in ihrer Annahme, ein schönes oder unterhaltendes Violinspiel zu hören, enttäuscht, hätten die ganze Vor-
führung satt und ließen sich nur aus Höflichkeit noch in
ihrer Ruhe stören. Besonders die Art, wie sie alle aus Nase und Mund den Rauch ihrer Zigarren in die Höhe blie- 30
sen, ließ auf große Nervosität schließen. Und doch spielte die Schwester so schön. Ihr Gesicht war zur Seite
geneigt, prüfend und traurig folgten ihre Blicke den No-
tenzeilen. Gregor kroch noch ein Stück vorwärts und
hielt den Kopf eng an den Boden, um möglicherweise 35
ihren Blicken begegnen zu können. War er ein Tier, da
ihn Musik so ergriff? Ihm war, als zeige sich ihm der
Weg zu der ersehnten unbekannten Nahrung. Er war
entschlossen, bis zur Schwester vorzudringen, sie am
Rock zu zupfen und ihr dadurch anzudeuten, sie möge 40

doch mit ihrer Violine in sein Zimmer kommen, denn niemand lohnte hier das Spiel so, wie er es lohnen wollte. Er wollte sie nicht mehr aus seinem Zimmer lassen, wenigstens nicht, solange er lebte; seine Schreckgestalt
5 sollte ihm zum ersten Mal nützlich werden; an allen Türen seines Zimmers wollte er gleichzeitig sein und den Angreifern entgegenfauchen; die Schwester aber sollte nicht gezwungen, sondern freiwillig bei ihm bleiben; sie sollte neben ihm auf dem Kanapee sitzen, das
10 Ohr zu ihm herunterneigen, und er wollte ihr dann anvertrauen, dass er die feste Absicht gehabt habe, sie auf das Konservatorium zu schicken, und dass er dies, wenn nicht das Unglück dazwischengekommen wäre, vergangene Weihnachten – Weihnachten war doch wohl schon
15 vorüber? – allen gesagt hätte, ohne sich um irgendwelche Widerreden zu kümmern. Nach dieser Erklärung würde die Schwester in Tränen der Rührung ausbrechen und Gregor würde sich bis zu ihrer Achsel erheben und ihren Hals küssen, den sie, seitdem sie ins Geschäft ging, frei
20 ohne Band oder Kragen trug.

»Herr Samsa!«, rief der mittlere Herr dem Vater zu und zeigte, ohne ein weiteres Wort zu verlieren, mit dem Zeigefinger auf den langsam sich vorwärtsbewegenden Gregor. Die Violine verstummte, der mittlere Zimmer-
25 herr lächelte erst einmal kopfschüttelnd seinen Freunden zu und sah dann wieder auf Gregor hin. Der Vater schien es für nötiger zu halten, statt Gregor zu vertreiben, vorerst die Zimmerherren zu beruhigen, trotzdem diese gar nicht aufgeregt waren und Gregor sie mehr als
30 das Violinspiel zu unterhalten schien. Er eilte zu ihnen und suchte sie mit ausgebreiteten Armen in ihr Zimmer zu drängen und gleichzeitig mit seinem Körper ihnen den Ausblick auf Gregor zu nehmen. Sie wurden nun tatsächlich ein wenig böse, man wusste nicht mehr, ob
35 über das Benehmen des Vaters oder über die ihnen jetzt aufgehende Erkenntnis, ohne es zu wissen, einen solchen Zimmernachbar wie Gregor besessen zu haben. Sie verlangten vom Vater Erklärungen, hoben ihrerseits die Arme, zupften unruhig an ihren Bärten und wichen nur
40 langsam gegen ihr Zimmer zurück. Inzwischen hatte die

Schwester die Verlorenheit, in die sie nach dem plötzlich
abgebrochenen Spiel verfallen war, überwunden, hatte
sich, nachdem sie eine Zeitlang in den lässig hängenden
Händen Violine und Bogen gehalten und weiter, als
spiele sie noch, in die Noten gesehen hatte, mit einem 5
Male aufgerafft, hatte das Instrument auf den Schoß der
Mutter gelegt, die in Atembeschwerden mit heftig arbei-
tenden Lungen noch auf ihrem Sessel saß, und war in
das Nebenzimmer gelaufen, dem sich die Zimmerherren
unter dem Drängen des Vaters schon schneller näherten. 10
Man sah, wie unter den geübten Händen der Schwester
die Decken und Polster in den Betten in die Höhe flogen
und sich ordneten. Noch ehe die Herren das Zimmer erreicht hatten, war sie mit dem Aufbetten fertig und
schlüpfte heraus. Der Vater schien wieder von seinem 15
Eigensinn derartig ergriffen, dass er jeden Respekt vergaß, den er seinen Mietern immerhin schuldete. Er
drängte nur und drängte, bis schon in der Tür des Zimmers der mittlere der Herren donnernd mit dem Fuß
aufstampfte und dadurch den Vater zum Stehen brach- 20
te. »Ich erkläre hiermit«, sagte er, hob die Hand und
suchte mit den Blicken auch die Mutter und die Schwester, »dass ich mit Rücksicht auf die in dieser Wohnung
und Familie herrschenden widerlichen Verhältnisse« –
hiebei spie er kurz entschlossen auf den Boden – »mein 25
Zimmer augenblicklich kündige. Ich werde natürlich
auch für die Tage, die ich hier gewohnt habe, nicht das
Geringste bezahlen, dagegen werde ich es mir noch
überlegen, ob ich nicht mit irgendwelchen – glauben Sie
mir – sehr leicht zu begründenden Forderungen gegen 30
Sie auftreten werde.« Er schwieg und sah gerade vor
sich hin, als erwarte er etwas. Tatsächlich fielen sofort
seine zwei Freunde mit den Worten ein: »Auch wir kün-
digen augenblicklich.« Darauf fasste er die Türklinke
und schloss mit einem Krach die Tür. 35
Der Vater wankte mit tastenden Händen zu seinem Sessel und ließ sich in ihn fallen; es sah aus, als strecke er
sich zu seinem gewöhnlichen Abendschläfchen, aber das
starke Nicken seines wie haltlosen Kopfes zeigte, dass er
ganz und gar nicht schlief. Gregor war die ganze Zeit 40

still auf dem Platz gelegen, auf dem ihn die Zimmerherren ertappt hatten. Die Enttäuschung über das Misslingen seines Planes, vielleicht aber auch die durch das viele Hungern verursachte Schwäche machten es ihm
5 unmöglich, sich zu bewegen. Er fürchtete mit einer gewissen Bestimmtheit schon für den nächsten Augenblick
einen allgemeinen über ihn sich entladenden Zusam-
mensturz und wartete. Nicht einmal die Violine schreckte ihn auf, die, unter den zitternden Fingern der Mutter
10 hervor, ihr vom Schoße fiel und einen hallenden Ton von
sich gab.

»Liebe Eltern«, sagte die Schwester und schlug zur Einlei-
tung mit der Hand auf den Tisch, »so geht es nicht weiter.
Wenn ihr das vielleicht nicht einseht, ich sehe es ein. Ich
15 will vor diesem Untier nicht den Namen meines Bruders
aussprechen und sage daher bloß: Wir müssen versuchen,
es loszuwerden. Wir haben das Menschenmögliche versucht, es zu pflegen und zu dulden, ich glaube, es kann
uns niemand den geringsten Vorwurf machen.«
20 »Sie hat tausendmal Recht«, sagte der Vater für sich. Die
Mutter, die noch immer nicht genug Atem finden konnte,
fing in die vorgehaltene Hand mit einem irrsinnigen
Ausdruck der Augen dumpf zu husten an.

Die Schwester eilte zur Mutter und hielt ihr die Stirn.
25 Der Vater schien durch die Worte der Schwester auf be-
stimmtere Gedanken gebracht zu sein, hatte sich aufrecht gesetzt, spielte mit seiner Dienermütze zwischen
den Tellern, die noch vom Nachtmahl der Zimmerherren her auf dem Tische lagen, und sah bisweilen auf den
30 stillen Gregor hin.

»Wir müssen es loszuwerden versuchen«, sagte die
Schwester nun ausschließlich zum Vater, denn die Mutter hörte in ihrem Husten nichts, »es bringt euch noch
beide um, ich sehe es kommen. Wenn man schon so
35 schwer arbeiten muss, wie wir alle, kann man nicht noch
zu Hause diese ewige Quälerei ertragen. Ich kann es
auch nicht mehr.« Und sie brach so heftig in Weinen aus,
dass ihre Tränen auf das Gesicht der Mutter niederflos-
sen, von dem sie sie mit mechanischen Handbewegun-
40 gen wischte.

»Kind«, sagte der Vater mitleidig und mit auffallendem Verständnis, »was sollen wir aber tun?«

Die Schwester zuckte nur die Achseln zum Zeichen der Ratlosigkeit, die sie nun während des Weinens im Gegensatz zu ihrer früheren Sicherheit ergriffen hatte.

»Wenn er uns verstünde«, sagte der Vater halb fragend; die Schwester schüttelte aus dem Weinen heraus heftig die Hand zum Zeichen, dass daran nicht zu denken sei.

»Wenn er uns verstünde«, wiederholte der Vater und nahm durch Schließen der Augen die Überzeugung der Schwester von der Unmöglichkeit dessen in sich auf, »dann wäre vielleicht ein Übereinkommen mit ihm möglich. Aber so –«

»Weg muss es«, rief die Schwester, »das ist das einzige Mittel, Vater. Du musst bloß den Gedanken loszuwerden suchen, dass es Gregor ist. Dass wir es solange geglaubt haben, das ist ja unser eigentliches Unglück. Aber wie kann es denn Gregor sein? Wenn es Gregor wäre, er hätte längst eingesehen, dass ein Zusammenleben von Menschen mit einem solchen Tier nicht möglich ist, und wäre freiwillig fortgegangen. Wir hätten dann keinen Bruder, aber könnten weiterleben und sein Andenken in Ehren halten. So aber verfolgt uns dieses Tier, vertreibt die Zimmerherren, will offenbar die ganze Wohnung einnehmen und uns auf der Gasse übernachten lassen. Sieh nur, Vater«, schrie sie plötzlich auf, »er fängt schon wieder an!« Und in einem für Gregor gänzlich unverständlichen Schrecken verließ die Schwester sogar die Mutter, stieß sich förmlich von ihrem Sessel ab, als wollte sie lieber die Mutter opfern, als in Gregors Nähe bleiben, und eilte hinter den Vater, der, lediglich durch ihr Benehmen erregt, auch aufstand und die Arme wie zum Schutze der Schwester vor ihr halb erhob.

Aber Gregor fiel es doch gar nicht ein, irgendjemandem und gar seiner Schwester Angst machen zu wollen. Er hatte bloß angefangen, sich umzudrehen, um in sein Zimmer zurückzuwandern, und das nahm sich allerdings auffallend aus, da er infolge seines leidenden Zustandes bei den schwierigen Umdrehungen mit seinem Kopfe nachhelfen musste, den er hierbei viele Male hob und

gegen den Boden schlug. Er hielt inne und sah sich um. Seine gute Absicht schien erkannt worden zu sein; es war nur ein augenblicklicher Schrecken gewesen. Nun sahen ihn alle schweigend und traurig an. Die Mutter
5 lag, die Beine ausgestreckt und aneinandergedrückt, in ihrem Sessel, die Augen fielen ihr vor Ermattung fast zu; der Vater und die Schwester saßen nebeneinander, die Schwester hatte ihre Hand um den Hals des Vaters gelegt.

10 »Nun darf ich mich schon vielleicht umdrehen«, dachte Gregor und begann seine Arbeit wieder. Er konnte das Schnaufen der Anstrengung nicht unterdrücken und musste auch hie und da ausruhen. Im Übrigen drängte ihn auch niemand, es war alles ihm selbst überlassen.
15 Als er die Umdrehung vollendet hatte, fing er sofort an geradeaus zurückzuwandern. Er staunte über die große Entfernung, die ihn von seinem Zimmer trennte, und begriff gar nicht, wie er bei seiner Schwäche vor kurzer Zeit den gleichen Weg, fast ohne es zu merken, zurück-
20 gelegt hatte. Immerfort nur auf rasches Kriechen bedacht, achtete er kaum darauf, dass kein Wort, kein Ausruf seiner Familie ihn störte. Erst als er schon in der Tür war, wendete er den Kopf, nicht vollständig, denn er fühlte den Hals steif werden, immerhin sah er noch,
25 dass sich hinter ihm nichts verändert hatte, nur die Schwester war aufgestanden. Sein letzter Blick streifte die Mutter, die nun völlig eingeschlafen war.

Kaum war er innerhalb seines Zimmers, wurde die Tür eiligst zugedrückt, festgeriegelt und versperrt. Über den
30 plötzlichen Lärm hinter sich erschrak Gregor so, dass ihm die Beinchen einknickten. Es war die Schwester, die sich so beeilt hatte. Aufrecht war sie schon da gestanden und hatte gewartet, leichtfüßig war sie dann vorwärtsgesprungen, Gregor hatte sie gar nicht kommen hören,
35 und ein »Endlich!« rief sie den Eltern zu, während sie den Schlüssel im Schloss umdrehte.

»Und jetzt?«, fragte sich Gregor und sah sich im Dunkeln um. Er machte bald die Entdeckung, dass er sich nun überhaupt nicht mehr rühren konnte. Er wunderte sich
40 darüber nicht, eher kam es ihm unnatürlich vor, dass er

sich bis jetzt tatsächlich mit diesen dünnen Beinchen hatte fortbewegen können. Im Übrigen fühlte er sich verhältnismäßig behaglich. Er hatte zwar Schmerzen im ganzen Leib, aber ihm war, als würden sie allmählich schwächer und schwächer und würden schließlich ganz 5 vergehen. Den verfaulten Apfel in seinem Rücken und die entzündete Umgebung, die ganz von weichem Staub bedeckt waren, spürte er schon kaum. An seine Familie dachte er mit Rührung und Liebe zurück. Seine Meinung darüber, dass er verschwinden müsse, war womöglich 10 noch entschiedener als die seiner Schwester. In diesem Zustand leeren und friedlichen Nachdenkens blieb er, bis die Turmuhr die dritte Morgenstunde schlug. Den Anfang des allgemeinen Hellerwerdens draußen vor dem Fenster erlebte er noch. Dann sank sein Kopf ohne seinen 15 Willen gänzlich nieder und aus seinen Nüstern strömte sein letzter Atem schwach hervor.

Als am frühen Morgen die Bedienerin kam – vor lauter Kraft und Eile schlug sie, wie oft man sie auch schon gebeten hatte, das zu vermeiden, alle Türen derartig zu, 20 dass in der ganzen Wohnung von ihrem Kommen an kein ruhiger Schlaf mehr möglich war –, fand sie bei ihrem gewöhnlichen kurzen Besuch an Gregor zuerst nichts Besonderes. Sie dachte, er liege absichtlich so unbeweglich da und spiele den Beleidigten; sie traute ihm allen mögli- 25 chen Verstand zu. Weil sie zufällig den langen Besen in der Hand hielt, suchte sie mit ihm Gregor von der Türe aus zu kitzeln. Als sich auch da kein Erfolg zeigte, wurde sie ärgerlich und stieß ein wenig in Gregor hinein, und erst als sie ihn ohne jeden Widerstand von seinem Platze 30 geschoben hatte, wurde sie aufmerksam. Als sie bald den wahren Sachverhalt erkannte, machte sie große Augen, pfiff vor sich hin, hielt sich aber nicht lange auf, sondern riss die Tür des Schlafzimmers auf und rief mit lauter Stimme in das Dunkel hinein: »Sehen Sie nur mal an, es 35 ist krepiert; da liegt es, ganz und gar krepiert!«

Das Ehepaar Samsa saß im Ehebett aufrecht da und hatte zu tun, den Schrecken über die Bedienerin zu verwinden, ehe es dazu kam, ihre Meldung aufzufassen. Dann aber stiegen Herr und Frau Samsa, jeder auf seiner Seite, 40

eiligst aus dem Bett, Herr Samsa warf die Decke über
seine Schultern, Frau Samsa kam nur im Nachthemd
hervor; so traten sie in Gregors Zimmer. Inzwischen hatte sich auch die Tür des Wohnzimmers geöffnet, in dem
5 Grete seit dem Einzug der Zimmerherren schlief; sie war
völlig angezogen, als hätte sie gar nicht geschlafen, auch
ihr bleiches Gesicht schien das zu beweisen. »Tot?«, sagte Frau Samsa und sah fragend zur Bedienerin auf, trotzdem sie doch alles selbst prüfen und sogar ohne Prü-
10 fung erkennen konnte. »Das will ich meinen«, sagte die
Bedienerin und stieß zum Beweis Gregors Leiche mit
dem Besen noch ein großes Stück seitwärts. Frau Samsa
machte eine Bewegung, als wolle sie den Besen zurückhalten, tat es aber nicht. »Nun«, sagte Herr Samsa, »jetzt
15 können wir Gott danken.« Er bekreuzte sich und die
drei Frauen folgten seinem Beispiel. Grete, die kein Auge von der Leiche wendete, sagte: »Seht nur, wie mager
er war. Er hat ja auch schon so lange Zeit nichts gegessen. So wie die Speisen hereinkamen, sind sie wieder
20 hinausgekommen.« Tatsächlich war Gregors Körper
vollständig flach und trocken, man erkannte das eigentlich erst jetzt, da er nicht mehr von den Beinchen gehoben war und auch sonst nichts den Blick ablenkte.
»Komm, Grete, auf ein Weilchen zu uns herein«, sagte
25 Frau Samsa mit einem wehmütigen Lächeln, und Grete
ging, nicht ohne nach der Leiche zurückzusehen, hinter
den Eltern in das Schlafzimmer. Die Bedienerin schloss
die Tür und öffnete gänzlich das Fenster. Trotz des
frühen Morgens war der frischen Luft schon etwas Lau-
30 igkeit beigemischt. Es war eben schon Ende März.
Aus ihrem Zimmer traten die drei Zimmerherren und
sahen sich erstaunt nach ihrem Frühstück um; man hatte
sie vergessen. »Wo ist das Frühstück?«, fragte der mittlere der Herren mürrisch die Bedienerin. Diese aber legte
35 den Finger an den Mund und winkte dann hastig und
schweigend den Herren zu, sie möchten in Gregors Zimmer kommen. Sie kamen auch und standen dann, die
Hände in den Taschen ihrer etwas abgenützten Röckchen, in dem nun schon ganz hellen Zimmer um Gre-
40 gors Leiche herum.

Da öffnete sich die Tür des Schlafzimmers und Herr
Samsa erschien in seiner Livree, an einem Arm seine
Frau, am anderen seine Tochter. Alle waren ein wenig
verweint; Grete drückte bisweilen ihr Gesicht an den
Arm des Vaters.                                                        5
»Verlassen Sie sofort meine Wohnung!«, sagte Herr Sam-
sa und zeigte auf die Tür, ohne die Frauen von sich zu
lassen. »Wie meinen Sie das?«, sagte der mittlere der
Herren etwas bestürzt und lächelte süßlich. Die zwei anderen hielten die Hände auf dem Rücken und rieben sie  10
ununterbrochen aneinander, wie in freudiger Erwartung
eines großen Streites, der aber für sie günstig ausfallen
musste. »Ich meine es genauso, wie ich es sage«, antwortete Herr Samsa und ging in einer Linie mit seinen
zwei Begleiterinnen auf den Zimmerherrn zu. Dieser  15
stand zuerst still da und sah zu Boden, als ob sich die
Dinge in seinem Kopf zu einer neuen Ordnung zusam-
menstellten. »Dann gehen wir also«, sagte er dann und
sah zu Herrn Samsa auf, als verlange er in einer plötzlich ihn überkommenden Demut sogar für diesen Ent-  20
schluss eine neue Genehmigung. Herr Samsa nickte ihm
bloß mehrmals kurz mit großen Augen zu. Daraufhin
ging der Herr tatsächlich sofort mit langen Schritten ins
Vorzimmer; seine beiden Freunde hatten schon ein Weilchen lang mit ganz ruhigen Händen aufgehorcht und  25
hüpften ihm jetzt geradezu nach, wie in Angst, Herr
Samsa könnte vor ihnen ins Vorzimmer eintreten und
die Verbindung mit ihrem Führer stören. Im Vorzimmer
nahmen alle drei die Hüte vom Kleiderrechen[1], zogen
ihre Stöcke aus dem Stockbehälter, verbeugten sich  30
stumm und verließen die Wohnung. In einem, wie sich
zeigte, gänzlich unbegründeten Misstrauen trat Herr
Samsa mit den zwei Frauen auf den Vorplatz hinaus; an
das Geländer gelehnt, sahen sie zu, wie die drei Herren
zwar langsam, aber ständig die lange Treppe hinunter-  35
stiegen, in jedem Stockwerk in einer bestimmten Bie-
gung des Treppenhauses verschwanden und nach ein
paar Augenblicken wieder hervorkamen; je tiefer sie ge-

---

[1] einfache Garderobe, Brett mit Kleiderhaken

langten, desto mehr verlor sich das Interesse der Familie
Samsa für sie, und als ihnen entgegen und dann hoch
über sie hinweg ein Fleischergeselle mit der Trage auf
dem Kopf in stolzer Haltung heraufstieg, verließ bald
5 Herr Samsa mit den Frauen das Geländer und alle kehrten, wie erleichtert, in ihre Wohnung zurück.

Sie beschlossen, den heutigen Tag zum Ausruhen und
Spazierengehen zu verwenden; sie hatten diese Arbeits-
unterbrechung nicht nur verdient, sie brauchten sie sogar
10 unbedingt. Und so setzten sie sich zum Tisch und schrieben drei Entschuldigungsbriefe, Herr Samsa an seine Direktion, Frau Samsa an ihren Auftraggeber, und Grete an
ihren Prinzipal[1]. Während des Schreibens kam die Bedienerin herein, um zu sagen, dass sie fortgehe, denn ihre
15 Morgenarbeit war beendet. Die drei Schreibenden nickten
zuerst bloß, ohne aufzuschauen, erst als die Bedienerin
sich immer noch nicht entfernen wollte, sah man ärgerlich auf. »Nun?«, fragte Herr Samsa. Die Bedienerin stand
lächelnd in der Tür, als habe sie der Familie ein großes
20 Glück zu melden, werde es aber nur dann tun, wenn sie
gründlich ausgefragt werde. Die fast aufrechte kleine
Straußfeder auf ihrem Hut, über die sich Herr Samsa
schon während ihrer ganzen Dienstzeit ärgerte, schwankte leicht nach allen Richtungen. »Also was wollen Sie ei-
25 gentlich?«, fragte Frau Samsa, vor welcher die Bedienerin
noch am meisten Respekt hatte. »Ja«, antwortete die Bedienerin und konnte vor freundlichem Lachen nicht
gleich weiterreden, »also darüber, wie das Zeug von nebenan weggeschafft werden soll, müssen Sie sich keine
30 Sorge machen. Es ist schon in Ordnung.« Frau Samsa und
Grete beugten sich zu ihren Briefen nieder, als wollten sie
weiterschreiben; Herr Samsa, welcher merkte, dass die
Bedienerin nun alles ausführlich zu beschreiben anfangen
wollte, wehrte dies mit ausgestreckter Hand entschieden
35 ab. Da sie aber nicht erzählen durfte, erinnerte sie sich an
die große Eile, die sie hatte, rief offenbar beleidigt: »Adjes
allseits«, drehte sich wild um und verließ unter fürchterli-
chem Türezuschlagen die Wohnung.

---

[1] Geschäftsinhaber

»Abends wird sie entlassen«, sagte Herr Samsa, bekam aber weder von seiner Frau, noch von seiner Tochter eine Antwort, denn die Bedienerin schien ihre kaum gewonnene Ruhe wieder gestört zu haben. Sie erhoben sich, gingen zum Fenster und blieben dort, sich umschlungen 5 haltend. Herr Samsa drehte sich in seinem Sessel nach ihnen um und beobachtete sie still ein Weilchen. Dann rief er: »Also kommt doch her. Lasst schon endlich die alten Sachen. Und nehmt auch ein wenig Rücksicht auf mich.« Gleich folgten ihm die Frauen, eilten zu ihm, lieb- 10 kosten ihn und beendeten rasch ihre Briefe.

Dann verließen alle drei gemeinschaftlich die Wohnung, was sie schon seit Monaten nicht getan hatten, und fuhren mit der Elektrischen[1] ins Freie vor die Stadt. Der Wagen, in dem sie allein saßen, war ganz von warmer Son- 15 ne durchschienen. Sie besprachen, bequem auf ihren Sitzen zurückgelehnt, die Aussichten für die Zukunft, und es fand sich, dass diese bei näherer Betrachtung durchaus nicht schlecht waren, denn aller drei Anstellungen waren, worüber sie einander eigentlich noch gar 20 nicht ausgefragt hatten, überaus günstig und besonders für später vielversprechend. Die größte augenblickliche Besserung der Lage musste sich natürlich leicht durch einen Wohnungswechsel ergeben; sie wollten nun eine kleinere und billigere, aber besser gelegene und über- 25 haupt praktischere Wohnung nehmen, als es die jetzige, noch von Gregor ausgesuchte war. Während sie sich so unterhielten, fiel es Herrn und Frau Samsa im Anblick ihrer immer lebhafter werdenden Tochter fast gleichzeitig ein, wie sie in der letzten Zeit trotz aller Plage, die ih- 30 re Wangen bleich gemacht hatte, zu einem schönen und üppigen Mädchen aufgeblüht war. Stiller werdend und fast unbewusst durch Blicke sich verständigend, dachten sie daran, dass es nun Zeit sein werde, auch einen braven Mann für sie zu suchen. Und es war ihnen wie eine Be- 35 stätigung ihrer neuen Träume und guten Absichten, als am Ziele ihrer Fahrt die Tochter als Erste sich erhob und ihren jungen Körper dehnte.

---

[1] elektrisch angetriebene Straßenbahn

# Brief an den Vater[1]

Liebster Vater,

du hast mich letzthin einmal gefragt, warum ich behaupte, ich hätte Furcht vor dir. Ich wusste dir, wie gewöhnlich, nichts zu antworten, zum Teil eben aus der Furcht,
die ich vor dir habe, zum Teil deshalb, weil zur Begründung dieser Furcht zu viele Einzelheiten gehören, als 5
dass ich sie im Reden halbwegs zusammenhalten könnte.
Und wenn ich hier versuche, dir schriftlich zu antworten,
so wird es doch nur sehr unvollständig sein, weil auch
im Schreiben die Furcht und ihre Folgen mich dir gegenüber behindern und weil die Größe des Stoffs über 10
mein Gedächtnis und meinen Verstand weit hinausgeht.
Dir hat sich die Sache immer sehr einfach dargestellt,
wenigstens soweit du vor mir und, ohne Auswahl, vor
vielen andern davon gesprochen hast. Es schien dir etwa
so zu sein: Du hast dein ganzes Leben lang schwer gear- 15
beitet, alles für deine Kinder, vor allem für mich geopfert, ich habe infolgedessen »in Saus und Braus« gelebt,
habe vollständige Freiheit gehabt zu lernen, was ich
wollte, habe keinen Anlass zu Nahrungssorgen, also zu
Sorgen überhaupt gehabt; du hast dafür keine Dankbar- 20

---

[1]  Seit Kafka wusste, dass er an Lungentuberkulose litt (August
1917), hatte er sich in den verschiedensten Sanatorien behandeln
lassen. Nach Schelesen ging er zweimal: im November 1918 und
im Winter 1919. Der Beginn der Arbeit an dem „Brief an den Vater", den Kafka während seines zweiten Aufenthalts in Schelesen
verfasste, lässt sich auf die Zeit zwischen dem 10. und 13. November 1919 festlegen. Kafka erwähnt den „noch kaum angefangenen
Brief" in einem Schreiben an seine Schwester vom 10. November
1919. Im Manuskript des Textes ist die Ortsangabe „Schelesen" auf
der rechten Seite vermerkt.
Wie aus einem Brief hervorgeht, den Kafka am 21. Juni 1920 an
Milena Jesenska aus Meran geschrieben hat, hat Hermann Kafka,
den „im Übrigen schlechten, unnötigen" Vaterbrief nie gelesen.

keit verlangt, du kennst »die Dankbarkeit der Kinder«, aber doch wenigstens irgendein Entgegenkommen, Zeichen eines Mitgefühls; stattdessen habe ich mich seit jeher vor dir verkrochen, in mein Zimmer, zu Büchern, zu
5 verrückten Freunden[1], zu überspannten Ideen; offen gesprochen habe ich mit dir niemals, in den Tempel[2] bin ich nicht zu dir gekommen, in Franzensbad[3] habe ich dich nie besucht, auch sonst nie Familiensinn gehabt, um das Geschäft und deine sonstigen Angelegenheiten
10 habe ich mich nicht gekümmert, die Fabrik[4] habe ich dir aufgehalst und dich dann verlassen, Ottla habe ich in ihrem Eigensinn[5] unterstützt, und während ich für dich keinen Finger rühre (nicht einmal eine Theaterkarte bringe ich dir), tue ich für Freunde alles. Fasst du dein
15 Urteil über mich zusammen, so ergibt sich, dass du mir zwar etwas geradezu Unanständiges oder Böses nicht vorwirfst (mit Ausnahme vielleicht meiner letzten Heiratsabsicht), aber Kälte, Fremdheit, Undankbarkeit. Und zwar wirfst du es mir so vor, als wäre es meine Schuld,
20 als hätte ich etwa mit einer Steuerdrehung das Ganze anders einrichten können, während du nicht die geringste Schuld daran hast, es wäre denn die, dass du zu gut zu mir gewesen bist.

---

[1] Kafkas Vater hat vor allem den Umgang seines Sohnes mit dem Schauspieler Jichzak Löwy und seine Freundschaft mit Max Brod missbilligt. Letzterer war ihm verdächtig, weil er Kafkas literarische Neigung förderte, die der Vater für leeren Zeitvertreib hielt, und Löwy gehörte als Schauspieler einer gesellschaftlichen Gruppierung an, mit der man besser keinen nahen Umgang hatte.

[2] hier: die Synagoge

[3] westböhmischer Kurort, wo Kafkas Eltern wiederholt Urlaub machten

[4] „Prager Asbestwerke", eine Firma, die Kafka mit seinem Schwager gegründet hatte in der trügerischen Hoffnung, auf diese Weise finanziell unabhängiger von seiner Erwerbstätigkeit zu werden und so mehr Zeit für das Schreiben zu haben.
Kafkas mangelnder Einsatz für die Fabrik war ein dauernder Anlass für Vorwürfe und Ermahnungen vonseiten des Vaters.

[5] Kafkas jüngste Schwester, zu der er eine enge Beziehung hatte. Ihr „Eigensinn" äußerte sich vor allem in beruflichen Projekten, die der Vater für wenig vernünftig hielt.

Diese deine übliche Darstellung halte ich nur so weit für
richtig, dass auch ich glaube, du seist gänzlich schuldlos
an unserer Entfremdung. Aber ebenso gänzlich schuldlos bin auch ich. Könnte ich dich dazu bringen, dass du
das anerkennst, dann wäre – nicht etwa ein neues Leben 5
möglich, dazu sind wir beide viel zu alt, aber doch eine
Art Friede, kein Aufhören, aber doch ein Mildern deiner
unaufhörlichen Vorwürfe.
Irgendeine Ahnung dessen, was ich sagen will, hast du
merkwürdigerweise. So hast du mir zum Beispiel vor 10
kurzem gesagt: »Ich habe dich immer gern gehabt, wenn
ich auch äußerlich nicht so zu dir war wie andere Väter
zu sein pflegen, eben deshalb, weil ich mich nicht verstellen kann wie andere«. Nun habe ich, Vater, im
Ganzen niemals an deiner Güte mir gegenüber gezwei- 15
felt, aber diese Bemerkung halte ich für unrichtig. Du
kannst dich nicht verstellen, das ist richtig, aber nur aus
diesem Grunde behaupten wollen, dass die anderen Väter sich verstellen, ist entweder bloße, nicht weiter dis-
kutierbare Rechthaberei oder aber – und das ist es mei- 20
ner Meinung nach wirklich – der verhüllte Ausdruck
dafür, dass zwischen uns etwas nicht in Ordnung ist
und dass du es mitverursacht hast, aber ohne Schuld.
Meinst du das wirklich, dann sind wir einig.
Ich sage ja natürlich nicht, dass ich das, was ich bin, nur 25
durch deine Einwirkung geworden bin. Das wäre sehr
übertrieben (und ich neige sogar zu dieser Übertreibung). Es ist sehr leicht möglich, dass ich, selbst wenn
ich ganz frei von deinem Einfluss aufgewachsen wäre,
doch kein Mensch nach deinem Herzen hätte werden 30
können. Ich wäre wahrscheinlich doch ein schwächli-
cher, ängstlicher, zögernder, unruhiger Mensch geworden, weder Robert Kafka[1] noch Karl Hermann[1], aber
doch ganz anders, als ich wirklich bin, und wir hätten
uns ausgezeichnet miteinander vertragen können. Ich 35

---

[1]  Robert Kafka: Cousin Kafkas, Sohn seines Onkels Phillip Kafka
  Karl Hermann: Schwager Kafkas, der Mann seiner Schwester Elli.
  Beide wurden von Kafka als kräftig, vital und durchsetzungsstark
  erlebt.

wäre glücklich gewesen, dich als Freund, als Chef, als Onkel, als Großvater, ja selbst (wenn auch schon zögernder) als Schwiegervater zu haben. Nur eben als Vater warst du zu stark für mich, besonders da meine Brüder
5 klein starben, die Schwestern erst lange nachher kamen, ich also den ersten Stoß ganz allein aushalten musste, dazu war ich viel zu schwach.

Vergleich uns beide: Ich, um es sehr abgekürzt auszudrücken, ein Löwy mit einem gewissen Kafka'schen
10 Fond, der aber eben nicht durch den Kafka'schen Lebens-, Geschäfts-, Eroberungswillen in Bewegung gesetzt wird, sondern durch einen Löwy'schen Stachel, der geheimer, scheuer, in anderer Richtung wirkt und oft überhaupt aussetzt. Du dagegen ein wirklicher Kafka an
15 Stärke, Gesundheit, Appetit, Stimmkraft, Redebegabung, Selbstzufriedenheit, Weltüberlegenheit, Ausdauer, Geistesgegenwart, Menschenkenntnis, einer gewissen Großzügigkeit, natürlich auch mit allen zu diesen Vorzügen gehörigen Fehlern und Schwächen, in welche
20 dich dein Temperament und manchmal dein Jähzorn hineinhetzen. Nicht ganzer Kafka bist du vielleicht in deiner allgemeinen Weltansicht, soweit ich dich mit Onkel Philipp, Ludwig, Heinrich[1] vergleichen kann. Das ist merkwürdig, ich sehe hier auch nicht ganz klar. Sie wa-
25 ren doch alle fröhlicher, frischer, ungezwungener, leichtlebiger, weniger streng als du. (Darin habe ich übrigens viel von dir geerbt und das Erbe viel zu gut verwaltet, ohne allerdings die nötigen Gegengewichte in meinem Wesen zu haben, wie du sie hast.) Doch hast auch ander-
30 seits du in dieser Hinsicht verschiedene Zeiten durchgemacht, warst vielleicht fröhlicher, ehe dich deine Kinder, besonders ich, enttäuschten und zu Hause bedrückten (kamen Fremde, warst du ja anders) und bist auch jetzt vielleicht wieder fröhlicher geworden, da dir die Enkel
35 und der Schwiegersohn wieder etwas von jener Wärme geben, die dir die Kinder, bis auf Valli[2] vielleicht, nicht geben konnten. Jedenfalls waren wir so verschieden und

---

[1] Brüder des Vaters
[2] Kafkas zweitälteste Schwester

in dieser Verschiedenheit einander so gefährlich, dass, wenn man es hätte etwa im Voraus ausrechnen wollen, wie ich, das langsam sich entwickelnde Kind, und du, der fertige Mann, sich zueinander verhalten werden, man hätte annehmen können, dass du mich einfach nie- derstampfen wirst, dass nichts von mir übrig bleibt. Das ist nun nicht geschehen, das Lebendige lässt sich nicht ausrechnen, aber vielleicht ist Ärgeres geschehen. Wobei ich dich aber immerfort bitte, nicht zu vergessen, dass ich niemals im Entferntesten an eine Schuld deinerseits glaube. Du wirktest so auf mich, wie du wirken muss- test, nur sollst du aufhören, es für eine besondere Bos- heit meinerseits zu halten, dass ich dieser Wirkung erle- gen bin.

Ich war ein ängstliches Kind; trotzdem war ich gewiss auch störrisch, wie Kinder sind; gewiss verwöhnte mich die Mutter auch, aber ich kann nicht glauben, dass ich besonders schwer lenkbar war, ich kann nicht glauben, dass ein freundliches Wort, ein stilles Bei-der-Hand-Nehmen, ein guter Blick mir nicht alles hätten abfordern können, was man wollte. Nun bist du ja im Grunde ein gütiger und weicher Mensch (das Folgende wird dem nicht widersprechen, ich rede ja nur von der Erschei- nung, in der du auf das Kind wirktest), aber nicht jedes Kind hat die Ausdauer und Unerschrockenheit, so lange zu suchen, bis es zu der Güte kommt. Du kannst ein Kind nur so behandeln, wie du eben selbst geschaffen bist, mit Kraft, Lärm und Jähzorn, und in diesem Falle schien dir das auch noch überdies deshalb sehr gut ge- eignet, weil du einen kräftigen, mutigen Jungen in mir aufziehen wolltest.

Deine Erziehungsmittel in den allerersten Jahren kann ich heute natürlich nicht unmittelbar beschreiben, aber ich kann sie mir etwa vorstellen durch Rückschluss aus den späteren Jahren und aus deiner Behandlung des Felix[1]. Hierbei kommt verschärfend in Betracht, dass du damals jünger, daher frischer, wilder, ursprünglicher, noch unbekümmerter warst als heute und dass du

---
[1] achtjähriger Sohn von Kafkas Schwester Elli und Karl Hermann

außerdem ganz an das Geschäft gebunden warst[1], kaum einmal des Tages dich mir zeigen konntest und deshalb einen umso tieferen Eindruck auf mich machtest, der sich kaum je zur Gewöhnung verflachte.

5 Direkt erinnere ich mich nur an einen Vorfall aus den ersten Jahren. Du erinnerst dich vielleicht auch daran. Ich winselte einmal in der Nacht immerfort um Wasser, gewiss nicht aus Durst, sondern wahrscheinlich, teils um zu ärgern, teils um mich zu unterhalten. Nachdem 10 einige starke Drohungen nicht geholfen hatten, nahmst du mich aus dem Bett, trugst mich auf die Pawlatsche[2] und ließest mich dort allein vor der geschlossenen Tür ein Weilchen im Hemd stehn. Ich will nicht sagen, dass das unrichtig war, vielleicht war damals die Nachtruhe 15 auf andere Weise wirklich nicht zu verschaffen, ich will aber damit deine Erziehungsmittel und ihre Wirkung auf mich charakterisieren. Ich war damals nachher wohl schon folgsam, aber ich hatte einen inneren Schaden davon. Das für mich Selbstverständliche des sinnlosen 20 Um-Wasser-Bittens und das außerordentlich Schreckliche des Hinausgetragenwerdens konnte ich meiner Natur nach niemals in die richtige Verbindung bringen. Noch nach Jahren litt ich unter der quälenden Vorstellung, dass der riesige Mann, mein Vater, die letzte In-25 stanz, fast ohne Grund kommen und mich in der Nacht aus dem Bett auf die Pawlatsche tragen konnte und dass ich also ein solches Nichts für ihn war.

Das war damals ein kleiner Anfang nur, aber dieses mich oft beherrschende Gefühl der Nichtigkeit (ein in 30 anderer Hinsicht allerdings auch edles und fruchtbares Gefühl) stammt vielfach von deinem Einfluss. Ich hätte ein wenig Aufmunterung, ein wenig Freundlichkeit, ein wenig Offenhalten meines Wegs gebraucht, statt dessen verstelltest du mir ihn, in der guten Absicht freilich, dass 35 ich einen anderen Weg gehen sollte. Aber dazu taugte

---

[1]  Kafkas Vater hatte es mit großem Einsatz zum Inhaber eines angesehenen Modegeschäftes gebracht, das viele Jahre beide Eltern zeitlich in hohem Maße beanspruchte.

[2]  tschech. Balkon

ich nicht. Du muntertest mich zum Beispiel auf, wenn
ich gut salutierte[1] und marschierte, aber ich war kein
künftiger Soldat, oder du muntertest mich auf, wenn ich
kräftig essen oder sogar Bier dazu trinken konnte, oder
wenn ich unverstandene Lieder nachsingen oder deine 5
Lieblingsredensarten dir nachplappern konnte, aber
nichts davon gehörte zu meiner Zukunft. Und es ist be-
zeichnend, dass du selbst heute mich nur dann eigentlich in etwas aufmunterst, wenn du selbst in Mitleiden-
schaft gezogen bist, wenn es sich um dein Selbstgefühl 10
handelt, das ich verletze (zum Beispiel durch meine Heiratsabsicht) oder das in mir verletzt wird (wenn zum
Beispiel Pepa[2] mich beschimpft). Dann werde ich aufge-
muntert, an meinen Wert erinnert, auf die Partien hinge-
wiesen, die ich zu machen berechtigt wäre, und Pepa 15
wird vollständig verurteilt. Aber abgesehen davon, dass
ich für Aufmunterung in meinem jetzigen Alter schon
fast unzugänglich bin, was würde sie mir auch helfen,
wenn sie nur dann eintritt, wo es nicht in erster Reihe
um mich geht. 20
Damals und damals überall hätte ich die Aufmunterung
gebraucht. Ich war ja schon niedergedrückt durch deine
bloße Körperlichkeit. Ich erinnere mich zum Beispiel
daran, wie wir uns öfters zusammen in einer Kabine
auszogen. Ich mager, schwach, schmal, du stark, groß, 25
breit. Schon in der Kabine kam ich mir jämmerlich vor,
und zwar nicht nur vor dir, sondern vor der ganzen
Welt, denn du warst für mich das Maß aller Dinge. Traten wir dann aber aus der Kabine vor die Leute hinaus,
ich an deiner Hand, ein kleines Gerippe, unsicher, 30
bloßfüßig auf den Planken, in Angst vor dem Wasser,
unfähig, deine Schwimmbewegungen nachzumachen,
die du mir in guter Absicht, aber tatsächlich zu meiner
tiefen Beschämung immerfort vormachtest, dann war
ich sehr verzweifelt, und alle meine schlimmen Erfah- 35
rungen auf allen Gebieten stimmten in solchen Augen-

---

[1]  (lat. salutare – grüßen), militärisch grüßen
[2]  Kurzform von Josef, Josef Pollak war mit Kafkas Schwester Valli
    verheiratet.

blicken großartig zusammen. Am wohlsten war mir noch, wenn du dich manchmal zuerst auszogst und ich allein in der Kabine bleiben und die Schande des öffentlichen Auftretens so lange hinauszögern konnte, bis du
5 endlich nachschauen kamst und mich aus der Kabine triebst. Dankbar war ich dir dafür, dass du meine Not nicht zu bemerken schienest, auch war ich stolz auf den Körper meines Vaters. Übrigens besteht zwischen uns dieser Unterschied heute noch ähnlich.
10 Dem entsprach weiter deine geistige Oberherrschaft. Du hattest dich allein durch eigene Kraft so hoch hinaufgearbeitet, infolgedessen hattest du unbeschränktes Vertrauen zu deiner Meinung. Das war für mich als Kind nicht einmal so blendend wie später für den heranwach-
15 senden jungen Mann. In deinem Lehnstuhl regiertest du die Welt. Deine Meinung war richtig, jede andere war verrückt, überspannt, meschugge[1], nicht normal. Dabei war dein Selbstvertrauen so groß, dass du gar nicht konsequent sein musstest und doch nicht aufhörtest, Recht
20 zu haben. Es konnte auch vorkommen, dass du in einer Sache gar keine Meinung hattest und infolgedessen alle Meinungen, die hinsichtlich der Sache überhaupt möglich waren, ohne Ausnahme falsch sein mussten. Du konntest zum Beispiel auf die Tschechen[2] schimpfen,
25 dann auf die Deutschen[2], dann auf die Juden[2], und zwar nicht nur in Auswahl, sondern in jeder Hinsicht, und schließlich blieb niemand mehr übrig außer dir. Du bekamst für mich das Rätselhafte, das alle Tyrannen haben, deren Recht auf ihrer Person, nicht auf dem Denken
30 begründet ist. Wenigstens schien es mir so.
Nun behieltest du ja mir gegenüber tatsächlich erstaunlich oft Recht, im Gespräch war das selbstverständlich, denn zum Gespräch kam es kaum, aber auch in Wirklichkeit. Doch war auch das nichts besonders Unbegreif-
35 liches: Ich stand ja in allem meinem Denken unter deinem schweren Druck, auch in dem Denken, das nicht

---

[1] verrückt, jidd. meschuggo
[2] die ethnischen Gruppen, aus denen sich die Prager Bevölkerung zusammensetzte

mit dem deinen übereinstimmte, und besonders in diesem. Alle diese von dir scheinbar abhängigen Gedanken
waren von Anfang an belastet mit deinem absprechen-
den Urteil[1]; bis zur vollständigen und dauernden Aus-
führung des Gedankens das zu ertragen, war fast un- 5
möglich. Ich rede hier nicht von irgendwelchen hohen
Gedanken, sondern von jedem kleinen Unternehmen
der Kinderzeit. Man musste nur über irgendeine Sache
glücklich sein, von ihr erfüllt sein, nach Hause kommen
und es aussprechen, und die Antwort war ein ironisches 10
Seufzen, ein Kopfschütteln, ein Fingerklopfen auf den
Tisch: »Hab auch schon etwas Schöneres gesehn« oder
»Mir gesagt deine Sorgen« oder »Ich hab keinen so ge-
ruhten Kopf« oder »Kauf dir was dafür!« oder »Auch
ein Ereignis!« Natürlich konnte man nicht für jede Kin- 15
derkleinigkeit Begeisterung von dir verlangen, wenn du
in Sorge und Plage lebtest. Darum handelte es sich auch
nicht. Es handelte sich vielmehr darum, dass du solche
Enttäuschungen dem Kinde immer und grundsätzlich
bereiten musstest kraft deines gegensätzlichen Wesens, 20
weiter, dass dieser Gegensatz durch Anhäufung des
Materials sich unaufhörlich verstärkte, sodass er sich
schließlich auch gewohnheitsmäßig geltend machte,
wenn du einmal der gleichen Meinung warst wie ich,
und dass endlich diese Enttäuschungen des Kindes nicht 25
Enttäuschungen des gewöhnlichen Lebens waren, sondern, da es ja um deine für alles maßgebende Person
ging, im Kern trafen. Der Mut, die Entschlossenheit, die
Zuversicht, die Freude an dem und jenem hielten nicht
bis zum Ende aus, wenn du dagegen warst oder schon 30
wenn deine Gegnerschaft bloß angenommen werden
konnte; und angenommen konnte sie wohl bei fast allem
werden, was ich tat.
Das bezog sich auf Gedanken so gut wie auf Menschen.
Es genügte, dass ich an einem Menschen ein wenig In- 35
teresse hatte – es geschah ja infolge meines Wesens nicht
sehr oft –, dass du schon ohne jede Rücksicht auf mein
Gefühl und ohne Achtung vor meinem Urteil mit Be-

---

[1] gegensätzliches Urteil

schimpfung, Verleumdung, Entwürdigung dreinfuhrst.
Unschuldige, kindliche Menschen, wie zum Beispiel der
jiddische Schauspieler Löwy, mussten das büßen. Ohne
ihn zu kennen, verglichst du ihn in einer schrecklichen
5 Weise, die ich schon vergessen habe, mit Ungeziefer,
und wie so oft für Leute, die mir lieb waren, hattest du
automatisch das Sprichwort von den Hunden und
Flöhen[1] bei der Hand. An den Schauspieler erinnere ich
mich hier besonders, weil ich deine Aussprüche über ihn
10 damals mir mit der Bemerkung notierte: »So spricht
mein Vater über meinen Freund (den er gar nicht kennt)
nur deshalb, weil er mein Freund ist. Das werde ich ihm
immer entgegenhalten können, wenn er mir Mangel an
kindlicher Liebe und Dankbarkeit vorwerfen wird.« Un-
15 verständlich war mir immer deine vollständige Empfin-
dungslosigkeit dafür, was für Leid und Schande du mit
deinen Worten und Urteilen mir zufügen konntest; es
war, als hättest du keine Ahnung von deiner Macht.
Auch ich habe dich sicher oft mit Worten gekränkt, aber
20 dann wusste ich es immer, es schmerzte mich, aber ich
konnte mich nicht beherrschen, das Wort nicht zurückhalten, ich bereute es schon, während ich es sagte. Du
aber schlugst mit deinen Worten ohneweiters los, niemand tat dir leid, nicht währenddessen, nicht nachher,
25 man war gegen dich vollständig wehrlos.
Aber so war deine ganze Erziehung. Du hast, glaube ich,
ein Erziehungstalent; einem Menschen deiner Art hättest
du durch Erziehung gewiss nützen können; er hätte die
Vernünftigkeit dessen, was du ihm sagtest, eingesehn,
30 sich um nichts Weiteres gekümmert und die Sachen ruhig so ausgeführt. Für mich als Kind war aber alles, was
du mir zuriefst, geradezu Himmelsgebot, ich vergaß es
nie, es blieb mir das wichtigste Mittel zur Beurteilung
der Welt, vor allem zur Beurteilung deiner selbst, und
35 da versagtest du vollständig. Da ich als Kind hauptsächlich beim Essen mit dir beisammen war, war dein Unter-

---

[1]  In einem Tagebucheintrag vom November 1911 vermerkt Kafka zu
dem Namen Löwy – „Mein Vater über ihn: Wer sich mit Hunden
zu Bett legt, steht mit Wanzen auf.“

richt zum großen Teil Unterricht im richtigen Benehmen
bei Tisch. Was auf den Tisch kam, musste aufgegessen
werden, über die Güte des Essens durfte nicht gesprochen werden – du aber fandest das Essen oft ungenieß-
bar; nanntest es »das Fressen«; das »Vieh« (die Köchin) 5
hatte es verdorben. Weil du entsprechend deinem kräftigen Hunger und deiner besonderen Vorliebe alles
schnell, heiß und in großen Bissen gegessen hast, musste
sich das Kind beeilen, düstere Stille war bei Tisch, unter-
brochen von Ermahnungen: »zuerst iss, dann sprich« 10
oder »schneller, schneller, schneller« oder »siehst du, ich
habe schon längst aufgegessen«. Knochen durfte man
nicht zerbeißen, du ja. Essig durfte man nicht schlürfen,
du ja. Die Hauptsache war, dass man das Brot gerade
schnitt; dass du das aber mit einem von Sauce triefenden 15
Messer tatest, war gleichgültig. Man musste Acht geben,
dass keine Speisereste auf den Boden fielen, unter dir
lag schließlich am meisten. Bei Tisch durfte man sich nur
mit Essen beschäftigen, du aber putztest und schnittest
dir die Nägel, spitztest Bleistifte, reinigtest mit dem 20
Zahnstocher die Ohren. Bitte, Vater, verstehe mich recht,
das wären an sich vollständig unbedeutende Einzelheiten gewesen, niederdrückend wurden sie für mich erst
dadurch, dass du, der für mich so ungeheuer maßgebende Mensch, dich selbst an die Gebote nicht hieltest, die 25
du mir auferlegtest. Dadurch wurde die Welt für mich in
drei Teile geteilt, in einen, wo ich, der Sklave, lebte, unter Gesetzen, die nur für mich erfunden waren und denen ich überdies, ich wusste nicht warum, niemals völlig entsprechen konnte, dann in eine zweite Welt, die 30
unendlich von meiner entfernt war, in der du lebtest, beschäftigt mit der Regierung, mit dem Ausgeben der Befehle und mit dem Ärger wegen deren Nichtbefolgung,
und schließlich in eine dritte Welt, wo die übrigen Leute
glücklich und frei von Befehlen und Gehorchen lebten. 35
Ich war immerfort in Schande, entweder befolgte ich
deine Befehle, das war Schande, denn sie galten ja nur
für mich; oder ich war trotzig, das war auch Schande,
denn wie durfte ich dir gegenüber trotzig sein, oder ich
konnte nicht folgen, weil ich zum Beispiel nicht deine 40

Kraft, nicht deinen Appetit, nicht deine Geschicklichkeit hatte, trotzdem du es als etwas Selbstverständliches von mir verlangtest; das war allerdings die größte Schande. In dieser Weise bewegten sich nicht die Überlegungen, aber das Gefühl des Kindes.

Meine damalige Lage wird vielleicht deutlicher, wenn ich sie mit der von Felix vergleiche. Auch ihn behandelst du ja ähnlich, ja wendest sogar ein besonders fürchterliches Erziehungsmittel gegen ihn an, indem du, wenn er beim Essen etwas deiner Meinung nach Unreines macht, dich nicht damit begnügst, wie damals zu mir, zu sagen: »Du bist ein großes Schwein«, sondern noch hinzufügst: »Ein echter Hermann« oder »genau wie dein Vater«. Nun schadet das aber vielleicht – mehr als »vielleicht« kann man nicht sagen – dem Felix wirklich nicht wesentlich, denn für ihn bist du eben nur ein allerdings besonders bedeutender Großvater, aber doch nicht alles, wie du es für mich gewesen bist, außerdem ist Felix ein ruhiger, schon jetzt gewissermaßen männlicher Charakter, der sich durch eine Donnerstimme vielleicht verblüffen, aber nicht für die Dauer bestimmen lässt, vor allem aber ist er doch nur verhältnismäßig selten mit dir beisammen, steht ja auch unter anderen Einflüssen, du bist ihm mehr etwas liebes Kurioses, aus dem er auswählen kann, was er sich nehmen will. Mir warst du nichts Kurioses, ich konnte nicht auswählen, ich musste alles nehmen.

Und zwar ohne etwas dagegen vorbringen zu können, denn es ist dir von vornherein nicht möglich, ruhig über eine Sache zu sprechen, mit der du nicht einverstanden bist oder die bloß nicht von dir ausgeht; dein herrisches Temperament lässt das nicht zu. In den letzten Jahren erklärst du das durch deine Herznervosität[1], ich wüsste nicht, dass du jemals wesentlich anders gewesen bist, höchstens ist dir die Herznervosität ein Mittel zur strengeren Ausübung der Herrschaft, da der Gedanke daran

---

[1] Herzneurose, nervöser Belastungszustand, der sich durch Funktionsstörungen an Herz und Kreislauf bemerkbar macht: Herzklopfen, Beklemmungen, Angstzustände

die letzte Widerrede im anderen ersticken muss. Das ist natürlich kein Vorwurf, nur Feststellung einer Tatsache. Etwa bei Ottla: »Man kann ja mit ihr gar nicht sprechen, sie springt einem gleich ins Gesicht«, pflegst du zu sagen, aber in Wirklichkeit springt sie ursprünglich gar 5 nicht; du verwechselst die Sache mit der Person; die Sache springt dir ins Gesicht, und du entscheidest sie sofort ohne Anhören der Person, was nachher noch vorgebracht wird, kann dich nur weiter reizen, niemals überzeugen. Dann hört man von dir nur noch: »Mach, 10 was du willst; von mir aus bist du frei; du bist großjährig; ich habe dir keine Ratschläge zu geben«, und alles das mit dem fürchterlichen heiseren Unterton des Zornes und der vollständigen Verurteilung, vor dem ich heute nur deshalb weniger zittere als in der Kinderzeit, 15 weil das ausschließliche Schuldgefühl des Kindes zum Teil ersetzt ist durch den Einblick in unser beider Hilflosigkeit.

Die Unmöglichkeit des ruhigen Verkehrs[1] hatte noch eine weitere eigentlich sehr natürliche Folge: Ich verlernte 20 das Reden. Ich wäre ja wohl auch sonst kein großer Redner geworden, aber die gewöhnlich fließende menschliche Sprache hätte ich doch beherrscht. Du hast mir aber schon früh das Wort verboten, deine Drohung: »Kein Wort der Widerrede!« und die dazu erhobene Hand be- 25 gleiteten mich schon seit jeher. Ich bekam vor dir – du bist, sobald es um deine Dinge geht, ein ausgezeichneter Redner – eine stockende, stotternde Art des Sprechens, auch das war dir noch zu viel, schließlich schwieg ich, zuerst vielleicht aus Trotz, dann, weil ich vor dir weder 30 denken noch reden konnte. Und weil du mein eigentlicher Erzieher warst, wirkte das überall in meinem Leben nach. Es ist überhaupt ein merkwürdiger Irrtum, wenn du glaubst, ich hätte mich dir nie gefügt. »Immer alles contra[2]« ist wirklich nicht mein Lebensgrundsatz dir ge- 35 genüber gewesen, wie du glaubst und mir vorwirfst. Im Gegenteil: Hätte ich dir weniger gefolgt, du wärest sicher

---

[1]  mangelnde Fähigkeit zu entspanntem, ruhigem Gespräch
[2]  zu allem eine entgegengesetzte Haltung einnehmen

viel zufriedener mit mir. Vielmehr haben alle deine Er-
ziehungsmaßnahmen genau getroffen; keinem Griff bin
ich ausgewichen; so wie ich bin, bin ich (von den Grund-
lagen und der Einwirkung des Lebens natürlich abgese-
5 hen) das Ergebnis deiner Erziehung und meiner Folg-
samkeit. Dass dieses Ergebnis dir trotzdem peinlich ist,
ja, dass du dich unbewusst weigerst, es als dein Erzie-
hungsergebnis anzuerkennen, liegt eben daran, dass deine Hand und mein Material einander so fremd gewesen
10 sind. Du sagtest: »Kein Wort der Widerrede!« und wolltest damit die dir unangenehmen Gegenkräfte in mir
zum Schweigen bringen, diese Einwirkung war aber für
mich zu stark, ich war zu folgsam, ich verstummte gänzlich, verkroch mich vor dir und wagte mich erst zu re-
15 gen, wenn ich so weit von dir entfernt war, dass deine
Macht, wenigstens direkt, nicht mehr hinreichte. Du
aber standst davor, und alles schien dir wieder »contra«
zu sein, während es nur selbstverständliche Folge deiner
Stärke und meiner Schwäche war.
20 Deine äußerst wirkungsvollen, wenigstens mir gegenüber niemals versagenden rednerischen Mittel bei der
Erziehung waren: Schimpfen, Drohen, Ironie, böses Lachen und – merkwürdigerweise – Selbstbeklagung.
Dass du mich direkt und mit ausdrücklichen Schimpf-
25 wörtern beschimpft hättest, kann ich mich nicht erinnern.
Es war auch nicht nötig, du hattest so viele andere Mittel,
auch flogen im Gespräch zu Hause und besonders im Geschäft die Schimpfwörter rings um mich in solchen Men-
gen auf andere nieder, dass ich als kleiner Junge manch-
30 mal davon fast betäubt war und keinen Grund hatte, sie
nicht auch auf mich zu beziehen, denn die Leute, die du
beschimpftest, waren gewiss nicht schlechter als ich, und
du warst gewiss mit ihnen nicht unzufriedener als mit
mir. Und auch hier war wieder deine rätselhafte Un-
35 schuld und Unangreifbarkeit, du schimpftest, ohne dir irgendwelche Bedenken deshalb zu machen, ja du verurteiltest das Schimpfen bei anderen und verbotest es.
Das Schimpfen verstärktest du mit Drohen, und das galt
nun auch schon mir. Schrecklich war mir zum Beispiel
40 dieses: »Ich zerreiße dich wie einen Fisch«, trotzdem ich

ja wusste, dass dem nichts Schlimmeres nachfolgte (als kleines Kind wusste ich das allerdings nicht), aber es entsprach fast meinen Vorstellungen von deiner Macht, dass du auch das imstande gewesen wärest. Schrecklich war es auch, wenn du schreiend um den Tisch herum- liefst, um einen zu fassen, offenbar gar nicht fassen woll- test, aber doch so tatest, und die Mutter einen schließlich scheinbar rettete. Wieder hatte man einmal, so schien es dem Kind, das Leben durch deine Gnade behalten und trug es als dein unverdientes Geschenk weiter. Hierher gehören auch die Drohungen wegen der Folgen des Un- gehorsams. Wenn ich etwas zu tun anfing, was dir nicht gefiel, und du drohtest mir mit dem Misserfolg, so war die Ehrfurcht vor deiner Meinung so groß, dass damit der Misserfolg, wenn auch vielleicht erst für eine spätere Zeit, unaufhaltsam war. Ich verlor das Vertrauen zu ei- genem Tun. Ich war unbeständig, zweifelhaft. Je älter ich wurde, desto größer war das Material, das du mir zum Beweis meiner Wertlosigkeit entgegenhalten konntest; allmählich bekamst du in gewisser Hinsicht wirklich Recht. Wieder hüte ich mich zu behaupten, dass ich nur durch dich so wurde; du verstärktest nur, was war, aber du verstärktest es sehr, weil du eben mir gegenüber sehr mächtig warst und alle Macht dazu verwendetest.

Ein besonderes Vertrauen hattest du zur Erziehung durch Ironie, sie entsprach auch am besten deiner Überlegen- heit über mich. Eine Ermahnung hatte bei dir gewöhnlich diese Form: »Kannst du das nicht so und so machen? Das ist dir wohl schon zu viel? Dazu hast du natürlich keine Zeit?« und ähnlich. Dabei jede solche Frage begleitet von bösem Lachen und bösem Gesicht. Man wurde gewisser- maßen schon bestraft, ehe man noch wusste, dass man et- was Schlechtes getan hatte. Aufreizend waren auch jene Zurechtweisungen, wo man als dritte Person behandelt, also nicht einmal des bösen Ansprechens gewürdigt wur- de; wo du also etwa formell zur Mutter sprachst, aber ei- gentlich zu mir, der dabeisaß, zum Beispiel: »Das kann man vom Herrn Sohn natürlich nicht haben« und der- gleichen. (Das bekam dann sein Gegenspiel darin, dass ich zum Beispiel nicht wagte und später aus Gewohnheit

gar nicht mehr daran dachte, dich direkt zu fragen, wenn
die Mutter dabei war. Es war dem Kind viel ungefährli-
cher, die neben dir sitzende Mutter nach dir auszufragen,
man fragte dann die Mutter: »Wie geht es dem Vater?«
5 und sicherte sich so vor Überraschungen.) Es gab natürlich auch Fälle, wo man mit der ärgsten Ironie sehr einverstanden war, nämlich wenn sie einen anderen betraf,
zum Beispiel die Elli, mit der ich jahrelang böse war. Es
war für mich ein Fest der Bosheit und Schadenfreude,
10 wenn es von ihr fast bei jedem Essen etwa hieß: »Zehn
Meter weit vom Tisch muss sie sitzen, die breite Mad«
und wenn du dann böse auf deinem Sessel, ohne die lei-
seste Spur von Freundlichkeit oder Laune, sondern als er-
bitterter Feind übertrieben ihr nachzumachen suchtest,
15 wie äußerst widerlich für deinen Geschmack sie dasaß.
Wie oft hat sich das und Ähnliches wiederholen müssen,
wie wenig hast du im Tatsächlichen dadurch erreicht. Ich
glaube, es lag daran, dass der Aufwand von Zorn und
Bösesein zur Sache selbst in keinem richtigen Verhältnis
20 zu sein schien, man hatte nicht das Gefühl, dass der Zorn
durch diese Kleinigkeit des Weit-vom-Tische-Sitzens er-
zeugt sei, sondern dass er in seiner ganzen Größe von
vornherein vorhanden war und nur zufällig gerade diese
Sache als Anlass zum Losbrechen genommen habe. Da
25 man überzeugt war, dass sich ein Anlass jedenfalls finden
würde, nahm man sich nicht besonders zusammen, auch
stumpfte man unter der fortwährenden Drohung ab; dass
man nicht geprügelt wurde, dessen war man ja allmählich fast sicher. Man wurde ein mürrisches, unaufmerksa-
30 mes, ungehorsames Kind, immer auf eine Flucht, meist
eine innere, bedacht. So littest du, so litten wir. Du hattest
von deinem Standpunkt ganz Recht, wenn du mit zusam-
mengebissenen Zähnen und dem gurgelnden Lachen,
welches dem Kind zum ersten Mal höllische Vorstellun-
35 gen vermittelt hatte, bitter zu sagen pflegtest (wie erst
letzthin wegen eines Konstantinopler Briefes[1]): »Das ist
eine Gesellschaft!«

---

[1]    wahrscheinlich ein Brief von einem Geschäftspartner aus Konstan-
tinopel

Ganz unverträglich mit dieser Stellung zu deinen Kindern schien es zu sein, wenn du, was ja sehr oft geschah, öffentlich dich beklagtest. Ich gestehe, dass ich als Kind (später wohl) dafür gar kein Gefühl hatte und nicht verstand, wie du überhaupt erwarten konntest, Mitgefühl 5 zu finden. Du warst so riesenhaft in jeder Hinsicht; was konnte dir an unserem Mitleid liegen oder gar unserer Hilfe? Die musstest du doch eigentlich verachten, wie uns selbst so oft. Ich glaubte daher den Klagen nicht und suchte irgendeine geheime Absicht hinter ihnen. Erst 10 später begriff ich, dass du wirklich durch die Kinder sehr littest, damals aber, wo die Klagen noch unter anderen Umständen einen kindlichen, offenen, bedenkenlosen, zu jeder Hilfe bereiten Sinn hätten antreffen können, mussten sie mir wieder nur überdeutliche Erziehungs- und 15 Demütigungsmittel sein, als solche an sich nicht sehr stark, aber mit der schädlichen Nebenwirkung, dass das Kind sich gewöhnte, gerade Dinge nicht sehr ernst zu nehmen, die es ernst hätte nehmen sollen.

Es gab glücklicherweise davon allerdings auch Ausnah- 20 men, meistens wenn du schweigend littest und Liebe und Güte mit ihrer Kraft alles Entgegenstehende überwanden und unmittelbar ergriffen. Selten war das allerdings, aber es war wunderbar. Etwa wenn ich dich früher in heißen Sommern mittags nach dem Essen im 25 Geschäft müde ein wenig schlafen sah, den Ellbogen auf dem Pult, oder wenn du sonntags abgehetzt zu uns in die Sommerfrische[1] kamst; oder wenn du bei einer schweren Krankheit der Mutter zitternd vom Weinen dich am Bücherkasten festhieltest; oder wenn du 30 während meiner letzten Krankheit leise zu mir in Ottlas Zimmer kamst, auf der Schwelle bliebst, nur den Hals strecktest, um mich im Bett zu sehen, und aus Rücksicht nur mit der Hand grüßtest. Zu solchen Zeiten legte man sich hin und weinte vor Glück und weint jetzt wieder, 35 während man es schreibt.

---

[1] sommerlicher Erholungsurlaub auf dem Lande, an der See, im Gebirge. Die Eltern Kafkas hatten eine Wohnung für Sommeraufenthalte in Radesovitz bei Prag gemietet.

Du hast auch eine besonders schöne, sehr selten zu
sehen de Art eines stillen, zufriedenen, gutheißenden
Lächelns, das den, dem es gilt, ganz glücklich machen
kann. Ich kann mich nicht erinnern, dass es in meiner
5 Kindheit ausdrücklich mir zuteil geworden wäre, aber es
dürfte wohl geschehen sein, denn warum solltest du es
mir damals verweigert haben, da ich dir noch unschuldig
schien und deine große Hoffnung war. Übrigens haben
auch solche freundliche Eindrücke auf die Dauer nichts
10 anderes erzielt, als mein Schuldbewusstsein vergrößert
und die Welt mir noch unverständlicher gemacht.
Lieber hielt ich mich ans Tatsächliche und Fortwähren-
de. Um mich dir gegenüber nur ein wenig zu behaupten, zum Teil auch aus einer Art Rache, fing ich bald an,
15 kleine Lächerlichkeiten, die ich an dir bemerkte, zu beobachten, zu sammeln, zu übertreiben. Wie du zum Beispiel leicht dich von meist nur scheinbar höher stehen-
den Personen blenden ließest und davon immerfort
erzählen konntest, etwa von irgendeinem kaiserlichen
20 Rat oder dergleichen (andererseits tat mir etwas Derartiges auch weh, dass du, mein Vater, solche nichtige Be-
stätigungen deines Wertes zu brauchen glaubtest und
mit ihnen großtatest). Oder ich beobachtete deine Vorliebe
für unanständige, möglichst laut herausgebrachte Re-
25 densarten, über die du lachtest, als hättest du etwas besonders Vortreffliches gesagt, während es eben nur eine
platte, kleine Unanständigkeit war (gleichzeitig war es
allerdings auch wieder eine mich beschämende Äußerung deiner Lebenskraft). Solcher verschiedener Beob-
30 achtungen gab es natürlich eine Menge; ich war glücklich über sie, es gab für mich Anlass zu Getuschel und
Spaß, du bemerktest es manchmal, ärgertest dich darüber, hieltest es für Bosheit, Respektlosigkeit, aber glaube
mir, es war nichts anderes für mich als ein übrigens un-
35 taugliches Mittel zur Selbsterhaltung, es waren Scherze,
wie man sie über Götter und Könige verbreitet, Scherze,
die mit dem tiefsten Respekt nicht nur sich verbinden
lassen, sondern sogar zu ihm gehören.
Auch du hast übrigens, entsprechend deiner ähnlichen
40 Lage mir gegenüber, eine Art Gegenwehr versucht. Du

pflegtest darauf hinzuweisen, wie übertrieben gut es mir
ging und wie gut ich eigentlich behandelt worden bin.
Das ist richtig, ich glaube aber nicht, dass es mir unter
den einmal vorhandenen Umständen im Wesentlichen
genützt hat.                                                    5
Es ist wahr, dass die Mutter grenzenlos gut zu mir war,
aber alles das stand für mich in Beziehung zu dir, also in
keiner guten Beziehung. Die Mutter hatte unbewusst die
Rolle des Treibers in der Jagd. Wenn schon deine Erziehung in irgendeinem unwahrscheinlichen Fall mich       10
durch Erzeugung von Trotz, Abneigung oder gar Hass
auf eigene Füße hätte stellen können, so glich das die
Mutter durch Gutsein, durch vernünftige Rede (sie war
im Wirrwarr der Kindheit das Urbild der Vernunft),
durch Fürbitte wieder aus, und ich war wieder in deinen   15
Kreis zurückgetrieben, aus dem ich sonst vielleicht, dir
und mir zum Vorteil, ausgebrochen wäre. Oder es war
so, dass es zu keiner eigentlichen Versöhnung kam, dass
die Mutter mich vor dir bloß im Geheimen schützte, mir
im Geheimen etwas gab, etwas erlaubte, dann war ich    20
wieder vor dir das lichtscheue Wesen, der Betrüger, der
Schuldbewusste, der wegen seiner Nichtigkeit selbst zu
dem, was er für sein Recht hielt, nur auf Schleichwegen
kommen konnte. Natürlich gewöhnte ich mich dann,
auf diesen Wegen auch das zu suchen, worauf ich, selbst   25
meiner Meinung nach, kein Recht hatte. Das war wieder
Vergrößerung des Schuldbewusstseins.
Es ist auch wahr, dass du mich kaum einmal wirklich
geschlagen hast. Aber das Schreien, das Rotwerden deines Gesichts, das eilige Losmachen der Hosenträger, ihr   30
Bereitliegen auf der Stuhllehne, war für mich fast ärger.
Es ist, wie wenn einer gehenkt werden soll. Wird er
wirklich gehenkt, dann ist er tot und es ist alles vorüber.
Wenn er aber alle Vorbereitungen zum Gehenktwerden
miterleben muss und erst, wenn ihm die Schlinge vor   35
dem Gesicht hängt, von seiner Begnadigung erfährt, so
kann er sein Leben lang daran zu leiden haben. Überdies
sammelte sich aus diesen vielen Malen, wo ich deiner
deutlich gezeigten Meinung nach Prügel verdient hätte,
ihnen aber aus deiner Gnade noch knapp entgangen   40

war, wieder nur ein großes Schuldbewusstsein an. Von
allen Seiten her kam ich in deine Schuld.

Seit jeher machtest du mir zum Vorwurf (und zwar mir
allein oder vor anderen, für das Demütigende des Letz-
5 teren hattest du kein Gefühl, die Angelegenheiten deiner
Kinder waren immer öffentlich), dass ich dank deiner
Arbeit ohne alle Entbehrungen in Ruhe, Wärme, Fülle
lebte. Ich denke da an Bemerkungen, die in meinem Ge-
hirn förmlich Furchen gezogen haben müssen wie:
10 »Schon mit sieben Jahren musste ich mit dem Karren
durch die Dörfer fahren.« »Wir mussten alle in einer Stube schlafen.« »Wir waren glücklich, wenn wir Erdäpfel
hatten.« »Jahrelang hatte ich wegen ungenügender Win-
terkleidung offene Wunden an den Beinen.« »Als kleiner
15 Junge musste ich schon nach Pisek ins Geschäft.« »Von
zu Hause bekam ich gar nichts, nicht einmal beim Militär,
ich schickte noch Geld nach Hause.« »Aber trotzdem,
trotzdem – der Vater war immer der Vater. Wer weiß das
heute! Was wissen die Kinder! Das hat niemand gelitten!
20 Versteht das heute ein Kind?« Solche Erzählungen hätten unter anderen Verhältnissen ein ausgezeichnetes Erziehungsmittel sein können, sie hätten zum Überstehen
der gleichen Plagen und Entbehrungen, die der Vater
durchgemacht hatte, aufmuntern und kräftigen können.
25 Aber das wolltest du doch gar nicht, die Lage war ja
eben durch das Ergebnis deiner Mühe eine andere geworden, Gelegenheit sich in der Weise auszuzeichnen,
wie du es getan hattest, gab es nicht. Eine solche Gelegenheit hätte man erst durch Gewalt und Umsturz
30 schaffen müssen, man hätte von zu Hause ausbrechen
müssen (vorausgesetzt, dass man die Entschlussfähig-
keit und die Kraft dazu gehabt hätte und die Mutter
nicht ihrerseits mit anderen Mitteln dagegen gearbeitet
hätte). Aber das alles wolltest du doch gar nicht, das be-
35 zeichnetest du als Undankbarkeit, Überspanntheit, Un-
gehorsam, Verrat, Verrücktheit. Während du also von
einer Seite durch Beispiel, Erzählung und Beschämung
dazu locktest, verbotest du es auf der anderen Seite
allerstrengstens. Sonst hättest du zum Beispiel, von
40 den Nebenumständen abgesehen, von Ottlas Zürauer

Abenteuer[1] eigentlich entzückt sein müssen. Sie wollte
auf das Land, von dem du gekommen warst, sie wollte
Arbeit und Entbehrungen haben, wie du sie gehabt hattest, sie wollte nicht deine Arbeitserfolge genießen, wie
auch du von deinem Vater unabhängig gewesen bist. 5
Waren das so schreckliche Absichten? So fern deinem
Beispiel und deiner Lehre? Gut, die Absichten Ottlas
misslangen schließlich im Ergebnis, wurden vielleicht etwas lächerlich, mit zu viel Lärm ausgeführt, sie nahm
nicht genug Rücksicht auf ihre Eltern. War das aber aus- 10
schließlich ihre Schuld, nicht auch die Schuld der Verhältnisse und vor allem dessen, dass du ihr so entfremdet warst? War sie dir etwa (wie du dir später selbst
einreden wolltest) im Geschäft weniger entfremdet als
nachher in Zürau? Und hättest du nicht ganz gewiss die 15
Macht gehabt (vorausgesetzt, dass du dich dazu hättest
überwinden können), durch Aufmunterung, Rat und
Aufsicht, vielleicht sogar nur durch Duldung, aus diesem Abenteuer etwas sehr Gutes zu machen?
Anschließend an solche Erfahrungen pflegtest du in bit- 20
terem Scherz zu sagen, dass es uns zu gut ging. Aber dieser Scherz ist in gewissem Sinn keiner. Das, was du dir
erkämpfen musstest, bekamen wir aus deiner Hand, aber
den Kampf um das äußere Leben, der dir sofort zugänglich war und der natürlich auch uns nicht erspart bleibt, 25
den müssen wir uns erst spät, mit Kinderkraft im Man-
nesalter, erkämpfen. Ich sage nicht, dass unsere Lage
deshalb unbedingt ungünstiger ist, als es deine war, sie
ist jener vielmehr wahrscheinlich gleichwertig – (wobei
allerdings die Grundanlagen nicht verglichen sind), nur 30
darin sind wir im Nachteil, dass wir mit unserer Not uns
nicht rühmen und niemanden mit ihr demütigen können, wie du es mit deiner Not getan hast. Ich leugne
auch nicht, dass es möglich gewesen wäre, dass ich die
Früchte deiner großen und erfolgreichen Arbeit wirklich 35
richtig hätte genießen, verwerten und mit ihnen zu dei-

---

[1]  Im April 1917 begann Kafkas Schwester Ottla den Bauernhof ihres
Schwagers Hermann in Zürau zu bewirtschaften, ein Unternehmen, für das die Eltern kein Verständnis hatten.

ner Freude hätte weiterarbeiten können, dem aber stand
eben unsere Entfremdung entgegen. Ich konnte, was du
gabst, genießen, aber nur in Beschämung, Müdigkeit,
Schwäche, Schuldbewusstsein. Deshalb konnte ich dir
5 für alles nur bettlerhaft dankbar sein, durch die Tat nicht.
Das nächste äußere Ergebnis dieser ganzen Erziehung
war, dass ich alles floh, was nur von der Ferne an dich
erinnerte. Zuerst das Geschäft. An und für sich besonders in der Kinderzeit, solange es ein Gassengeschäft
10 war, hätte es mich sehr freuen müssen, es war so lebendig, abends beleuchtet, man sah, man hörte viel, konnte
hie und da helfen, sich auszeichnen, vor allem aber dich
bewundern in deinen großartigen kaufmännischen Ta-
lenten, wie du verkauftest, Leute behandeltest, Späße
15 machtest, unermüdlich warst, in Zweifelsfällen sofort
die Entscheidung wusstest und so weiter; noch wie du
einpacktest oder eine Kiste aufmachtest, war ein sehens-
wertes Schauspiel und das Ganze alles in allem nicht die
schlechteste Kinderschule. Aber da du allmählich von
20 allen Seiten mich erschrecktest und Geschäft und du
sich mir deckten, war mir auch das Geschäft nicht mehr
behaglich. Dinge, die mir dort zuerst selbstverständlich
gewesen waren, quälten, beschämten mich, besonders
deine Behandlung des Personals. Ich weiß nicht, viel-
25 leicht ist sie in den meisten Geschäften so gewesen (in
der Assicuracioni Generali, zum Beispiel, war sie zu
meiner Zeit wirklich ähnlich, ich erklärte dort dem Di-
rektor, nicht ganz wahrheitsgemäß, aber auch nicht ganz
erlogen, meine Kündigung damit, dass ich das Schimp-
30 fen, das übrigens mich direkt gar nicht betroffen hatte,
nicht ertragen könne; ich war darin zu schmerzhaft
empfindlich schon von Hause her), aber die anderen Geschäfte kümmerten mich in der Kinderzeit nicht. Dich
aber hörte und sah ich im Geschäft schreien, schimpfen
35 und wüten, wie es meiner damaligen Meinung nach in
der ganzen Welt nicht wieder vorkam. Und nicht nur
schimpfen, auch sonstige Tyrannei. Wie du zum Beispiel
Waren, die du mit anderen nicht verwechselt haben
wolltest, mit einem Ruck vom Pult hinunterwarfst – nur
40 die Besinnungslosigkeit deines Zorns entschuldigte dich

ein wenig – und der Kommis[1] sie aufheben musste.
Oder deine ständige Redensart hinsichtlich eines lun-
genkranken Kommis: »Er soll krepieren, der kranke
Hund.« Du nanntest die Angestellten »bezahlte Feinde«,
das waren sie auch, aber noch ehe sie es geworden wa- 5
ren, schienst du mir ihr »zahlender Feind« zu sein. Dort
bekam ich auch die große Lehre, dass du ungerecht sein
konntest; an mir selbst hätte ich es nicht so bald bemerkt,
da hatte sich ja zu viel Schuldgefühl angesammelt, das
dir Recht gab; aber dort waren nach meiner, später natür- 10
lich ein wenig, aber nicht allzu sehr korrigierten, Kinder-
meinung fremde Leute, die doch für uns arbeiteten und
dafür in fortwährender Angst vor dir leben mussten.
Natürlich übertrieb ich da, und zwar deshalb, weil ich
ohneweiters annahm, du wirktest auf die Leute ebenso 15
schrecklich wie auf mich. Wenn das so gewesen wäre,
hätten sie wirklich nicht leben können; da sie aber er-
wachsene Leute mit meist ausgezeichneten Nerven waren, schüttelten sie das Schimpfen ohne Mühe von sich
ab, und es schadete dir schließlich viel mehr als ihnen. 20
Mir aber machte es das Geschäft unleidlich, es erinnerte
mich allzusehr an mein Verhältnis zu dir: Du warst,
ganz abgesehen vom Unternehmerinteresse und abgesehen von deiner Herrschsucht, schon als Geschäftsmann
allen, die jemals bei dir gelernt haben, so sehr überlegen, 25
dass dich keine ihrer Leistungen befriedigen konnte,
ähnlich ewig unbefriedigt musstest du auch von mir
sein. Deshalb gehörte ich notwendig zur Partei des Personals, übrigens auch deshalb, weil ich schon aus Ängstlichkeit nicht begriff, wie man einen Fremden so be- 30
schimpfen konnte, und darum aus Ängstlichkeit das
meiner Meinung nach fürchterlich aufgebrachte Personal irgendwie mit dir, mit unserer Familie schon um
meiner eigenen Sicherheit willen aussöhnen wollte. Dazu genügte nicht mehr gewöhnliches, anständiges Be- 35
nehmen gegenüber dem Personal, nicht einmal mehr be-
scheidenes Benehmen, vielmehr musste ich demütig
sein, nicht nur zuerst grüßen, sondern womöglich auch

---

[1]  Angestellter, Handlungsgehilfe

noch den Gegengruß abwehren. Und hätte ich, die unbedeutende Person, ihnen unten die Füße geleckt, es wäre
noch immer kein Ausgleich dafür gewesen, wie du, der
Herr, oben auf sie loshacktest. Dieses Verhältnis, in das
5 ich hier zu Mitmenschen trat, wirkte über das Geschäft
hinaus und in die Zukunft weiter (etwas Ähnliches, aber
nicht so gefährlich und tiefgreifend wie bei mir, ist zum
Beispiel auch Ottlas Vorliebe für den Verkehr mit armen
Leuten, das dich so ärgernde Zusammensitzen mit den
10 Dienstmädchen und dergleichen). Schließlich fürchtete
ich mich fast vor dem Geschäft, und jedenfalls war es
schon längst nicht mehr meine Sache, ehe ich noch ins
Gymnasium kam und dadurch noch weiter davon fort-
geführt wurde. Auch schien es mir für meine Fähigkei-
15 ten ganz unerschwinglich, da es, wie du sagtest, selbst
die deinigen verbrauchte. Du suchtest dann (für mich ist
das heute rührend und beschämend) aus meiner dich
doch sehr schmerzenden Abneigung gegen das Geschäft, gegen dein Werk, doch noch ein wenig Süßigkeit
20 für dich zu ziehen, indem du behauptetest, mir fehle der
Geschäftssinn, ich habe höhere Ideen im Kopf und dergleichen. Die Mutter freute sich natürlich über die Erklärung, die du dir abzwangst, und auch ich in meiner
Eitelkeit und Not ließ mich davon beeinflussen. Wären
25 es aber wirklich nur oder hauptsächlich die »höheren
Ideen« gewesen, die mich vom Geschäft (das ich jetzt,
aber erst jetzt, ehrlich und tatsächlich hasse) abbrachten,
sie hätten sich anders äußern müssen, als dass sie mich
ruhig und ängstlich durchs Gymnasium und durch das
30 Jurastudium schwimmen ließen, bis ich beim Beamten-
schreibtisch endgültig landete.
Wollte ich vor dir fliehn, musste ich auch vor der Familie
fliehn, selbst vor der Mutter. Man konnte bei ihr zwar
immer Schutz finden, doch nur in Beziehung zu dir. Zu
35 sehr liebte sie dich und war dir zu sehr treu ergeben, als
dass sie in dem Kampf des Kindes eine selbstständige
geistige Macht für die Dauer hätte sein können. Ein richtiger Instinkt des Kindes übrigens, denn die Mutter wurde dir mit den Jahren immer noch enger verbunden;
40 während sie immer, was sie selbst betraf, ihre Selbststän-

digkeit in kleinsten Grenzen schön und zart und ohne
dich jemals wesentlich zu kränken, bewahrte, nahm sie
doch mit den Jahren immer vollständiger, mehr im Gefühl als im Verstand, deine Urteile und Verurteilungen
hinsichtlich der Kinder blindlings über, besonders in 5
dem allerdings schweren Fall der Ottla. Freilich muss
man immer im Gedächtnis behalten, wie quälend und
bis zum Letzten aufreibend die Stellung der Mutter in
der Familie war. Sie hat sich im Geschäft, im Haushalt
geplagt, alle Krankheiten der Familie doppelt mitgelit- 10
ten, aber die Krönung alles dessen war das, was sie in
ihrer Zwischenstellung zwischen uns und dir gelitten
hat. Du bist immer liebend und rücksichtsvoll zu ihr gewesen, aber in dieser Hinsicht hast du sie ganz genauso
wenig geschont, wie wir sie geschont haben. Rücksichts- 15
los haben wir auf sie eingehämmert, du von deiner Seite, wir von unserer. Es war eine Ablenkung, man dachte
an nichts Böses, man dachte nur an den Kampf, den du
mit uns, den wir mit dir führten, und auf der Mutter
tobten wir uns aus. Es war auch kein guter Beitrag zur 20
Kindererziehung, wie du sie – ohne jede Schuld deinerseits natürlich – unseretwegen quältest. Es rechtfertigte
sogar scheinbar unser sonst nicht zu rechtfertigendes Benehmen ihr gegenüber. Was hat sie von uns deinetwe-
gen und von dir unseretwegen gelitten, ganz ungerech- 25
net jene Fälle, wo du Recht hattest, weil sie uns verzog,
wenn auch selbst dieses »Verziehn« manchmal nur eine
stille, unbewusste Gegendemonstration gegen dein System gewesen sein mag. Natürlich hätte die Mutter das
alles nicht ertragen können, wenn sie nicht aus der Liebe 30
zu uns allen und aus dem Glück dieser Liebe die Kraft
zum Ertragen genommen hätte.
Die Schwestern gingen nur zum Teil mit mir. Am glücklichsten in ihrer Stellung zu dir war Valli. Am nächsten
der Mutter stehend, fügte sie sich dir auch ähnlich, ohne 35
viel Mühe und Schaden. Du nahmst sie aber auch, eben
in Erinnerung an die Mutter, freundlicher hin, trotzdem
wenig Kafka'sches Material in ihr war. Aber vielleicht
war dir gerade das recht; wo nichts Kafka'sches war,
konntest selbst du nichts Derartiges verlangen; du hat- 40

test auch nicht, wie bei uns andern, das Gefühl, dass hier etwas verlorenging, das mit Gewalt gerettet werden müsste. Übrigens magst du das Kafka'sche, soweit es sich in Frauen geäußert hat, niemals besonders geliebt haben. Das Verhältnis Vallis zu dir wäre sogar vielleicht noch freundlicher geworden, wenn wir anderen es nicht ein wenig gestört hätten.

Die Elli ist das einzige Beispiel für das fast vollständige Gelingen eines Durchbruches aus deinem Kreis. Von ihr hätte ich es in ihrer Kindheit am wenigsten erwartet. Sie war doch ein so schwerfälliges, müdes, furchtsames, verdrossenes, schuldbewusstes, überdemütiges, boshaftes, faules, genäschiges, geiziges Kind, ich konnte sie kaum ansehn, gar nicht ansprechen, so sehr erinnerte sie mich an mich selbst, so sehr ähnlich stand sie unter dem gleichen Bann der Erziehung. Besonders ihr Geiz war mir abscheulich, da ich ihn womöglich noch stärker hatte.[1] Geiz ist ja eines der verlässlichsten Anzeichen tiefen Unglücklichseins; ich war so unsicher aller Dinge, dass ich tatsächlich nur das besaß, was ich schon in den Händen oder im Mund hielt oder was wenigstens auf dem Wege dorthin war, und gerade das nahm sie, die in ähnlicher Lage war, mir am liebsten fort. Aber das alles änderte sich, als sie in jungen Jahren, das ist das Wichtigste, von zu Hause wegging, heiratete, Kinder bekam, sie wurde fröhlich, unbekümmert, mutig, freigebig, uneigennützig, hoffnungsvoll. Fast unglaublich ist es, wie du eigentlich diese Veränderung gar nicht bemerkt und jedenfalls nicht nach Verdienst bewertet hast, so geblendet bist du von dem Groll, den du gegen Elli seit jeher hattest und im Grunde unverändert hast, nur dass dieser Groll jetzt viel weniger aktuell geworden ist, da Elli

---

[1] Hier scheint es sich um eine der für Kafka typischen Übertreibungen zu handeln, wenn er über seine tatsächlichen oder vermeintlichen Fehler urteilte.
Seine soziale Gesinnung ist mehrfach bezeugt. So schreibt z. B. Kafkas Mutter an die Mutter von Felice Bauer (am 20.7.1914) über ihren Sohn: „Sein Geld teilt er sich mit seinen armen Kollegen, denn für seine Bedürfnisse braucht er nicht viel." (F 612)

nicht mehr bei uns wohnt und außerdem deine Liebe zu
Felix und die Zuneigung zu Karl ihn unwichtiger gemacht haben. Nur Gerti muss ihn manchmal noch ent-
gelten.

Von Ottla wage ich kaum zu schreiben; ich weiß, ich setze damit die ganze erhoffte Wirkung des Briefes aufs
Spiel. Unter gewöhnlichen Umständen, also wenn sie
nicht etwa in besondere Not oder Gefahr käme, hast du
für sie nur Hass; du hast mir ja selbst zugestanden, dass
sie deiner Meinung nach mit Absicht dir immerfort Leid
und Ärger macht, und während du ihretwegen leidest,
ist sie befriedigt und freut sich. Also eine Art Teufel. Was
für eine ungeheure Entfremdung, noch größer als zwischen dir und mir, muss zwischen dir und ihr eingetreten sein, damit eine so ungeheure Verkennung möglich
wird. Sie ist so weit von dir, dass du sie kaum mehr siehst,
sondern ein Gespenst an die Stelle setzt, wo du sie
vermutest. Ich gebe zu, dass du es mit ihr besonders
schwer hattest. Ich durchschaue ja den sehr komplizier-
ten Fall nicht ganz, aber jedenfalls war hier etwas wie eine Art Löwy, ausgestattet mit den besten Kafka'schen
Waffen. Zwischen uns war es kein eigentlicher Kampf;
ich war bald erledigt; was übrig blieb, war Flucht, Ver-
bitterung, Trauer, innerer Kampf. Ihr zwei wart aber immer in Kampfstellung, immer frisch, immer bei Kräften.
Ein ebenso großartiger wie trostloser Anblick. Zu aller-
erst seid ihr euch ja gewiss sehr nahe gewesen, denn
noch heute ist von uns vier Ottla vielleicht die reinste
Darstellung der Ehe zwischen dir und der Mutter und
der Kräfte, die sich da verbanden. Ich weiß nicht, was
euch um das Glück der Eintracht zwischen Vater und
Kind gebracht hat, es liegt mir nur nahe, zu glauben,
dass die Entwicklung ähnlich war wie bei mir. Auf deiner Seite die Tyrannei deines Wesens, auf ihrer Seite
Löwy'scher Trotz, Empfindlichkeit, Gerechtigkeitsgefühl,
Unruhe, und alles das gestützt durch das Bewusstsein
Kafka'scher Kraft. Wohl habe auch ich sie beeinflusst,
aber kaum aus eigenem Antrieb, sondern durch die
bloße Tatsache meines Daseins. Übrigens kam sie doch
als Letzte in schon fertige Machtverhältnisse hinein und

konnte sich aus dem vielen bereitliegenden Material ihr
Urteil selbst bilden. Ich kann mir sogar denken, dass sie
in ihrem Wesen eine Zeitlang geschwankt hat, ob sie
sich dir an die Brust werfen soll oder den Gegnern, of-
5 fenbar hast du damals etwas versäumt und sie zurück-
gestoßen, ihr wäret aber, wenn es eben möglich gewesen
wäre, ein prachtvolles Paar an Eintracht geworden. Ich
hätte dadurch zwar einen Verbündeten verloren, aber
der Anblick von euch beiden hätte mich reich entschä-
10 digt, auch wärest ja du durch das unabsehbare Glück,
wenigstens in einem Kind volle Befriedigung zu finden,
sehr zu meinen Gunsten verwandelt worden. Das alles
ist heute allerdings nur ein Traum. Ottla hat keine Verbindung mit dem Vater, muss ihren Weg allein suchen,
15 wie ich, und um das Mehr an Zuversicht, Selbstvertrau-
en, Gesundheit, Bedenkenlosigkeit, das sie im Vergleich
mit mir hat, ist sie in deinen Augen böser und verräteri-
scher als ich. Ich verstehe das; von dir aus gesehen kann
sie nicht anders sein. Ja, sie selbst ist imstande, mit dei-
20 nen Augen sich anzusehen, dein Leid mitzufühlen und
darüber – nicht verzweifelt zu sein, Verzweiflung ist
meine Sache – aber sehr traurig zu sein. Du siehst uns
zwar, in scheinbarem Widerspruch hiezu, oft beisammen, wir flüstern, lachen, hie und da hörst du dich er-
25 wähnen. Du hast den Eindruck von frechen Verschwö-
rern. Merkwürdige Verschwörer. Du bist allerdings ein
Hauptthema unserer Gespräche wie unseres Denkens
seit jeher, aber wahrhaftig nicht, um etwas gegen dich
auszudenken, sitzen wir beisammen, sondern um mit al-
30 ler Anstrengung, mit Spaß, mit Ernst, mit Liebe, Trotz,
Zorn, Widerwille, Ergebung, Schuldbewusstsein, mit allen Kräften des Kopfes und Herzens diesen schrecklichen Prozess, der zwischen uns und dir schwebt, in allen Einzelheiten, von allen Seiten, bei allen Anlässen,
35 von fern und nah gemeinsam durchzusprechen, diesen
Prozess, in dem du immerfort Richter zu sein behaup-
test, während du, wenigstens zum größten Teil (hier lasse ich die Tür allen Irrtümern offen, die mir natürlich begegnen können) ebenso schwache und verblendete
40 Partei bist wie wir.

Ein im Zusammenhang des Ganzen lehrreiches Beispiel deiner erzieherischen Wirkung war Irma. Einerseits war sie doch eine Fremde, kam schon erwachsen in dein Geschäft, hatte mit dir hauptsächlich als ihrem Chef zu tun, war also nur zum Teil und in einem schon widerstands- fähigen Alter deinem Einfluss ausgesetzt; andererseits aber war sie doch auch eine Blutsverwandte, verehrte in dir den Bruder ihres Vaters, und du hattest über sie viel mehr als die bloße Macht eines Chefs. Und trotzdem ist sie, die in ihrem schwachen Körper so tüchtig, klug, fleißig, bescheiden, vertrauenswürdig, uneigennützig, treu war, die dich als Onkel liebte und als Chef bewunderte, die in anderen Posten vorher und nachher sich bewährte, dir keine sehr gute Beamtin gewesen. Sie war eben, natürlich auch von uns hingedrängt, dir gegenüber nahe der Kinderstellung, und so groß war noch ihr gegenüber die umbiegende Macht deines Wesens, dass sich bei ihr (allerdings nur dir gegenüber und, hoffentlich, ohne das tiefere Leid des Kindes) Vergesslichkeit, Nachlässigkeit, Galgenhumor, vielleicht sogar ein wenig Trotz, soweit sie dessen überhaupt fähig war, entwickelten, wobei ich gar nicht in Rechnung stelle, dass sie kränklich gewesen ist, auch sonst nicht sehr glücklich war und eine trostlose Häuslichkeit auf ihr lastete. Das für mich Beziehungsreiche deines Verhältnisses zu ihr hast du in einem für uns klassisch gewordenen, fast gotteslästerlichen, aber gerade für die Unschuld in deiner Menschenbehandlung sehr beweisenden Satz zusammengefasst: »Die Gottselige hat mir viel Schweinerei hinterlassen.«

Ich könnte noch weitere Kreise deines Einflusses und des Kampfes gegen ihn beschreiben, doch käme ich hier schon ins Unsichere und müsste konstruieren, außerdem wirst du ja, je weiter du von Geschäft und Familie dich entfernst, seit jeher desto freundlicher, nachgiebiger, höflicher, rücksichtsvoller, teilnehmender (ich meine: auch äußerlich), ebenso wie ja zum Beispiel auch ein Selbstherrscher[1], wenn er einmal außerhalb der Grenzen

---

[1] Alleinherrscher

seines Landes ist, keinen Grund hat, noch immer tyran-
nisch zu sein, und sich gutmütig auch mit den niedrigs-
ten Leuten einlassen kann. Tatsächlich standest du zum
Beispiel auf den Gruppenbildern aus Franzensbad im-
5 mer so groß und fröhlich zwischen den kleinen mürri-
schen Leuten, wie ein König auf Reisen. Davon hätten
allerdings auch die Kinder ihren Vorteil haben können,
nur hätten sie schon, was unmöglich war, in der Kinderzeit fähig sein müssen, das zu erkennen, und ich zum
10 Beispiel hätte nicht immerfort gewissermaßen im innersten, strengsten, zuschnürenden Ring deines Einflusses
wohnen dürfen, wie ich es ja wirklich getan habe.
Ich verlor dadurch nicht nur den Familiensinn, wie du
sagst, im Gegenteil, eher hatte ich noch Sinn für die Fa-
15 milie, allerdings hauptsächlich negativ für die (natürlich
nie zu beendigende) innere Ablösung von dir. Die Beziehungen zu den Menschen außerhalb der Familie litten
aber durch deinen Einfluss womöglich noch mehr. Du
bist durchaus im Irrtum, wenn du glaubst, für die ande-
20 ren Menschen tue ich aus Liebe und Treue alles, für dich
und die Familie aus Kälte und Verrat nichts. Ich wieder-
hole zum zehnten Mal: Ich wäre wahrscheinlich auch
sonst ein menschenscheuer, ängstlicher Mensch geworden, aber von da ist noch ein langer, dunkler Weg dort-
25 hin, wohin ich wirklich gekommen bin. (Bisher habe ich
in diesem Brief verhältnismäßig weniges absichtlich ver-
schwiegen, jetzt und später werde ich aber einiges verschweigen müssen, was – vor dir und mir – einzugeste-
hen mir noch zu schwer ist. Ich sage das deshalb, damit
30 du, wenn das Gesamtbild hie und da etwas undeutlich
werden sollte, nicht glaubst, dass Mangel an Beweisen
daran schuld ist, es sind vielmehr Beweise da, die das
Bild unerträglich krass machen könnten. Es ist nicht
leicht, darin eine Mitte zu finden.) Hier genügt es übri-
35 gens, an Früheres zu erinnern: Ich hatte vor dir das
Selbstvertrauen verloren, dafür ein grenzenloses Schuldbewusstsein eingetauscht. (In Erinnerung an diese Gren-
zenlosigkeit schrieb ich von jemandem einmal richtig:
»Er fürchtet, die Scham werde ihn noch überleben.«) Ich
40 konnte mich nicht plötzlich verwandeln, wenn ich mit

anderen Menschen zusammenkam, ich kam vielmehr ihnen gegenüber noch in tieferes Schuldbewusstsein, denn
ich musste ja, wie ich schon sagte, das an ihnen gutmachen, was du unter meiner Mitverantwortung im Geschäft an ihnen verschuldet hattest. Außerdem hattest 5
du ja gegen jeden, mit dem ich verkehrte, offen oder im
Geheimen etwas einzuwenden, auch das musste ich ihm
abbitten. Das Misstrauen, das du mir in Geschäft und
Familie gegen die meisten Menschen beizubringen suchtest (nenne mir einen in der Kinderzeit irgendwie für 10
mich bedeutenden Menschen, den du nicht wenigstens
einmal bis in den Grund hinunterkritisiert hättest) und
das dich merkwürdigerweise gar nicht besonders be-
schwerte (du warst eben stark genug, es zu ertragen,
außerdem war es in Wirklichkeit vielleicht nur ein Em- 15
blem[1] des Herrschers) – dieses Misstrauen, das sich mir
Kleinem für die eigenen Augen nirgends bestätigte, da
ich überall nur unerreichbar ausgezeichnete Menschen
sah, wurde in mir zu Misstrauen zu mir selbst und zur
fortwährenden Angst vor allem andern. Dort konnte ich 20
mich also im Allgemeinen vor dir gewiss nicht retten.
Dass du dich darüber täuschtest, lag vielleicht daran,
dass du ja von meinem Menschenverkehr eigentlich gar
nichts erfuhrst und misstrauisch und eifersüchtig (leugne ich denn, dass du mich liebhast?) annahmst, dass ich 25
mich für den Entgang an Familienleben anderswo ent-
schädigen müsse, da es doch unmöglich wäre, dass ich
draußen ebenso lebe. Übrigens hatte ich in dieser Hinsicht gerade in meiner Kinderzeit noch einen gewissen
Trost eben im Misstrauen zu meinem Urteil; ich sagte 30
mir: »Du übertreibst doch, fühlst, wie das die Jugend
immer tut, Kleinigkeiten zu sehr als große Ausnahmen.«
Diesen Trost habe ich aber später bei steigender Welt-
übersicht fast verloren.
Ebensowenig Rettung vor dir fand ich im Judentum. 35
Hier wäre ja an sich Rettung denkbar gewesen, aber
noch mehr, es wäre denkbar gewesen, dass wir uns bei-

---

[1]  Sinnbild mit eng begrenztem, abstraktem Sinngehalt
    (Griech. Emblema – Eingefügtes, Einlegearbeit)

de im Judentum gefunden hätten oder dass wir gar von
dort einig ausgegangen wären. Aber was war das für Judentum, das ich von dir bekam! Ich habe im Laufe der
Jahre etwa auf dreierlei Art mich dazu gestellt.

5 Als Kind machte ich mir, in Übereinstimmung mit dir,
Vorwürfe deshalb, weil ich nicht genügend in den Tempel ging, nicht fastete und so weiter. Ich glaubte, nicht
mir, sondern dir ein Unrecht damit zu tun, und Schuldbewusstsein, das ja immer bereit war, durchlief mich.

10 Später, als junger Mensch, verstand ich nicht, wie du mit
dem Nichts von Judentum, über das du verfügtest, mir
Vorwürfe deshalb machen konntest, dass ich (schon aus
Pietät, wie du dich ausdrücktest) nicht ein ähnliches
Nichts auszuführen mich anstrenge. Es war ja wirklich,

15 soweit ich sehen konnte, ein Nichts, ein Spaß, nicht einmal ein Spaß. Du gingst an vier Tagen im Jahr in den
Tempel, warst dort den Gleichgültigen zumindest näher
als jenen, die es ernst nahmen, erledigtest geduldig die
Gebete als Formalität, setztest mich manchmal dadurch

20 in Erstaunen, dass du mir im Gebetbuch die Stelle zeigen konntest, die gerade rezitiert wurde, im Übrigen
durfte ich, wenn ich nur (das war die Hauptsache) im
Tempel war, mich herumdrücken, wo ich wollte. Ich
durchgähnte und durchduselte also dort die vielen Stun-

25 den (so gelangweilt habe ich mich später, glaube ich, nur
noch in der Tanzstunde) und suchte mich möglichst an
den paar kleinen Abwechslungen zu freuen, die es dort
gab, etwa wenn die Bundeslade[1] aufgemacht wurde,
was mich immer an die Schießbuden erinnerte, wo auch,

30 wenn man in ein Schwarzes traf, eine Kastentür sich auf-
machte, nur dass dort aber immer etwas Interessantes
herauskam und hier nur immer wieder die alten Puppen
ohne Köpfe. Übrigens habe ich dort auch viel Furcht gehabt, nicht nur, wie selbstverständlich, vor den vielen

35 Leuten, mit denen man in nähere Berührung kam, sondern auch deshalb, weil du einmal nebenbei erwähntest,

---

[1] altisraelit. Heiligtum, Kasten aus Akazienholz mit den Gesetzestafeln des Moses; Schrein in der Synagoge zur Aufbewahrung der
Thorarollen, die durch kostbare Stoffhüllen geschützt sind.

dass auch ich zur Thora[1] aufgerufen werden könne. Davor zitterte ich jahrelang. Sonst aber wurde ich in meiner Langweile nicht wesentlich gestört, höchstens durch die Barmizwe[2], die aber nur lächerliches Auswendiglernen verlangte, also nur zu einer lächerlichen Prüfungsleis- 5 tung führte, und dann, was dich betrifft, durch kleine, wenig bedeutende Vorfälle, etwa wenn du zur Thora gerufen wurdest und dieses für mein Gefühl ausschließlich gesellschaftliche Ereignis gut überstandest oder wenn du bei der Seelengedächtnisfeier[3] im Tempel bliebst und 10 ich weggeschickt wurde, was mir durch lange Zeit, offenbar wegen des Weggeschicktwerdens und mangels jeder tieferen Teilnahme, das kaum bewusst werdende Gefühl hervorrief, dass es sich hier um etwas Unanständiges handle. – So war es im Tempel, zu Hause war es 15 womöglich noch ärmlicher und beschränkte sich auf den ersten Sederabend[4], der immer mehr zu einer Komödie mit Lachkrämpfen wurde, allerdings unter dem Einfluss der größer werdenden Kinder. (Warum musstest du dich diesem Einfluss fügen? Weil du ihn hervorgerufen hast.) 20 Das war also das Glaubensmaterial, das mir überliefert wurde, dazu kam höchstens noch die ausgestreckte Hand, die auf »die Söhne des Millionärs Fuchs« hinwies, die an hohen Feiertagen mit ihrem Vater im Tempel waren. Wie man mit diesem Material etwas Besseres tun 25 könnte, als es möglichst schnell loszuwerden, verstand ich nicht; gerade dieses Loswerden schien mir die pietätvollste Handlung zu sein.

---

[1] (hebr. tôrä – Lehre, Weisung, Gesetz)
Gesetz Gottes, Kernstück des jüdischen Glaubens. Im Gottesdienst wird aus der Thorarolle vorgelesen.
[2] Barmizwa (h) – religiöse Zeremonie, durch die jüdische Jungen im Alter von 13 Jahren religiöse Mündigkeit erlangen. Die Barmizwa wird ähnlich festlich begangen wie die Konfirmation bzw. Kommunion in christlichen Religionsgemeinschaften.
[3] Feier zum Gedächtnis der Verstorbenen, für deren Seelenheil gebetet wird
[4] (Seder – hebr. Ordnung)
Die häusliche religiöse Feier am ersten und zweiten Abend des jüdischen Osterfestes.

Noch später sah ich es aber doch wieder anders an und begriff, warum du glauben durftest, dass ich dich auch in dieser Hinsicht böswillig verrate. Du hattest aus der kleinen gettoartigen Dorfgemeinde[1] wirklich noch etwas
5 Judentum mitgebracht, es war nicht viel und verlor sich noch ein wenig in der Stadt und beim Militär, immerhin reichten noch die Eindrücke und Erinnerungen der Jugend knapp zu einer Art jüdischen Lebens aus, besonders da du ja nicht viel derartige Hilfe brauchtest, son-
10 dern von einem sehr kräftigen Stamm warst und für deine Person von religiösen Bedenken, wenn sie nicht mit gesellschaftlichen Bedenken sich sehr mischten, kaum erschüttert werden konntest. Im Grund bestand der dein Leben führende Glaube darin, dass du an die
15 unbedingte Richtigkeit der Meinungen einer bestimmten jüdischen Gesellschaftsklasse glaubtest und eigentlich also, da diese Meinungen zu deinem Wesen gehörten, dir selbst glaubtest. Auch darin lag noch genug Judentum, aber zum Weiter-überliefert-Werden war es
20 gegenüber dem Kind zu wenig, es vertropfte zur Gänze, während du es weitergabst. Zum Teil waren es unüberlieferbare Jugendeindrücke, zum Teil dein gefürchtetes Wesen. Es war auch unmöglich, einem vor lauter Ängstlichkeit überscharf beobachtenden Kind begreiflich zu
25 machen, dass die paar Nichtigkeiten, die du im Namen des Judentums mit einer ihrer Nichtigkeit entsprechenden Gleichgültigkeit ausführtest, einen höheren Sinn haben konnten. Für dich hatten sie Sinn als kleine Andenken aus früheren Zeiten, und deshalb wolltest du sie mir
30 vermitteln, konntest dies aber, da sie ja auch für dich keinen Selbstwert mehr hatten, nur durch Überredung oder Drohung tun; das konnte einerseits nicht gelingen und musste andererseits dich, da du deine schwache Position hier gar nicht erkanntest, sehr zornig

---

[1]  Getto – Herkunft unklar; wahrscheinlich von hebr. ghet = Absonderung.
In Wossek, dem Geburtsort Hermann Kafkas, gab es unter den etwa 120 Einwohnern nur wenige Juden. Die übrigen waren tschechische Katholiken.

gegen mich wegen meiner scheinbaren Verstocktheit machen.

Das Ganze ist ja keine vereinzelte Erscheinung, ähnlich verhielt es sich bei einem großen Teil dieser jüdischen Übergangsgeneration, welche vom verhältnismäßig noch frommen Land in die Städte auswanderte; das ergab sich von selbst, nur fügte es eben unserem Verhältnis, das ja an Schärfen keinen Mangel hatte, noch eine genug schmerzliche hinzu. Dagegen sollst du zwar auch in diesem Punkt, ebenso wie ich, an deine Schuldlosigkeit glauben, diese Schuldlosigkeit aber durch dein Wesen und durch die Zeitverhältnisse erklären, nicht aber bloß durch die äußeren Umstände, also nicht etwa sagen, du hättest zu viel andere Arbeit und Sorgen gehabt, als dass du dich auch noch mit solchen Dingen hättest abgeben können. Auf diese Weise pflegst du aus deiner zweifellosen Schuldlosigkeit einen ungerechten Vorwurf gegen andere zu drehen. Das ist dann überall und auch hier sehr leicht zu widerlegen. Es hätte sich doch nicht etwa um irgendeinen Unterricht gehandelt, den du deinen Kindern hättest geben sollen, sondern um ein beispielhaftes Leben; wäre dein Judentum stärker gewesen, wäre auch dein Beispiel zwingender gewesen, das ist ja selbstverständlich und wieder gar kein Vorwurf, sondern nur eine Abwehr deiner Vorwürfe. Du hast letzthin Franklins Jugenderinnerungen[1] gelesen. Ich habe sie dir wirklich absichtlich zum Lesen gegeben, aber nicht, wie du ironisch bemerktest, wegen einer kleinen Stelle über Vegetarianismus[2], sondern wegen des Verhältnisses zwischen dem Verfasser und seinem Vater, wie es dort beschrieben ist, und des Verhältnisses zwischen dem Verfasser und seinem Sohn, wie es sich von selbst in diesen

---

[1] Biografie des amerikanischen Polikers Benjamin Franklin (*The Life of Benjamin Franklin* 1868)

[2] Kafka hatte schon früh begonnen, sich fleischlos zu ernähren, obwohl er wusste, dass sein Vater, ein starker Esser mit einer besonderen Vorliebe für Fleisch, für diese „Marotte" seines Sohnes wenig Verständnis haben würde.

für den Sohn geschriebenen Erinnerungen ausdrückt.
Ich will hier nicht Einzelheiten hervorheben.

Eine gewisse nachträgliche Bestätigung dieser Auffassung von deinem Judentum bekam ich auch durch dein
5 Verhalten in den letzten Jahren, als es dir schien, dass ich
mich mit jüdischen Dingen mehr beschäftigte. Da du
von vornherein gegen jede meiner Beschäftigungen und
besonders gegen die Art meiner Interessennahme eine
Abneigung hast, so hattest du sie auch hier. Aber darü-
10 ber hinaus hätte man doch erwarten können, dass du
hier eine kleine Ausnahme machst. Es war doch Judentum von deinem Judentum, das sich hier regte, und damit also auch die Möglichkeit der Anknüpfung neuer
Beziehungen zwischen uns. Ich leugne nicht, dass mir
15 diese Dinge, wenn du für sie Interesse gezeigt hättest,
gerade dadurch hätten verdächtig werden können. Es
fällt mir ja nicht ein, behaupten zu wollen, dass ich in
dieser Hinsicht irgendwie besser bin als du. Aber zu der
Probe darauf kam es gar nicht. Durch meine Vermittlung
20 wurde dir das Judentum abscheulich, jüdische Schriften
unlesbar, sie »ekelten dich an«. – Das konnte bedeuten,
dass du darauf bestandest, nur gerade das Judentum,
wie du es mir in meiner Kinderzeit gezeigt hattest, sei
das einzig Richtige, darüber hinaus gebe es nichts. Aber
25 dass du darauf bestehen solltest, war doch kaum denkbar. Dann aber konnte der »Ekel« (abgesehen davon,
dass er sich zunächst nicht gegen das Judentum, sondern gegen meine Person richtete) nur bedeuten, dass
du unbewusst die Schwäche deines Judentums und mei-
30 ner jüdischen Erziehung anerkanntest, auf keine Weise
daran erinnert werden wolltest und auf alle Erinnerungen mit offenem Hasse antwortetest. Übrigens war deine negative Hochschätzung meines neuen Judentums
sehr übertrieben; erstens trug es ja deinen Fluch in sich,
35 und zweitens war für seine Entwicklung das grundsätz-
liche Verhältnis zu den Mitmenschen entscheidend, in
meinem Fall also tödlich.

Richtiger trafst du mit deiner Abneigung mein Schreiben
und was, dir unbekannt, damit zusammenhing. Hier
40 war ich tatsächlich ein Stück selbstständig von dir weg-

gekommen, wenn es auch ein wenig an den Wurm erinnerte, der, hinten von einem Fuß niedergetreten, sich mit
dem Vorderteil losreißt und zur Seite schleppt. Einigermaßen in Sicherheit war ich, es gab ein Aufatmen, die
Abneigung, die du natürlich auch gleich gegen mein 5
Schreiben hattest, war mir hier ausnahmsweise willkom-
men. Meine Eitelkeit, mein Ehrgeiz litten zwar unter deiner für uns berühmt gewordenen Begrüßung meiner
Bücher: »Legs auf den Nachttisch!« (meistens spieltest
du ja Karten, wenn ein Buch kam), aber im Grunde war 10
mir dabei doch wohl, nicht nur aus aufbegehrender Bosheit, nicht nur aus Freude über eine neue Bestätigung
meiner Auffassung unseres Verhältnisses, sondern ganz
ursprünglich, weil jene Formel mir klang wie etwa:
»Jetzt bist du frei!« Natürlich war es eine Täuschung, ich 15
war nicht oder allergünstigsten Falles noch nicht frei.
Mein Schreiben handelte von dir, ich klagte dort ja nur,
was ich an deiner Brust nicht klagen konnte. Es war ein
absichtlich in die Länge gezogener Abschied von dir,
nur dass er zwar von dir erzwungen war, aber in der 20
von mir bestimmten Richtung verlief. Aber wie wenig
war das alles! Es ist ja überhaupt nur deshalb der Rede
wert, weil es sich in meinem Leben ereignet hat, anderswo wäre es gar nicht zu merken, und dann noch deshalb, weil es mir in der Kindheit als Ahnung, später als 25
Hoffnung, noch später oft als Verzweiflung mein Leben
beherrschte und mir – wenn man will, doch wieder in
deiner Gestalt – meine paar kleinen Entscheidungen dik-
tierte.
Zum Beispiel die Berufswahl. Gewiss, du gabst mir hier 30
völlige Freiheit in deiner großzügigen und in diesem
Sinn sogar geduldigen Art. Allerdings folgtest du hiebei
auch der für dich maßgebenden allgemeinen Söhnebe-
handlung des jüdischen Mittelstandes oder zumindest
den Werturteilen dieses Standes. Schließlich wirkte hie- 35
bei auch eines deiner Missverständnisse hinsichtlich
meiner Person mit. Du hältst mich nämlich seit jeher aus
Vaterstolz, aus Unkenntnis meines eigentlichen Daseins,
aus Rückschlüssen aus meiner Schwächlichkeit für besonders fleißig. Als Kind habe ich deiner Meinung nach 40

immerfort gelernt und später immerfort geschrieben.
Das stimmt nun nicht im Entferntesten. Eher kann man
mit viel weniger Übertreibung sagen, dass ich wenig gelernt und nichts erlernt habe; dass etwas in den vielen
5 Jahren bei einem mittleren Gedächtnis, bei nicht aller-
schlechtester Auffassungskraft hängengeblieben ist, ist ja
nicht sehr merkwürdig, aber jedenfalls ist das Gesamter-
gebnis an Wissen, und besonders an Fundierung des
Wissens, äußerst kläglich im Vergleich zu dem Aufwand
10 an Zeit und Geld inmitten eines äußerlich sorglosen, ruhigen Lebens, besonders auch im Vergleich zu fast allen
Leuten, die ich kenne. Es ist kläglich, aber für mich verständlich. Ich hatte, seitdem ich denken kann, solche
tiefste Sorgen der geistigen Existenzbehauptung, dass
15 mir alles andere gleichgültig war. Jüdische Gymna-
siasten bei uns sind leicht merkwürdig, man findet da
das Unwahrscheinlichste, aber meine kalte, kaum verhüllte, unzerstörbare, kindlich hilflose, bis ins Lächerli-
che gehende, tierisch selbstzufriedene Gleichgültigkeit
20 eines für sich genug, aber kalt fantastischen Kindes habe ich sonst nirgends wieder gefunden, allerdings war
sie hier auch der einzige Schutz gegen die Nervenzer-
störung durch Angst und Schuldbewusstsein. Mich beschäftigte nur die Sorge um mich, diese aber in verschie-
25 denster Weise. Etwa als Sorge um meine Gesundheit; es
fing leicht an, hier und dort ergab sich eine kleine Be-
fürchtung wegen der Verdauung, des Haarausfalls, einer
Rückgratsverkrümmung und so weiter, das steigerte
sich in unzählbaren Abstufungen, schließlich endete es
30 mit einer wirklichen Krankheit. Aber da ich keines Din-
ges sicher war, von jedem Augenblick eine neue Bestätigung meines Daseins brauchte, nichts in meinem eigentlichen, unzweifelhaften, alleinigen, nur durch mich
eindeutig bestimmten Besitz war, in Wahrheit ein ent-
35 erbter Sohn, wurde mir natürlich auch das Nächste, der
eigene Körper unsicher; ich wuchs lang in die Höhe,
wusste damit aber nichts anzufangen, die Last war zu
schwer, der Rücken wurde krumm; ich wagte mich
kaum zu bewegen oder gar zu turnen, ich blieb
40 schwach; staunte alles, worüber ich noch verfügte, als

Wunder an, etwa meine gute Verdauung; das genügte, um sie zu verlieren, und damit war der Weg zu aller Hypochondrie[1] frei, bis dann unter der übermenschlichen Anstrengung des Heiraten-Wollens (darüber spreche ich noch) das Blut aus der Lunge[2] kam, woran ja die Woh-  5 nung im Schönbornpalais – die ich aber nur deshalb brauchte, weil ich sie für mein Schreiben zu brauchen glaubte, sodass auch das auf dieses Blatt gehört – genug Anteil haben kann. Also das alles stammte nicht von übergroßer Arbeit, wie du dir es immer vorstellst. Es gab 10 Jahre, in denen ich bei voller Gesundheit mehr Zeit auf dem Kanapee verfaulenzt habe als du in deinem ganzen Leben, alle Krankheiten eingerechnet. Wenn ich höchstbeschäftigt von dir fortlief, war es meist, um mich in meinem Zimmer hinzulegen. Meine Gesamtarbeitsleis- 15 tung sowohl im Büro (wo allerdings Faulheit nicht sehr auffällt und überdies durch meine Ängstlichkeit in Grenzen gehalten war) als auch zu Hause ist winzig; hättest du darüber einen Überblick, würde es dich entsetzen. Wahrscheinlich bin ich in meiner Anlage gar 20 nicht faul, aber es gab für mich nichts zu tun. Dort, wo ich lebte, war ich verworfen, abgeurteilt, niedergekämpft, und anderswohin mich zu flüchten strengte mich zwar äußerst an, aber das war keine Arbeit, denn es handelte sich um Unmögliches, das für meine Kräfte 25 bis auf kleine Ausnahmen unerreichbar war.

In diesem Zustand bekam ich also die Freiheit der Berufswahl. War ich aber überhaupt noch fähig, eine solche Freiheit eigentlich zu gebrauchen? Traute ich mir es denn noch zu, einen wirklichen Beruf erreichen zu können? 30 Meine Selbstbewertung war von dir viel abhängiger als von irgend etwas sonst, etwa von einem äußeren Erfolg. Der war die Stärkung eines Augenblicks, sonst nichts, aber auf der anderen Seite zog dein Gewicht immer viel

---

[1] übertriebene Sorge um die eigene Gesundheit mit gesteigerter Angst vor Erkrankungen und Überbewertung tatsächlicher Beschwerden

[2] Anspielung Kafkas auf den Ausbruch seiner Lungentuberkulose (1917), die sich durch einen Blutsturz ankündigte

stärker hinunter. Niemals würde ich durch die erste
Volksschulklasse kommen, dachte ich, aber es gelang, ich
bekam sogar eine Prämie; aber die Aufnahmeprüfung ins
Gymnasium würde ich gewiss nicht bestehn, aber es ge-
5 lang; aber nun falle ich in der ersten Gymnasialklasse bestimmt durch, nein, ich fiel nicht durch, und es gelang
immer weiter und weiter. Daraus ergab sich aber keine
Zuversicht, im Gegenteil, immer war ich überzeugt –
und in deiner abweisenden Miene hatte ich förmlich den
10 Beweis dafür –, dass, je mehr mir gelingt, desto schlim-
mer es schließlich wird ausgehn müssen. Oft sah ich im
Geist die schreckliche Versammlung der Professoren (das
Gymnasium ist nur das einheitlichste Beispiel, überall
um mich war es aber ähnlich), wie sie, wenn ich die Pri-
15 ma überstanden hatte, also in der Sekunda, wenn ich diese überstanden hatte, also in der Tertia und so weiter zu-
sammenkommen würden, um diesen einzigartigen,
himmelschreienden Fall zu untersuchen, wie es mir, dem
Unfähigsten und jedenfalls Unwissendsten, gelungen
20 war, mich bis hinauf in diese Klasse zu schleichen, die
mich, da nun die allgemeine Aufmerksamkeit auf mich
gelenkt war, natürlich sofort ausspeien würde, zum Jubel
aller von diesem Alpdruck befreiten Gerechten. – Mit solchen Vorstellungen zu leben ist für ein Kind nicht leicht.
25 Was kümmerte mich unter diesen Umständen der Unterricht. Wer war imstande, aus mir einen Funken von An-
teilnahme herauszuschlagen? Mich interessierte der Unterricht – und nicht nur der Unterricht, sondern alles
ringsherum in diesem entscheidenden Alter – etwa so
30 wie einen Bankdefraudanten[1], der noch in Stellung ist
und vor der Entdeckung zittert, das kleine laufende
Bankgeschäft interessiert, das er noch immer als Beamter
zu erledigen hat. So klein, so fern war alles neben der
Hauptsache. Es ging dann weiter bis zur Matura[2], durch
35 die ich wirklich schon zum Teil nur durch Schwindel
kam, und dann stockte es, jetzt war ich frei. Hatte ich

---

[1]  Bankbetrüger (von lat. defraudatio – Betrug)
[2]  (österr.) Reifeprüfung, Abitur

schon trotz dem Zwang des Gymnasiums mich nur um mich gekümmert, wie erst jetzt, da ich frei war. Also eigentliche Freiheit der Berufswahl gab es für mich nicht, ich wusste: Alles wird mir gegenüber der Hauptsache genauso gleichgültig sein, wie alle Lehrgegenstände im Gymnasium, es handelt sich also darum, einen Beruf zu finden, der mir, ohne meine Eitelkeit allzusehr zu verletzen, diese Gleichgültigkeit am ehesten erlaubt. Also war Jus das Selbstverständliche[1]. Kleine gegenteilige Versuche der Eitelkeit, der unsinnigen Hoffnung, wie vierzehntägiges Chemiestudium, halbjähriges Deutschstudium, verstärkten nur jene Grundüberzeugung. Ich studierte also Jus. Das bedeutete, dass ich mich in den paar Monaten vor den Prüfungen unter reichlicher Mitnahme der Nerven geistig förmlich von Holzmehl nährte, das mir überdies schon von tausenden Mäulern vorgekaut war. Aber in gewissem Sinn schmeckte mir das gerade, wie in gewissem Sinn früher auch das Gymnasium und später der Beamtenberuf, denn das alles entsprach vollkommen meiner Lage. Jedenfalls zeigte ich hier erstaunliche Voraussicht, schon als kleines Kind hatte ich hinsichtlich der Studien und des Berufes genug klare Vorahnungen. Von hier aus erwartete ich keine Rettung, hier hatte ich schon längst verzichtet.

Gar keine Voraussicht zeigte ich aber hinsichtlich der Bedeutung und Möglichkeit einer Ehe für mich; dieser bisher größte Schrecken meines Lebens ist fast vollständig unerwartet über mich gekommen. Das Kind hatte sich so langsam entwickelt, diese Dinge lagen ihm äußerlich gar zu abseits; hie und da ergab sich die Notwendigkeit, daran zu denken; dass sich hier aber eine dauernde, entscheidende und sogar die erbittertste Prüfung vorbereitete, war nicht zu erkennen. In Wirklichkeit aber wurden die Heiratsversuche der großartigste und hoffnungsreichste Rettungsversuch, entsprechend großartig war dann allerdings auch das Misslingen.

---

[1] (österr.) Jura
Da den Juden der Zugang zu vielen Berufen versperrt war, blieben ihnen nur die sog. „freien" Berufe: Arzt, Rechtsanwalt usw.

Ich fürchte, weil mir in dieser Gegend alles misslingt,
dass es mir auch nicht gelingen wird, dir diese Heiratsversuche verständlich zu machen. Und doch hängt das
Gelingen des ganzen Briefes davon ab, denn in diesen
5 Versuchen war einerseits alles versammelt, was ich an
positiven Kräften zur Verfügung hatte, andererseits sammelten sich hier auch geradezu mit Wut alle negativen
Kräfte, die ich als Mitergebnis deiner Erziehung beschrieben habe, also die Schwäche, der Mangel an
10 Selbstvertrauen, das Schuldbewusstsein, und zogen
förmlich einen Kordon[1] zwischen mir und der Heirat.
Die Erklärung wird mir auch deshalb schwer werden,
weil ich hier alles in so vielen Tagen und Nächten immer
wieder durchdacht und durchgraben habe, dass selbst
15 mich jetzt der Anblick schon verwirrt. Erleichtert wird
mir die Erklärung nur durch dein meiner Meinung nach
vollständiges Missverstehn der Sache; ein so vollständiges Missverstehn ein wenig zu verbessern, scheint nicht
übermäßig schwer.
20 Zunächst stellst du das Misslingen der Heiraten in die
Reihe meiner Misserfolge; dagegen hätte ich an sich
nichts, vorausgesetzt, dass du meine bisherige Erklärung
des Misserfolgs annimmst. Es steht tatsächlich in dieser
Reihe, nur die Bedeutung der Sache unterschätzt du und
25 unterschätzt sie derartig, dass wir, wenn wir miteinander
davon reden, eigentlich von ganz Verschiedenem sprechen. Ich wage zu sagen, dass dir in deinem ganzen Leben nichts geschehen ist, was für dich eine solche Bedeutung gehabt hätte wie für mich die Heiratsversuche.
30 Damit meine ich nicht, dass du an sich nichts so Bedeu-
tendes erlebt hättest, im Gegenteil, dein Leben war viel
reicher und sorgenvoller und gedrängter als meines, aber
eben deshalb ist dir nichts Derartiges geschehen. Es ist
so, wie wenn einer fünf niedrige Treppenstufen hinauf-
35 zusteigen hat und ein zweiter nur eine Treppenstufe, die
aber, wenigstens für ihn, so hoch ist wie jene fünf zusammen; der Erste wird nicht nur die fünf bewältigen,

---

[1] Absperrung, Trennung
franz.: corde = Schnur, Seil

sondern noch hunderte und tausende weitere, er wird
ein großes und sehr anstrengendes Leben geführt haben,
aber keine der Stufen, die er erstiegen hat, wird für ihn
eine solche Bedeutung gehabt haben, wie für den zweiten jene eine, erste, hohe, für alle seine Kräfte unmöglich 5
zu ersteigende Stufe, zu der er nicht hinauf- und über die
er natürlich auch nicht hinauskommt.

Heiraten, eine Familie gründen, alle Kinder, welche
kommen, hinnehmen, in dieser unsicheren Welt erhalten
und gar noch ein wenig führen, ist meiner Überzeugung 10
nach das Äußerste, das einem Menschen überhaupt gelingen kann. Dass es scheinbar so vielen leicht gelingt,
ist kein Gegenbeweis, denn erstens gelingt es tatsächlich
nicht vielen, und zweitens »tun« es diese Nichtvielen
meistens nicht, sondern es »geschieht« bloß mit ihnen; 15
das ist zwar nicht jenes Äußerste, aber doch noch sehr
groß und sehr ehrenvoll (besonders da sich »tun« und
»geschehn« nicht rein voneinander scheiden lassen).
Und schließlich handelt es sich auch gar nicht um dieses
Äußerste, sondern nur um irgendeine ferne, aber an- 20
ständige Annäherung; es ist doch nicht notwendig, mitten in die Sonne hineinzufliegen, aber doch bis zu einem
reinen Plätzchen auf der Erde hinzukriechen, wo
manchmal die Sonne hinscheint und man sich ein wenig
wärmen kann. 25

Wie war ich nun auf dieses vorbereitet? Möglichst
schlecht. Das geht schon aus dem Bisherigen hervor.
Soweit es aber dafür eine direkte Vorbereitung des Einzelnen und eine direkte Schaffung der allgemeinen
Grundbedingungen gibt, hast du äußerlich nicht viel 30
eingegriffen. Es ist auch nicht anders möglich, hier entscheiden die allgemeinen geschlechtlichen Standes-,
Volks- und Zeitsitten. Immerhin hast du auch da eingegriffen, nicht viel, denn die Voraussetzung solchen Ein-
greifens kann nur starkes gegenseitiges Vertrauen sein, 35
und daran fehlte es uns beiden schon längst zur entscheidenden Zeit, und nicht sehr glücklich, weil ja unsere Bedürfnisse ganz verschieden waren; was mich packt,
muss dich noch kaum berühren und umgekehrt, was bei
dir Unschuld ist, kann bei mir Schuld sein und umge- 40

kehrt, was bei dir folgenlos bleibt, kann mein Sargdeckel
sein.

Ich erinnere mich, ich ging einmal abends mit dir und
der Mutter spazieren, es war auf dem Josephsplatz in
5 der Nähe der heutigen Länderbank, und fing dumm,
großtuerisch, überlegen, stolz, kühl (das war unwahr),
kalt (das war echt) und stotternd, wie ich eben meistens
mit dir sprach, von den interessanten Sachen zu reden
an, machte euch Vorwürfe, dass ich unbelehrt gelassen
10 worden bin, dass sich erst die Mitschüler meiner hatten
annehmen müssen, dass ich in der Nähe großer Gefahren gewesen bin (hier log ich meiner Art nach unver-
schämt, um mich mutig zu zeigen, denn infolge meiner
Ängstlichkeit hatte ich keine genauere Vorstellung von
15 den »großen Gefahren«), deutete aber zum Schluss an,
dass ich jetzt schon glücklicherweise alles wisse, keinen
Rat mehr brauche und alles in Ordnung sei. Hauptsächlich hatte ich davon jedenfalls zu reden angefangen, weil
es mir Lust machte, davon wenigstens zu reden, dann
20 auch aus Neugierde und schließlich auch, um mich irgendwie für irgendetwas an euch zu rächen. Du nahmst
es entsprechend deinem Wesen sehr einfach, du sagtest
nur etwa, du könntest mir einen Rat geben, wie ich ohne
Gefahr diese Dinge werde betreiben können. Vielleicht
25 hatte ich gerade eine solche Antwort hervorlocken wollen, die entsprach ja der Lüsternheit des mit Fleisch und
allen guten Dingen überfütterten, körperlich untätigen,
mit sich ewig beschäftigten Kindes, aber doch war meine äußerliche Scham dadurch so verletzt, oder ich glaub-
30 te, sie müsse so verletzt sein, dass ich gegen meinen Willen nicht mehr mit dir darüber sprechen konnte und
hochmütig frech das Gespräch abbrach.

Es ist nicht leicht, deine damalige Antwort zu beurteilen,
einerseits hat sie doch etwas niederwerfend Offenes, ge-
35 wissermaßen Urzeitliches, andererseits ist sie allerdings,
was die Lehre selbst betrifft, sehr neuzeitlich bedenken-
los. Ich weiß nicht, wie alt ich damals war, viel älter als
sechzehn Jahre gewiss nicht. Für einen solchen Jungen
war es aber doch eine sehr merkwürdige Antwort, und
40 der Abstand zwischen uns beiden zeigt sich auch darin,

dass das eigentlich die erste direkte, lebensumfassende Lehre war, die ich von dir bekam. Ihr eigentlicher Sinn aber, der sich schon damals in mich einsenkte, mir aber erst viel später halb zu Bewusstsein kam, war folgender: Das, wozu du mir rietest, war doch das deiner Meinung 5 nach und gar erst meiner damaligen Meinung nach Schmutzigste, was es gab. Dass du dafür sorgen wolltest, dass ich körperlich von dem Schmutz nichts nach Hause bringe, war nebensächlich, dadurch schütztest du ja nur dich, dein Haus. Die Hauptsache war vielmehr, 10 dass du außerhalb deines Rates bliebst, ein Ehemann, ein reiner Mann, erhaben über diese Dinge; das verschärfte sich damals für mich wahrscheinlich noch dadurch, dass mir auch die Ehe schamlos vorkam und es mir daher unmöglich war, das, was ich Allgemeines 15 über die Ehe gehört hatte, auf meine Eltern anzuwenden. Dadurch wurdest du noch reiner, kamst noch höher. Der Gedanke, dass du etwa vor der Ehe auch dir einen ähnlichen Rat hättest geben können, war mir völlig undenkbar. So war also fast kein Restchen irdischen 20 Schmutzes an dir. Und eben du stießest mich, so als wäre ich dazu bestimmt, mit ein paar offenen Worten in diesen Schmutz hinunter. Bestand die Welt also nur aus mir und dir, eine Vorstellung, die mir sehr nahelag, dann endete also mit dir diese Reinheit der Welt, und mit mir 25 begann kraft deines Rates der Schmutz. An sich war es ja unverständlich, dass du mich so verurteiltest, nur alte Schuld und tiefste Verachtung deinerseits konnten mir das erklären. Und damit war ich also wieder in meinem innersten Wesen angefasst, und zwar sehr hart. 30
Hier wird vielleicht auch unser beider Schuldlosigkeit am deutlichsten. A gibt B einen offenen, seiner Lebensauffassung entsprechenden, nicht sehr schönen, aber doch auch heute in der Stadt durchaus üblichen, Gesundheitsschädigungen vielleicht verhindernden Rat. 35 Dieser Rat ist für B moralisch nicht sehr stärkend, aber warum sollte er sich aus dem Schaden nicht im Laufe der Jahre herausarbeiten können, übrigens muss er ja dem Rat gar nicht folgen, und jedenfalls liegt in dem Rat allein kein Anlass dafür, dass über B etwa seine ganze 40

Zukunftswelt zusammenbricht. Und doch geschieht etwas in dieser Art, aber eben nur deshalb, weil A du bist
und B ich bin.

Diese beiderseitige Schuldlosigkeit kann ich auch des-
5 halb besonders gut überblicken, weil sich ein ähnlicher
Zusammenstoß zwischen uns unter ganz anderen Verhältnissen etwa zwanzig Jahre später wieder ereignet
hat, als Tatsache grauenhaft, an und für sich allerdings
viel unschädlicher, denn wo war da etwas an mir Sechs-
10 unddreißigjährigem, dem noch geschadet werden konnte. Ich meine damit eine kleine Aussprache an einem der
paar aufgeregten Tage nach Mitteilung meiner letzten
Heiratsabsicht. Du sagtest zu mir etwa: »Sie hat wahrscheinlich irgendeine ausgesuchte Bluse angezogen, wie
15 das die Prager Jüdinnen verstehn, und daraufhin hast
du dich natürlich entschlossen, sie zu heiraten. Und
zwar möglichst rasch, in einer Woche, morgen, heute.
Ich begreife dich nicht, du bist doch ein erwachsener
Mensch, bist in der Stadt, und weißt dir keinen anderen
20 Rat, als gleich eine Beliebige zu heiraten. Gibt es da keine anderen Möglichkeiten? Wenn du dich davor fürchtest, werde ich selbst mit dir hingehn.« Du sprachst aus-
führlicher und deutlicher, aber ich kann mich an die
Einzelheiten nicht mehr erinnern, vielleicht wurde mir
25 auch ein wenig nebelhaft vor den Augen, fast interessierte mich mehr die Mutter, wie sie, zwar vollständig
mit dir einverstanden, immerhin etwas vom Tisch nahm
und damit aus dem Zimmer ging. Tiefer gedemütigt
hast du mich mit Worten wohl kaum und deutlicher mir
30 deine Verachtung nie gezeigt. Als du vor zwanzig Jahren
ähnlich zu mir gesprochen hattest, hätte man darin mit
deinen Augen sogar etwas Respekt für den frühreifen
Stadtjungen sehen können, der deiner Meinung nach
schon so ohne Umwege ins Leben eingeführt werden
35 konnte. Heute könnte diese Rücksicht die Verachtung
nur noch steigern, denn der Junge, der damals einen Anlauf nahm, ist in ihm steckengeblieben und scheint dir
heute um keine Erfahrung reicher, sondern nur um
zwanzig Jahre jämmerlicher. Meine Entscheidung für ein
40 Mädchen bedeutete dir gar nichts. Du hattest meine Ent-

scheidungskraft (unbewusst) immer niedergehalten und glaubtest jetzt (unbewusst) zu wissen, was sie wert war. Von meinen Rettungsversuchen in anderen Richtungen wusstest du nichts, daher konntest du auch von den Ge- 5 dankengängen, die mich zu diesem Heiratsversuch ge- führt hatten, nicht wissen, musstest sie zu erraten su- chen und rietst entsprechend dem Gesamturteil, das du über mich hattest, auf das Abscheulichste, Plumpste, Lächerlichste. Und zögertest keinen Augenblick, mir das auf ebensolche Weise zu sagen. Die Schande, die du mir 10 antatest, war dir nichts im Vergleich zu der Schande, die ich deiner Meinung nach deinem Namen durch die Hei- rat machen würde.

Nun kannst du ja hinsichtlich meiner Heiratsversuche manches mir antworten und hast es auch getan: Du 15 könntest nicht viel Respekt vor meiner Entscheidung ha- ben, wenn ich die Verlobung mit F. zweimal aufgelöst und zweimal wieder aufgenommen habe, wenn ich dich und die Mutter nutzlos zu der Verlobung nach Berlin ge- schleppt habe und dergleichen. Das alles ist wahr, aber 20 wie kam es dazu?

Der Grundgedanke beider Heiratsversuche war ganz korrekt: einen Hausstand gründen, selbstständig wer- den. Ein Gedanke, der dir ja sympathisch ist, nur dass es dann in Wirklichkeit so ausfällt wie das Kinderspiel, wo 25 einer die Hand des anderen hält und sogar presst und dabei ruft: »Ach geh doch, geh doch, warum gehst du nicht?« Was sich allerdings in unserem Fall dadurch kompliziert hat, dass du das »geh doch!« seit jeher ehr- lich gemeint hast, da du ebenso seit jeher, ohne es zu 30 wissen, nur kraft deines Wesens mich gehalten oder richtiger niedergehalten hast.

Beide Mädchen waren zwar durch den Zufall, aber außerordentlich gut gewählt. Wieder ein Zeichen deines vollständigen Missverstehens, dass du glauben kannst, 35 ich, der Ängstliche, Zögernde, Verdächtigende ent- schließe mich mit einem Ruck für eine Heirat, etwa aus Entzücken über eine Bluse. Beide Ehen wären vielmehr Vernunftehen geworden, soweit damit gesagt ist, dass Tag und Nacht, das erste Mal Jahre, das zweite Mal Mo- 40 nate, alle meine Denkkraft an den Plan gewendet worden ist.

Keines der Mädchen hat mich enttäuscht, nur ich sie beide. Mein Urteil über sie ist heute genau das gleiche wie damals, als ich sie heiraten wollte.

Es ist auch nicht so, dass ich beim zweiten Heiratsversuch die Erfahrungen des ersten Versuches missachtet hätte, also leichtsinnig gewesen wäre. Die Fälle waren eben ganz verschieden, gerade die früheren Erfahrungen konnten mir im zweiten Fall, der überhaupt viel aussichtsreicher war, Hoffnung geben. Von Einzelheiten will ich hier nicht reden.

Warum also habe ich nicht geheiratet? Es gab einzelne Hindernisse wie überall, aber im Nehmen solcher Hindernisse besteht ja das Leben. Das wesentliche, vom einzelnen Fall leider unabhängige Hindernis war aber, dass ich offenbar geistig unfähig bin zu heiraten. Das äußert sich darin, dass ich von dem Augenblick an, in dem ich mich entschließe zu heiraten, nicht mehr schlafen kann, der Kopf glüht bei Tag und Nacht, es ist kein Leben mehr, ich schwanke verzweifelt herum. Es sind das nicht eigentlich Sorgen, die das verursachen, zwar laufen auch entsprechend meiner Schwerblütigkeit und Pedanterie unzählige Sorgen mit, aber sie sind nicht das Entscheidende, sie vollenden zwar wie Würmer die Arbeit am Leichnam, aber entscheidend getroffen bin ich von anderem. Es ist der allgemeine Druck der Angst, der Schwäche, der Selbstmissachtung.

Ich will es näher zu erklären versuchen: Hier beim Heiratsversuch trifft in meinen Beziehungen zu dir zweierlei scheinbar Entgegengesetztes so stark wie nirgends sonst zusammen. Die Heirat ist gewiss die Bürgschaft für die schärfste Selbstbefreiung und Unabhängigkeit. Ich hätte eine Familie, das Höchste, was man meiner Meinung nach erreichen kann, also auch das Höchste, das du erreicht hast, ich wäre dir ebenbürtig, alle alte und ewig neue Schande und Tyrannei wäre bloß noch Geschichte. Das wäre allerdings märchenhaft, aber darin liegt eben schon das Fragwürdige. Es ist zu viel, so viel kann nicht erreicht werden. Es ist so, wie wenn einer ge-

fangen wäre und er hätte nicht nur die Absicht zu fliehen, was vielleicht erreichbar wäre, sondern auch noch,
und zwar gleichzeitig die Absicht, das Gefängnis in ein
Lustschluss für sich umzubauen. Wenn er aber flieht,
kann er nicht umbauen, und wenn er umbaut, kann er  5
nicht fliehen. Wenn ich in dem besonderen Unglücksver-
hältnis, in welchem ich zu dir stehe, selbstständig werden will, muss ich etwas tun, was möglichst gar keine
Beziehung zu dir hat; das Heiraten ist zwar das Größte
und gibt die ehrenvollste Selbstständigkeit, aber es ist  10
auch gleichzeitig in engster Beziehung zu dir. Hier hinauskommen zu wollen, hat deshalb etwas von Wahn-
sinn, und jeder Versuch wird fast damit gestraft.
Gerade diese enge Beziehung lockt mich ja teilweise
auch zum Heiraten. Ich denke mir diese Ebenbürtigkeit,  15
die dann zwischen uns entstehen würde und die du verstehen könntest wie keine andere, eben deshalb so
schön, weil ich dann ein freier, dankbarer, schuldloser,
aufrechter Sohn sein, du ein unbedrückter, untyranni-
scher, mitfühlender, zufriedener Vater sein könntest.  20
Aber zu diesem Zweck müsste eben alles Geschehene
ungeschehen gemacht, das heißt wir selbst ausgestri-
chen werden. So wie wir aber sind, ist mir das Heiraten
dadurch verschlossen, dass es gerade dein eigenstes Ge-
biet ist. Manchmal stelle ich mir die Erdkarte ausge-  25
spannt und dich quer über sie hin ausgestreckt vor. Und
es ist mir dann, als kämen für mein Leben nur die Gegenden in Betracht, die du entweder nicht bedeckst oder
die nicht in deiner Reichweite liegen. Und das sind entsprechend der Vorstellung, die ich von deiner Größe ha-  30
be, nicht viele und nicht sehr trostreiche Gegenden, und
besonders die Ehe ist nicht darunter.
Schon dieser Vergleich beweist, dass ich keineswegs sagen will, du hättest mich durch dein Beispiel aus der
Ehe, so etwa wie aus dem Geschäft, verjagt. Im Gegen-  35
teil, trotz aller fernen Ähnlichkeit. Ich hatte in euerer Ehe
eine in vielem mustergültige Ehe vor mir, mustergültig
in Treue, gegenseitiger Hilfe, Kinderzahl, und selbst als
dann die Kinder groß wurden und immer mehr den
Frieden störten, blieb die Ehe als solche davon un-  40

berührt. Gerade an diesem Beispiel bildete sich vielleicht auch mein hoher Begriff von der Ehe; dass das Verlangen nach der Ehe ohnmächtig war, hatte eben andere Gründe. Sie lagen in deinem Verhältnis zu den Kindern,
5 von dem ja der ganze Brief handelt.

Es gibt eine Meinung, nach der die Angst vor der Ehe manchmal davon herrührt, dass man fürchtet, die Kinder würden einem später das heimzahlen, was man selbst an den eigenen Eltern gesündigt hat. Das hat,
10 glaube ich, in meinem Fall keine sehr große Bedeutung, denn mein Schuldbewusstsein stammt ja eigentlich von dir und ist auch zu sehr von seiner Einzigartigkeit durchdrungen, ja dieses Gefühl der Einzigartigkeit gehört zu seinem quälenden Wesen, eine Wiederholung ist
15 unausdenkbar. Immerhin muss ich sagen, dass mir ein solcher stummer, dumpfer, trockener, verfallener Sohn unerträglich wäre, ich würde wohl, wenn keine andere Möglichkeit wäre, vor ihm fliehen, auswandern, wie du es erst wegen meiner Heirat machen wolltest. Also mit-
20 beeinflusst mag ich bei meiner Heiratsunfähigkeit auch davon sein.

Viel wichtiger aber ist dabei die Angst um mich. Das ist so zu verstehn: Ich habe schon angedeutet, dass ich im Schreiben und in dem, was damit zusammenhängt, klei-
25 ne Selbstständigkeitsversuche, Fluchtversuche mit allerkleinstem Erfolg gemacht, sie werden kaum weiterführen, vieles bestätigt mir das. Trotzdem ist es meine Pflicht oder vielmehr es besteht mein Leben darin, über ihnen zu wachen, keine Gefahr, die ich abwehren kann,
30 ja keine Möglichkeit einer solchen Gefahr an sie herankommen zu lassen. Die Ehe ist die Möglichkeit einer solchen Gefahr, allerdings auch die Möglichkeit der größten Förderung, mir aber genügt, dass es die Möglichkeit einer Gefahr ist. Was würde ich dann anfangen, wenn es
35 doch eine Gefahr wäre! Wie könnte ich in der Ehe weiterleben in dem vielleicht unbeweisbaren, aber jedenfalls unwiderleglichen Gefühl dieser Gefahr! Demgegenüber kann ich zwar schwanken, aber der schließliche Ausgang ist gewiss, ich muss verzichten. Der Vergleich von
40 dem Sperling in der Hand und der Taube auf dem Dach

passt hier nur sehr entfernt. In der Hand habe ich nichts,
auf dem Dach ist alles, und doch muss ich – so entscheiden es die Kampfverhältnisse und die Lebensnot – das
Nichts wählen. Ähnlich habe ich ja auch bei der Berufswahl wählen müssen.                                           5
Das wichtigste Ehehindernis aber ist die schon unaus-
rottbare Überzeugung, dass zur Familienerhaltung oder
gar zu ihrer Führung alles das notwendig gehört, was
ich an dir erkannt habe, und zwar alles zusammen, Gutes und Schlechtes, so wie es organisch in dir vereinigt   10
ist, also Stärke und Verhöhnung des anderen, Gesundheit und eine gewisse Maßlosigkeit, Redebegabung und
Unzulänglichkeit, Selbstvertrauen und Unzufriedenheit
mit jedem anderen, Weltüberlegenheit und Tyrannei,
Menschenkenntnis und Misstrauen gegenüber den meis-    15
ten, dann auch Vorzüge ohne jeden Nachteil wie Fleiß,
Ausdauer, Geistesgegenwart, Unerschrockenheit. Von
alledem hatte ich vergleichsweise fast nichts oder nur
sehr wenig, und damit wollte ich zu heiraten wagen,
während ich doch sah, dass selbst du in der Ehe schwer   20
zu kämpfen hattest und gegenüber den Kindern sogar
versagtest? Diese Frage stellte ich mir natürlich nicht
ausdrücklich und beantwortete sie nicht ausdrücklich,
sonst hätte sich ja das gewöhnliche Denken der Sache
bemächtigt und mir andere Männer gezeigt, welche     25
anders sind als du (um in der Nähe einen von dir sehr
verschiedenen zu nennen: Onkel Richard) und doch geheiratet haben und wenigstens darunter nicht zusam-
mengebrochen sind, was schon sehr viel ist und mir
reichlich genügt hätte. Aber diese Frage stellte ich eben   30
nicht, sondern erlebte sie von Kindheit an. Ich prüfte
mich ja nicht erst gegenüber der Ehe, sondern gegenüber jeder Kleinigkeit; gegenüber jeder Kleinigkeit über-
zeugtest du mich durch dein Beispiel und durch deine
Erziehung, so wie ich es zu beschreiben versucht habe,   35
von meiner Unfähigkeit, und was bei jeder Kleinigkeit
stimmte und dir Recht gab, musste natürlich ungeheuer-
lich stimmen vor dem Größten, also vor der Ehe. Bis zu
den Heiratsversuchen bin ich aufgewachsen etwa wie
ein Geschäftsmann, der zwar mit Sorgen und schlimmen   40

Ahnungen, aber ohne genaue Buchführung in den Tag
hineinlebt. Er hat ein paar kleine Gewinne, die er infolge
ihrer Seltenheit in seiner Vorstellung immerfort hätschelt
und übertreibt, und sonst nur tägliche Verluste. Alles
5 wird eingetragen, aber niemals bilanziert. Jetzt kommt
der Zwang zur Bilanz, das heißt der Heiratsversuch.
Und es ist bei den großen Summen, mit denen hier zu
rechnen ist, so, als ob niemals auch nur der kleinste Ge-
winn gewesen wäre, alles eine einzige große Schuld.
10 Und jetzt heirate, ohne wahnsinnig zu werden!
So endet mein bisheriges Leben mit dir, und solche Aussichten trägt es in sich für die Zukunft.
Du könntest, wenn du meine Begründung der Furcht,
die ich vor dir habe, überblickst, antworten: »Du be-
15 hauptest, ich mache es mir leicht, wenn ich mein Verhältnis zu dir einfach durch dein Verschulden erkläre,
aber ich glaube, dass du trotz äußerlicher Anstrengung
es dir zumindest nicht schwerer, aber viel einträglicher
machst. Zuerst lehnst auch du jede Schuld und Verant-
20 wortung von dir ab, darin ist also unser Verfahren das
gleiche. Während ich aber dann so offen, wie ich es auch
meine, die alleinige Schuld dir zuschreibe, willst du
gleichzeitig ›übergescheit‹ und ›überzärtlich‹ sein und
auch mich von jeder Schuld freisprechen. Natürlich ge-
25 lingt dir das Letztere nur scheinbar (mehr willst du ja
auch nicht) und es ergibt sich zwischen den Zeilen trotz
aller ›Redensarten‹ von Wesen und Natur und Gegensatz und Hilflosigkeit, dass eigentlich ich der Angreifer
gewesen bin, während alles, was du getrieben hast, nur
30 Selbstwehr war. Jetzt hättest du also schon durch deine
Unaufrichtigkeit genug erreicht, denn du hast dreierlei
bewiesen, erstens, dass du unschuldig bist, zweitens,
dass ich schuldig bin, und drittens, dass du aus lauter
Großartigkeit bereit bist, nicht nur mir zu verzeihn, son-
35 dern, was mehr oder weniger ist, auch noch zu beweisen
und es selbst glauben zu wollen, dass ich, allerdings entgegen der Wahrheit, auch unschuldig bin. Das könnte
dir jetzt schon genügen, aber es genügt dir noch nicht.
Du hast es dir nämlich in den Kopf gesetzt, ganz und
40 gar von mir leben zu wollen. Ich gebe zu, dass wir mit-

einander kämpfen, aber es gibt zweierlei Kampf. Den
ritterlichen Kampf, wo sich die Kräfte selbstständiger
Gegner messen, jeder bleibt für sich, verliert für sich,
siegt für sich. Und den Kampf des Ungeziefers, welches
nicht nur sticht, sondern gleich auch zu seiner Lebenser- 5
haltung das Blut saugt. Das ist ja der eigentliche Berufs-
soldat, und das bist du. Lebensuntüchtig bist du; um es
dir darin bequem, sorgenlos und ohne Selbstvorwürfe
einrichten zu können, beweist du, dass ich alle deine Le-
benstüchtigkeit dir genommen und in meine Tasche ge- 10
steckt habe. Was kümmert es dich jetzt, wenn du lebensuntüchtig bist, ich habe ja die Verantwortung, du aber
streckst dich ruhig aus und lässt dich, körperlich und
geistig, von mir durchs Leben schleifen. Ein Beispiel: Als
du letztlich heiraten wolltest, wolltest du, das gibst du ja 15
in diesem Brief zu, gleichzeitig nicht heiraten, wolltest
aber, um dich nicht anstrengen zu müssen, dass ich dir
zum Nichtheiraten verhelfe, indem ich wegen der
›Schande‹, die die Verbindung meinem Namen machen
würde, dir diese Heirat verbiete. Das fiel mir nun aber 20
gar nicht ein. Erstens wollte ich dir hier wie auch sonst
nie ›in deinem Glück hinderlich sein‹ und zweitens will
ich niemals einen derartigen Vorwurf von meinem Kind
zu hören bekommen. Hat mir aber die Selbstüberwindung, mit der ich dir die Heirat freistellte, etwas gehol- 25
fen? Nicht das Geringste. Meine Abneigung gegen die
Heirat hätte sie nicht verhindert, im Gegenteil, es wäre
an sich noch ein Anreiz mehr für dich gewesen, das
Mädchen zu heiraten, denn der ›Fluchtversuch‹, wie du
dich ausdrückst, wäre ja dadurch vollkommen gewor- 30
den. Und meine Erlaubnis zur Heirat hat deine Vorwürfe nicht verhindert, denn du beweist ja, dass ich auf jeden Fall an deinem Nichtheiraten schuld bin. Im Grunde
aber hast du hier und in allem anderen für mich nichts
anderes bewiesen, als dass alle meine Vorwürfe berech- 35
tigt waren und dass unter ihnen noch ein besonders be-
rechtigter Vorwurf gefehlt hat, nämlich der Vorwurf der
Unaufrichtigkeit, der Liebedienerei, des Schmarotzer-
tums. Wenn ich nicht sehr irre, schmarotzest du an mir
noch mit diesem Brief als solchem.« 40

Darauf antworte ich, dass zunächst dieser ganze Einwurf, der sich zum Teil auch gegen dich kehren lässt,
nicht von dir stammt, sondern eben von mir. So groß ist
ja nicht einmal dein Misstrauen gegen andere wie mein
5 Selbstmisstrauen, zu dem du mich erzogen hast. Eine
gewisse Berechtigung des Einwurfes, der ja auch noch
an sich zur Charakterisierung unseres Verhältnisses
Neues beiträgt, leugne ich nicht. So können natürlich die
Dinge in Wirklichkeit nicht aneinanderpassen, wie die
10 Beweise in meinem Brief, das Leben ist mehr als ein Ge-
duldspiel; aber mit der Korrektur, die sich durch diesen
Einwurf ergibt, einer Korrektur, die ich im Einzelnen
weder ausführen kann noch will, ist meiner Meinung
nach doch etwas der Wahrheit so sehr Angenähertes er-
15 reicht, dass es uns beide ein wenig beruhigen und Leben
und Sterben leichter machen kann.

Franz

# Anhang

## 1. Franz Kafka – Biografisches

Der Abiturient
(Archiv Klaus Wagenbach, Berlin)

Der Vater
Hermann Kafka (um 1883)
(bpk, Berlin)

Die Mutter
Julie, geb. Löwy (um 1883)
(bpk, Berlin)

*Ottla,*
*Kafkas Lieblings-*
*schwester (um 1918)*
(Archiv Klaus Wagenbach, Berlin)

Der Student
(bpk, Berlin)

## Kurzbiografie

Am 3. Juli 1883 wurde Franz Kafka als erstes Kind des jüdischen Kaufmanns Herrmann Kafka und seiner Frau Julie, geb. Löwy, in Prag geboren.

Nach dem Besuch des Altstädter Deutschen Gymnasiums,
5 wo er 1901 die Reifeprüfung bestand, studierte er Jura an der Deutschen Universität in Prag. Im Juni 1906 promovierte er zum Doktor der Rechte. Nach einem Praktikum am Landes- und Strafgericht erhielt er 1907 eine Anstellung bei der Versicherungsgesellschaft „Assicurazioni Ge-
10 nerali" in Prag.

1908 wechselte Kafka zu der Arbeiter-Unfall-Versicherungsanstalt für das Königreich Böhmen in Prag, wo er bis zu seiner krankheitsbedingten Pensionierung 1922 beschäftigt war. Obwohl Kafka ein gewissenhafter Jurist ge-
15 wesen ist, der durch Veröffentlichungen zu Fragen des Versicherungsrechtes in Fachkreisen über Prag hinaus Anerkennung fand, hielt er seine literarische Bestimmung „für die ergiebigste Richtung seines Wesens", der er alle anderen Interessen unterordnete.

20 „Von der Literatur aus gesehen", schreibt er in den Tagebüchern, „ist mein Schicksal sehr einfach. Der Sinn für die Darstellung meines traumhaften inneren Lebens hat alles andere ins Nebensächliche gerückt, und es ist in einer schrecklichen Weise verkümmert und hört nicht auf zu
25 verkümmern. Nichts anderes kann mich jemals zufriedenstellen."

Doch die Erwerbsarbeit und „sein Schreiben", wie Kafka seine Arbeit als Schriftsteller stets bescheiden nannte, waren nur schwer miteinander zu vereinbaren. „[...] diese zwei Be-
30 rufe (können) einander niemals ertragen und ein gemeinsames Glück zulassen. Das kleinste Glück in einem wird ein großes Unglück im zweiten. Habe ich an einem Abend Gutes geschrieben, brenne ich am nächsten Tag im Büro und kann nichts fertigbringen. Dieses Hin und Her wird immer ärger.
35 Im Büro genüge ich äußerlich meinen Pflichten, meinen inneren Pflichten aber nicht, und jede nicht erfüllte innere Pflicht wird zu einem Unglück, das sich aus mir nicht mehr rührt."

(Tagebücher, 44f.)

Der Konflikt wird noch verschärft durch die unerfüllten Erwartungen der Familie – besonders des Vaters – im Zusammenhang mit der Asbestfabrik des Schwagers, bei der Kafka stiller Teilhaber war. Da der Vater ihm das nötige Kapital geliehen hatte, erwartete er nun vom Sohn, dass er sich mit um die Firma kümmere, statt seine freie Zeit mit Schreiben oder im Kreis von Literaten und Schauspielern zu verbringen.

Dass Kafka diese Forderungen als berechtigt empfand, ohne ihnen entsprechen zu können, vermehrte sein Gefühl von Schuld und Fremdheit „unter den wohlmeinendsten und liebsten Menschen".

Auch seine vergeblichen Heiratsversuche müssen in diesem Zusammenhang gesehen werden. Seine Briefe und Tagebucheintragungen machen deutlich, dass Kafka seinen Lebensrhythmus (am Tage Büroarbeit; in der Nacht sein Schreiben) durch die lebendige Anwesenheit der Partnerinnen (Felice, Julie, Milena) so bedroht sah, dass er immer neue Gründe fand, warum man sich trennen müsse, obwohl er andererseits nichts sehnlicher wünschte als die bürgerliche Sicherheit eines ganz normalen Familienlebens.

Dennoch dürfen wir uns Kafka nicht als einen ungeselligen, vereinsamten Menschen vorstellen. Er liebte das Theater, interessierte sich für technische Neuerungen, brauchte das regelmäßige Gespräch mit Freunden.

Eine Beziehung, die besonders für sein literarisches Werk von Bedeutung war, ist die zu Max Brod, dem Romanschriftsteller und Theater- und Musikkritiker des „Prager Tagesblatt". Max Brod, der über die notwendigen Verbindungen zu Verlegern verfügte, um im literarischen Leben Fuß zu fassen, drängte Kafka zur Veröffentlichung seiner Texte. Doch Kafka zögerte. Besonders seine frühen Stücke fand er noch nicht wert, der Öffentlichkeit zugänglich gemacht zu werden.

Das änderte sich mit der Erzählung „Das Urteil" (1912), die er in einer einzigen Nacht schrieb und die seinem kritischen Blick standhielt. Im gleichen Jahr folgen „Die Verwandlung" und das erste Kapitel des Romans „Der Verschollene", der nach Kafkas Tod von Max Brod unter dem Titel „Amerika" herausgegeben wurde.

In den folgenden Jahren entstehen zahlreiche Erzählungen und kurze Prosatexte, darunter „In der Strafkolonie" (1915), der „Bericht für eine Akademie", die „Landarzt-Novellen" (1916), daneben Arbeit an dem Roman „Der
5 Prozess" (ab 1914).

1917 bricht Kafkas Erkrankung an der Lungentuberkulose aus, die zahlreiche Kuraufenthalte nötig macht. Im November 1919 schreibt er den „Brief an den Vater". 1922 beginnt Kafka mit der Arbeit an dem Roman „Das Schloss",
10 und es entsteht die Erzählung „Ein Hungerkünstler".

1923 übersiedelt der Dichter nach einem längeren Aufenthalt bei seiner Schwester Ottla in Schelesen nach Berlin zu Dora Diamant.

Hier entstehen „Eine kleine Frau" und „Der Bau". Im März
15 1924 ist Kafka wieder für kurze Zeit in Prag, wo er „Josefine, die Sängerin" schreibt. Ab April des gleichen Jahres hält er sich im Sanatorium Hoffmann in Kierling bei Klosterneuburg auf, wo er am 3. Juni, einen Monat vor Vollendung seines 41. Lebensjahres, stirbt.

20 Die Beisetzung findet auf dem jüdischen Friedhof in Prag (Strasnice) statt.

Sein Werk hat in den letzten 50 Jahren eine weltweite Verbreitung gefunden, die unter anderem auch in der Wortbildung „kafkaesk" zum Ausdruck kommt.

Das letzte Bild (Berlin 1923/24)
(bpk, Berlin)

## 2. Franz Kafka – Weitere Werke

*Eine Geschichte von Franz Kafka.*
*Für Fräulein Felice B.[1]*

### Das Urteil[2]

Es war an einem Sonntagvormittag im schönsten Frühjahr.
Georg Bendemann, ein junger Kaufmann[3], saß in seinem
Privatzimmer im ersten Stock eines der niedrigen, leicht
gebauten Häuser, die entlang des Flusses in einer langen
5 Reihe, fast nur in der Höhe und Färbung unterschieden,
sich hinzogen. Er hatte gerade einen Brief an einen sich im
Ausland befindenden Jugendfreund beendet, verschloss ihn
in spielerischer Langsamkeit und sah dann, den Ellbogen
auf den Schreibtisch gestützt, aus dem Fenster auf den
10 Fluss, die Brücke und die Anhöhen am anderen Ufer mit
ihrem schwachen Grün.
Er dachte darüber nach, wie dieser Freund, mit seinem
Fortkommen zu Hause unzufrieden, vor Jahren schon nach
Russland[4] sich förmlich geflüchtet hatte. Nun betrieb er
15 ein Geschäft in Petersburg[5], das anfangs sich sehr gut an-
gelassen hatte, seit langem aber schon zu stocken schien,
wie der Freund bei seinen immer seltener werdenden Besuchen klagte. So arbeitete er sich in der Fremde nutzlos
ab, der fremdartige Vollbart verdeckte nur schlecht das
20 seit den Kinderjahren wohlbekannte Gesicht, dessen gelbe

---

[1]  Widmung für Felice Bauer, Kafkas Verlobte
[2]  Den Titel „Das Urteil" gab Kafka seiner *Geschichte* erst nach der
     Niederschrift der Erzählung, die Kafka nach eigenen Angaben (Ta-
     gebücher, 442) in einer einzigen Nacht (vom 22. zum 23. Septem-
     ber 1912) von 10 Uhr abends bis 6 Uhr am Morgen geschrieben
     hat (Tagebücher, 460).
[3]  Im Werk Kafkas gibt es mehrere Texte, in denen die Hauptfigur
     Kaufmann ist, sicher eine Nachwirkung der Tatsache, dass Kafkas
     Vater ein Geschäft betrieb, das im Bewusstsein der Familie eine
     bedeutende Rolle spielte.
[4]  bis 1917 Bezeichnung für das gesamte russische Reich
[5]  bis 1917 Residenz des Zaren und Hauptstadt Russlands

Hautfarbe auf eine sich entwickelnde Krankheit hinzu-
deuten schien. Wie er erzählte, hatte er keine rechte Verbindung mit der dortigen Kolonie seiner Landsleute[1], aber
auch fast keinen gesellschaftlichen Verkehr mit einheimi-
schen Familien und richtete sich so für ein endgültiges ₅
Junggesellentum ein.

Was sollte man einem solchen Manne schreiben, der sich
offenbar verrannt hatte, den man bedauern, dem man aber
nicht helfen konnte. Sollte man ihm vielleicht raten, wieder nach Hause zu kommen, seine Existenz hierher zu ₁₀
verlegen, alle die alten freundschaftlichen Beziehungen
wieder aufzunehmen – wofür ja kein Hindernis bestand –
und im Übrigen auf die Hilfe der Freunde zu vertrauen?
Das bedeutete aber nichts anderes, als dass man ihm
gleichzeitig, je schonender, desto kränkender, sagte, dass ₁₅
seine bisherigen Versuche misslungen seien, dass er endlich von ihnen ablassen solle, dass er zurückkehren und
sich als ein für immer Zurückgekehrter von allen mit
großen Augen anstaunen lassen müsse, dass nur seine
Freunde etwas verstünden und dass er ein altes Kind sei, ₂₀
das den erfolgreichen, zu Hause gebliebenen Freunden einfach zu folgen habe. Und war es dann noch sicher, dass alle
die Plage, die man ihm antun müsste, einen Zweck hätte?
Vielleicht gelang es nicht einmal, ihn überhaupt nach Hause
zu bringen – er sagte ja selbst, dass er die Verhältnisse in ₂₅
der Heimat nicht mehr verstünde – und so bliebe er dann
trotz allem in seiner Fremde, verbittert durch die Ratschläge und den Freunden noch ein Stück mehr entfremdet. Folgte er aber wirklich dem Rat und würde hier –
natürlich nicht mit Absicht, aber durch die Tatsachen – nie- ₃₀
dergedrückt, fände sich nicht in seinen Freunden und nicht
ohne sie zurecht, litte an Beschämung, hätte jetzt wirklich
keine Heimat und keine Freunde mehr, war es da nicht viel
besser für ihn, er bliebe in der Fremde, so wie er war?
Konnte man denn bei solchen Umständen daran denken, ₃₅
dass er es hier tatsächlich vorwärtsbringen würde?
Aus diesen Gründen konnte man ihm, wenn man noch
überhaupt die briefliche Verbindung aufrechterhalten woll-

---

[1]  Gruppe von Aussiedlern gleicher Nationalität im Ausland

te, keine eigentlichen Mitteilungen machen, wie man sie
ohne Scheu auch den entferntesten Bekannten machen
würde. Der Freund war nun schon über drei Jahre nicht in
der Heimat gewesen und erklärte dies sehr notdürftig mit
5 der Unsicherheit der politischen Verhältnisse[1] in Russland,
die demnach also auch die kürzeste Abwesenheit eines
kleinen Geschäftsmannes nicht zuließen, während hun-
derttausende Russen ruhig in der Welt herumfuhren. Im
Laufe dieser drei Jahre hatte sich aber gerade für Georg
10 vieles verändert. Von dem Todesfall von Georgs Mutter,
der vor etwa zwei Jahren erfolgt war und seit welchem
Georg mit seinem alten Vater in gemeinsamer Wirtschaft
lebte, hatte der Freund wohl noch erfahren und sein Bei-
leid in einem Brief mit einer Trockenheit ausgedrückt, die
15 ihren Grund nur darin haben konnte, dass die Trauer über
ein solches Ereignis in der Fremde ganz unvorstellbar wird.
Nun hatte aber Georg seit jener Zeit, so wie alles andere,
auch sein Geschäft mit größerer Entschlossenheit ange-
packt. Vielleicht hatte ihn der Vater bei Lebzeiten der Mut-
20 ter dadurch, dass er im Geschäft nur seine Ansicht gelten
lassen wollte, an einer wirklichen eigenen Tätigkeit gehin-
dert, vielleicht war der Vater seit dem Tode der Mutter,
trotzdem er noch immer im Geschäfte arbeitete, zurück-
haltender geworden, vielleicht spielten – was sogar sehr
25 wahrscheinlich war – glückliche Zufälle eine weit wichtige-
re Rolle, jedenfalls aber hatte sich das Geschäft in diesen
zwei Jahren ganz unerwartet entwickelt, das Personal hatte man verdoppeln müssen, der Umsatz[2] hatte sich ver-
fünffacht, ein weiterer Fortschritt stand zweifellos bevor.
30 Der Freund aber hatte keine Ahnung von dieser Veränderung. Früher, zum letzten Mal vielleicht in jenem Beileids-

---

1 Hinweis auf die unter Intellektuellen und der Arbeiterschaft ver-
breitete Unzufriedenheit mit dem zaristischen System, die sich am
21.1.1905 in Demonstrationen gegen die Politik der Regierung ent-
lud. Die Truppen des Zaren beantworteten die Proteste der Bevölkerung mit äußerster Härte.
2 Wert der verkauften Erzeugnisse oder erbrachten Leistungen,
wichtige Zahl zur Bestimmung der Wirtschaftlichkeit eines Unter-
nehmens

brief, hatte er Georg zur Auswanderung nach Russland
überreden wollen und sich über die Aussichten verbreitet,
die gerade für Georgs Geschäftszweig in Petersburg bestanden. Die Ziffern waren verschwindend gegenüber dem
Umfang, den Georgs Geschäft jetzt angenommen hatte. 5
Georg aber hatte keine Lust gehabt, dem Freund von seinen geschäftlichen Erfolgen zu schreiben, und hätte er es
jetzt nachträglich getan, es hätte wirklich einen merkwür-
digen Anschein gehabt.

So beschränkte sich Georg darauf, dem Freund immer nur 10
über bedeutungslose Vorfälle zu schreiben, wie sie sich,
wenn man an einem ruhigen Sonntag nachdenkt, in der Erinnerung ungeordnet aufhäufen. Er wollte nichts anderes,
als die Vorstellung ungestört lassen, die sich der Freund
von der Heimatstadt in der langen Zwischenzeit wohl ge- 15
macht und mit welcher er sich abgefunden hatte. So geschah es Georg, dass er dem Freund die Verlobung eines
gleichgültigen Menschen mit einem ebenso gleichgültigen
Mädchen dreimal in ziemlich weit auseinanderliegenden
Briefen anzeigte, bis sich dann allerdings der Freund, ganz 20
gegen Georgs Absicht, für diese Merkwürdigkeit zu inter-
essieren begann.

Georg schrieb ihm aber solche Dinge viel lieber, als dass
er zugestanden hätte, dass er selbst vor einem Monat mit
einem Fräulein Frieda Brandenfeld[1], einem Mädchen aus 25
wohlhabender Familie, sich verlobt hatte. Oft sprach er
mit seiner Braut über diesen Freund und das besondere
Korrespondenzverhältnis, in welchem er zu ihm stand.
„Da wird er gar nicht zu unserer Hochzeit kommen", sagte sie, „und ich habe doch das Recht, alle deine Freunde 30
kennenzulernen." „Ich will ihn nicht stören", antwortete
Georg, „verstehe mich recht, er würde wahrscheinlich
kommen, wenigstens glaube ich es, aber er würde sich ge-

---

[1] Die Anfangsbuchstaben dieses Namens sind identisch mit denen
von Felice Bauer. Am 11. Februar 1913 vermerkte Kafka in seinem
Tagebuch: „Frieda hat ebenso viel Buchstaben wie Felice und den
gleichen Anfangsbuchstaben, Brandenfeld hat den gleichen Anfangsbuchstaben wie Bauer und durch das Wort ‚Feld' auch in der Bedeutung eine gewisse Beziehung."

zwungen und geschädigt fühlen, vielleicht mich beneiden
und sicher unzufrieden und unfähig, diese Unzufriedenheit
jemals zu beseitigen, allein wieder zurückfahren. Allein –
weißt du, was das ist?" „Ja, kann er denn von unserer Hei-
5 rat nicht auch auf andere Weise erfahren?" „Das kann ich
allerdings nicht verhindern, aber es ist bei seiner Lebensweise unwahrscheinlich." „Wenn du solche Freunde hast,
Georg, hättest du dich überhaupt nicht verloben sollen."
„Ja, das ist unser beider Schuld; aber ich wollte es auch
10 jetzt nicht anders haben." Und wenn sie dann, rasch at-
mend unter seinen Küssen, noch vorbrachte: „Eigentlich
kränkt es mich doch", hielt er es wirklich für unverfäng-
lich, dem Freund alles zu schreiben. „So bin ich und so hat
er mich hinzunehmen", sagte er sich, „ich kann nicht aus
15 mir einen Menschen herausschneiden, der vielleicht für die
Freundschaft mit ihm geeigneter wäre, als ich es bin."
Und tatsächlich berichtete er seinem Freunde in dem langen Brief, den er an diesem Sonntagvormittag schrieb, die
erfolgte Verlobung mit folgenden Worten: „Die beste
20 Neuigkeit habe ich mir bis zum Schluss aufgespart. Ich habe mich mit einem Fräulein Frieda Brandenfeld verlobt, einem Mädchen aus einer wohlhabenden Familie, die sich
hier erst lange nach deiner Abreise angesiedelt hat, die du
also kaum kennen dürftest. Es wird sich noch Gelegenheit
25 finden, dir Näheres über meine Braut mitzuteilen, heute
genüge dir, dass ich recht glücklich bin und dass sich in unserem gegenseitigen Verhältnis nur insofern etwas geän-
dert hat, als du jetzt in mir statt eines ganz gewöhnlichen
Freundes einen glücklichen Freund haben wirst. Außerdem
30 bekommst du in meiner Braut, die dich herzlich grüßen
lässt und die dir nächstens selbst schreiben wird, eine auf-
richtige Freundin, was für einen Junggesellen nicht ganz ohne Bedeutung ist. Ich weiß, es hält dich vielerlei von einem
Besuche bei uns zurück, wäre aber nicht gerade meine
35 Hochzeit die richtige Gelegenheit, einmal alle Hindernisse
über den Haufen zu werfen? Aber wie dies auch sein mag,
handle ohne alle Rücksicht und nur nach deiner Wohlmei-
nung."
Mit diesem Brief in der Hand war Georg lange, das Ge-
40 sicht dem Fenster zugekehrt, an seinem Schreibtisch ge-

sessen. Einem Bekannten, der ihn im Vorübergehen von
der Gasse aus gegrüßt hatte, hatte er kaum mit einem ab-
wesenden Lächeln geantwortet.

Endlich steckte er den Brief in die Tasche und ging aus seinem Zimmer quer durch einen kleinen Gang in das Zim- 5
mer seines Vaters, in dem er schon seit Monaten nicht gewesen war. Es bestand auch sonst keine Nötigung dazu,
denn er verkehrte mit seinem Vater ständig im Geschäft,
das Mittagessen nahmen sie gleichzeitig in einem Speise-
haus ein, abends versorgte sich zwar jeder nach Belieben, 10
doch saßen sie dann meistens, wenn nicht Georg, wie es
am häufigsten geschah, mit Freunden beisammen war oder
jetzt seine Braut besuchte, noch ein Weilchen, jeder mit
seiner Zeitung, im gemeinsamen Wohnzimmer.

Georg staunte darüber, wie dunkel das Zimmer des Vaters 15
selbst an diesem sonnigen Vormittag war. Einen solchen
Schatten warf also die hohe Mauer, die sich jenseits des
schmalen Hofes erhob. Der Vater saß beim Fenster in einer Ecke, die mit verschiedenen Andenken an die selige
Mutter ausgeschmückt war, und las die Zeitung, die er 20
seitlich vor die Augen hielt, wodurch er irgendeine Augen-
schwäche auszugleichen suchte. Auf dem Tisch standen die
Reste des Frühstücks, von dem nicht viel verzehrt zu sein
schien.

„Ah, Georg!", sagte der Vater und ging ihm gleich entge- 25
gen. Sein schwerer Schlafrock öffnete sich im Gehen, die
Enden umflatterten ihn – „Mein Vater ist noch immer ein
Riese", sagte sich Georg.

„Hier ist es ja unerträglich dunkel", sagte er dann.

„Ja, dunkel ist es schon", antwortete der Vater.          30

„Das Fenster hast du auch geschlossen?"

„Ich habe es lieber so."

„Es ist ja ganz warm draußen", sagte Georg, wie im Nach-
hang zu dem Früheren, und setzte sich.

Der Vater räumte das Frühstücksgeschirr ab und stellte es 35
auf einen Kasten.

„Ich wollte dir eigentlich nur sagen", fuhr Georg fort, der
den Bewegungen des alten Mannes ganz verloren folgte,
„dass ich nun doch nach Petersburg meine Verlobung an-
gezeigt habe."                                             40

Er zog den Brief ein wenig aus der Tasche und ließ ihn wieder zurückfallen.

„Wieso nach Petersburg?", fragte der Vater.

„Meinem Freunde doch", sagte Georg und suchte des Va-
5 ters Augen. — „Im Geschäft ist er doch ganz anders", dachte er, „wie er hier breit sitzt und die Arme über der Brust kreuzt."

„Ja. Deinem Freunde", sagte der Vater mit Betonung.

„Du weißt doch, Vater, dass ich ihm meine Verlobung zu-
10 erst verschweigen wollte. Aus Rücksichtnahme, aus keinem anderen Grunde sonst. Du weißt selbst, er ist ein schwieriger Mensch. Ich sagte mir, von anderer Seite kann er von meiner Verlobung wohl erfahren, wenn das auch bei seiner einsamen Lebensweise kaum wahrscheinlich ist
15 — das kann ich nicht hindern —, aber von mir selbst soll er es nun einmal nicht erfahren."

„Und jetzt hast du es dir wieder anders überlegt?", fragte der Vater, legte die große Zeitung auf den Fensterbord und auf die Zeitung die Brille, die er mit der Hand bedeckte.

20 „Ja, jetzt habe ich es mir wieder überlegt. Wenn er mein guter Freund ist, sagte ich mir, dann ist meine glückliche Verlobung auch für ihn ein Glück. Und deshalb habe ich nicht mehr gezögert, es ihm anzuzeigen. Ehe ich jedoch den Brief einwarf, wollte ich es dir sagen."

25 „Georg", sagte der Vater und zog den zahnlosen Mund in die Breite, „hör einmal! Du bist wegen dieser Sache zu mir gekommen, um dich mit mir zu beraten. Das ehrt dich ohne Zweifel. Aber es ist nichts, es ist ärger als nichts, wenn du mir jetzt nicht die volle Wahrheit sagst. Ich will
30 nicht Dinge aufrühren, die nicht hierher gehören. Seit dem Tode unserer teuren Mutter sind gewisse unschöne Dinge vorgegangen. Vielleicht kommt auch für sie die Zeit und vielleicht kommt sie früher, als wir denken. Im Geschäft entgeht mir manches, es wird mir vielleicht auch verbor-
35 gen — ich will jetzt gar nicht die Annahme machen, dass es mir verborgen wird —, ich bin nicht mehr kräftig genug, mein Gedächtnis lässt nach, ich habe nicht mehr den Blick für alle die vielen Sachen. Das ist erstens der Ablauf der Natur und zweitens hat mich der Tod unseres Mütter-
40 chens viel mehr niedergeschlagen als dich. — Aber weil wir

gerade bei dieser Sache halten, bei diesem Brief, so bitte
ich dich, Georg, täusche mich nicht. Es ist eine Kleinigkeit,
es ist nicht des Atems wert, also täusche mich nicht. Hast
du wirklich diesen Freund in Petersburg?"

Georg stand verlegen auf. „Lassen wir meine Freunde sein. 5
Tausend Freunde ersetzen mir nicht meinen Vater. Weißt
du, was ich glaube? Du schonst dich nicht genug. Aber das
Alter verlangt seine Rechte. Du bist mir im Geschäft un-
entbehrlich, das weißt du ja sehr genau, aber wenn das
Geschäft deine Gesundheit bedrohen sollte, sperre ich es 10
noch morgen für immer. Das geht nicht. Wir müssen da
eine andere Lebensweise für dich einführen. Aber von
Grund aus. Du sitzt hier im Dunkel, und im Wohnzimmer
hättest du schönes Licht. Du nippst vom Frühstück, statt
dich ordentlich zu stärken. Du sitzt bei geschlossenem 15
Fenster, und die Luft würde dir so gut tun. Nein, mein Vater! Ich werde den Arzt holen und seinen Vorschriften
werden wir folgen. Die Zimmer werden wir wechseln, du
wirst ins Vorderzimmer ziehen, ich hierher. Es wird keine
Veränderung für dich sein, alles wird mit übertragen wer- 20
den. Aber das alles hat Zeit, jetzt lege dich noch ein wenig
ins Bett, du brauchst unbedingt Ruhe. Komm, ich werde
dir beim Ausziehn helfen, du wirst sehn, ich kann es. Oder
willst du gleich ins Vorderzimmer gehn, dann legst du dich
vorläufig in mein Bett. Das wäre übrigens sehr vernünftig." 25
Georg stand knapp neben seinem Vater, der den Kopf mit
dem struppigen weißen Haar auf die Brust hatte sinken
lassen.

„Georg", sagte der Vater leise, ohne Bewegung.

Georg kniete sofort neben dem Vater nieder, er sah die 30
Pupillen in dem müden Gesicht des Vaters übergroß in den
Winkeln der Augen auf sich gerichtet.

„Du hast keinen Freund in Petersburg. Du bist immer ein
Spaßmacher gewesen und hast dich auch mir gegenüber
nicht zurückgehalten. Wie solltest du denn gerade dort ei- 35
nen Freund haben! Das kann ich gar nicht glauben."

„Denk doch noch einmal nach, Vater", sagte Georg, hob
den Vater vom Sessel und zog ihm, wie er nun doch recht
schwach dastand, den Schlafrock aus, „jetzt wird es bald
drei Jahre her sein, da war ja mein Freund bei uns zu Be- 40

such. Ich erinnere mich noch, dass du ihn nicht besonders gern hattest. Wenigstens zweimal habe ich ihn vor dir verleugnet, trotzdem er gerade bei mir im Zimmer saß. Ich konnte ja deine Abneigung gegen ihn ganz gut verstehn,
5 mein Freund hat seine Eigentümlichkeiten. Aber dann hast du dich doch auch wieder ganz gut mit ihm unterhalten. Ich war damals noch so stolz darauf, dass du ihm zuhörtest, nicktest und fragtest. Wenn du nachdenkst, musst du dich erinnern. Er erzählte damals unglaubliche Geschich-
10 ten von der russischen Revolution. Wie er z. B. auf einer Geschäftsreise in Kiew bei einem Tumult einen Geistlichen auf einem Balkon gesehen hatte, der sich ein breites Blutkreuz in die flache Hand schnitt, diese Hand erhob und die Menge anrief. Du hast ja selbst diese Geschichte hie und
15 da wiedererzählt."
Währenddessen war es Georg gelungen, den Vater wieder niederzusetzen und ihm die Trikothose, die er über den Leinenunterhosen trug, sowie die Socken vorsichtig auszuziehn. Beim Anblick der nicht besonders reinen Wäsche
20 machte er sich Vorwürfe, den Vater vernachlässigt zu haben. Es wäre sicherlich auch seine Pflicht gewesen, über den Wäschewechsel seines Vaters zu wachen. Er hatte mit seiner Braut darüber, wie sie die Zukunft des Vaters einrichten wollten, noch nicht ausdrücklich gesprochen, denn
25 sie hatten stillschweigend vorausgesetzt, dass der Vater allein in der alten Wohnung bleiben würde. Doch jetzt entschloss er sich kurz mit aller Bestimmtheit, den Vater in seinen künftigen Haushalt mitzunehmen. Es schien ja fast, wenn man genauer zusah, dass die Pflege, die dort dem
30 Vater bereitet werden sollte, zu spät kommen könnte.
Auf seinen Armen trug er den Vater ins Bett. Ein schreckliches Gefühl hatte er, als er während der paar Schritte zum Bett hin merkte, dass an seiner Brust der Vater mit seiner Uhrkette spielte. Er konnte ihn nicht gleich ins Bett legen,
35 so fest hielt er sich an dieser Uhrkette.
Kaum war er aber im Bett, schien alles gut. Er deckte sich selbst zu und zog dann die Bettdecke noch besonders weit über die Schulter. Er sah nicht unfreundlich zu Georg hinauf. „Nicht wahr, du erinnerst dich schon an ihn?", fragte Ge-
40 org und nickte ihm aufmunternd zu.

„Bin ich jetzt gut zugedeckt?", fragte der Vater, als könne
er nicht nachschauen, ob die Füße genug bedeckt seien.
„Es gefällt dir also schon im Bett", sagte Georg und legte
das Deckzeug besser um ihn.
„Bin ich gut zugedeckt?", fragte der Vater noch einmal und  5
schien auf die Antwort besonders aufzupassen.
„Sei nur ruhig, du bist gut zugedeckt."
„Nein!", rief der Vater, dass die Antwort an die Frage
stieß, warf die Decke zurück mit einer Kraft, dass sie einen Augenblick im Fluge sich ganz entfaltete, und stand  10
aufrecht im Bett. Nur eine Hand hielt er leicht an den Plafond. „Du wolltest mich zudecken, das weiß ich, mein
Früchtchen, aber zugedeckt bin ich noch nicht. Und ist es
auch die letzte Kraft, genug für dich, zu viel für dich. Wohl
kenne ich deinen Freund. Er wäre ein Sohn nach meinem  15
Herzen. Darum hast du ihn auch betrogen die ganzen Jahre lang. Warum sonst? Glaubst du, ich habe nicht um ihn
geweint? Darum doch sperrst du dich in dein Büro, niemand soll stören, der Chef ist beschäftigt – nur damit du
deine falschen Briefchen nach Russland schreiben kannst.  20
Aber den Vater muss glücklicherweise niemand lehren,
den Sohn zu durchschauen. Wie du jetzt geglaubt hast, du
hättest ihn untergekriegt, so untergekriegt, dass du dich
mit deinem Hintern auf ihn setzen kannst und er rührt
sich nicht, da hat sich mein Herr Sohn zum Heiraten ent-  25
schlossen!"
Georg sah zum Schreckbild seines Vaters auf. Der Peters-
burger Freund, den der Vater plötzlich so gut kannte, ergriff ihn, wie noch nie. Verloren im weiten Russland sah er
ihn. An der Türe des leeren, ausgeraubten Geschäftes sah  30
er ihn. Zwischen den Trümmern der Regale, den zerfetz-
ten Waren, den fallenden Gasarmen stand er gerade noch.
Warum hatte er so weit wegfahren müssen!
„Aber schau mich an!", rief der Vater, und Georg lief, fast
zerstreut, zum Bett, um alles zu fassen, stockte aber in der  35
Mitte des Weges.
„Weil sie die Röcke gehoben hat", fing der Vater zu flöten
an, „weil sie die Röcke gehoben hat, die widerliche Gans",
und er hob, um das darzustellen, sein Hemd so hoch, dass
man auf seinem Oberschenkel die Narbe aus seinen  40

Kriegsjahren sah, „weil sie die Röcke so und so und so gehoben hat, hast du dich an sie herangemacht, und damit du
an ihr ohne Störung dich befriedigen kannst, hast du unserer Mutter Andenken geschändet, den Freund verraten
5 und deinen Vater ins Bett gesteckt, damit er sich nicht
rühren kann. Aber kann er sich rühren oder nicht?"
Und er stand vollkommen frei und warf die Beine. Er
strahlte vor Einsicht.
Georg stand in einem Winkel, möglichst weit vom Vater.
10 Vor einer langen Weile hatte er sich fest entschlossen, alles
vollkommen genau zu beobachten, damit er nicht irgendwie auf Umwegen, von hinten her, von oben herab überrascht werden könne. Jetzt erinnerte er sich wieder an
den längst vergessenen Entschluss und vergaß ihn, wie man
15 einen kurzen Faden durch ein Nadelöhr zieht.
„Aber der Freund ist nun doch nicht verraten!", rief der
Vater, und sein hin- und her bewegter Zeigefinger bekräftigte es. „Ich war sein Vertreter hier am Ort."
„Komödiant!", konnte sich Georg zu rufen nicht enthalten,
20 erkannte sofort den Schaden und biss, nur zu spät, – die
Augen erstarrt – in seine Zunge, dass er vor Schmerz ein-
knickte.
„Ja, freilich habe ich Komödie gespielt! Komödie! Gutes
Wort! Welcher andere Trost blieb dem alten verwitweten
25 Vater? Sag – und für den Augenblick der Antwort sei du
noch mein lebender Sohn –, was blieb mir übrig, in meinem Hinterzimmer, verfolgt vom ungetreuen Personal, alt
bis in die Knochen? Und mein Sohn ging im Jubel durch die
Welt, schloss Geschäfte ab, die ich vorbereitet hatte,
30 überpurzelte sich vor Vergnügen und ging vor seinem Vater mit dem verschlossenen Gesicht eines Ehrenmannes
davon! Glaubst du, ich hätte dich nicht geliebt, ich, von
dem du ausgingst?"
„Jetzt wird er sich vorbeugen", dachte Georg, „wenn er
35 fiele und zerschmetterte!" Dieses Wort durchzischte seinen Kopf.
Der Vater beugte sich vor, fiel aber nicht. Da Georg sich
nicht näherte, wie er erwartet hatte, erhob er sich wieder.
„Bleib, wo du bist, ich brauche dich nicht! Du denkst, du
40 hast noch die Kraft, hierherzukommen, und hältst dich

bloß zurück, weil du so willst. Dass du dich nicht irrst! Ich
bin noch immer der viel Stärkere. Allein hätte ich vielleicht
zurückweichen müssen, aber so hat mir die Mutter ihre
Kraft abgegeben, mit deinem Freund habe ich mich herr-
lich verbunden, deine Kundschaft habe ich hier in der Ta- 5
sche!"

„Sogar im Hemd hat er Taschen!", sagte sich Georg und
glaubte, er könne ihn mit dieser Bemerkung in der ganzen
Welt unmöglich machen. Nur einen Augenblick dachte er
das, denn immerfort vergaß er alles. 10

„Häng dich nur in deine Braut ein und komm mir entgegen! Ich fege sie dir von der Seite weg, du weißt nicht
wie!"

Georg machte Grimassen, als glaube er das nicht. Der Vater nickte bloß, die Wahrheit dessen, was er sagte, beteu- 15
ernd in Georgs Ecke hin.

„Wie hast du mich doch heute unterhalten, als du kamst
und fragtest, ob du deinem Freund von der Verlobung
schreiben sollst. Er weiß doch alles, dummer Junge, er
weiß doch alles! Ich schrieb ihm doch, weil du vergessen 20
hast, mir das Schreibzeug wegzunehmen. Darum kommt
er schon seit Jahren nicht, er weiß ja alles hundertmal besser als du selbst, deine Briefe zerknüllt er ungelesen in der
linken Hand, während er in der Rechten meine Briefe zum
Lesen sich vorhält!" 25

Seinen Arm schwang er vor Begeisterung über dem Kopf.
„Er weiß alles tausendmal besser!", rief er.

„Zehntausendmal!", sagte Georg, um den Vater zu verla-
chen, aber noch in seinem Munde bekam das Wort einen
todernsten Klang. 30

„Seit Jahren passe ich schon auf, dass du mit dieser Frage
kämest! Glaubst du, mich kümmert etwas anderes?
Glaubst du, ich lese Zeitungen? Da!", und er warf Georg
ein Zeitungsblatt, das irgendwie mit ins Bett getragen worden war, zu. Eine alte Zeitung, mit einem Georg schon 35
ganz unbekannten Namen.

„Wie lange hast du gezögert, ehe du reif geworden bist!
Die Mutter musste sterben, sie konnte den Freudentag
nicht erleben, der Freund geht zugrunde in seinem Russland, schon vor drei Jahren war er gelb zum Wegwerfen, 40

und ich, du siehst ja, wie es mit mir steht. Dafür hast du doch Augen!"

„Du hast mir also aufgelauert!", rief Georg.

Mitleidig sagte der Vater nebenbei: „Das wolltest du wahrscheinlich früher sagen. Jetzt passt es ja gar nicht mehr."

Und lauter: „Jetzt weißt du also, was es noch außer dir gab, bisher wusstest du nur von dir! Ein unschuldiges Kind warst du ja eigentlich, aber noch eigentlicher warst du ein teuflischer Mensch! – Und darum wisse: Ich verurteile dich jetzt zum Tode des Ertrinkens!"

Georg fühlte sich aus dem Zimmer gejagt, den Schlag, mit dem der Vater hinter ihm aufs Bett stürzte, trug er noch in den Ohren davon. Auf der Treppe, über deren Stufen er wie über eine schiefe Fläche eilte, überrumpelte er seine Bedienerin, die im Begriffe war, hinaufzugehen, um die Wohnung nach der Nacht aufzuräumen. „Jesus!", rief sie und verdeckte mit der Schürze das Gesicht, aber er war schon davon. Aus dem Tor sprang er, über die Fahrbahn zum Wasser trieb es ihn. Schon hielt er das Geländer fest, wie ein Hungriger die Nahrung. Er schwang sich über, als der ausgezeichnete Turner, der er in seinen Jugendjahren zum Stolz seiner Eltern gewesen war. Noch hielt er sich mit schwächer werdenden Händen fest, erspähte zwischen den Geländerstangen einen Autoomnibus, der mit Leichtig-
keit seinen Fall übertönen würde, rief leise: „Liebe Eltern, ich habe euch doch immer geliebt" und ließ sich hinfallen.

In diesem Augenblick ging über die Brücke ein geradezu unendlicher Verkehr.


## Vor dem Gesetz[1]

Vor dem Gesetz steht ein Türhüter. Zu diesem Türhüter kommt ein Mann vom Lande und bittet um Eintritt in das Gesetz. Aber der Türhüter sagt, dass er ihm jetzt den Ein-

---

[1] „Vor dem Gesetz" ist nicht als selbstständiger Text entstanden (1914), sondern als Teil eines größeren Kontextes des Romans „Der Prozess". Kafka bezeichnet den Text in seinen Tagebüchern (T 326) als „Legende", eine Gattung, die er für besonders anspruchsvoll hielt und die, wie er glaubte, „erst am Ende seines Lebens gelingen" könne, „wenn man alle seine Kräfte entwickelt und bereit hat". (BrF 596)

tritt nicht gewähren könne. Der Mann überlegt und fragt
dann, ob er also später werde eintreten dürfen. „Es ist
möglich", sagt der Türhüter, „jetzt aber nicht." Da das Tor
zum Gesetz offen steht wie immer und der Türhüter beisei-
te tritt, bückt sich der Mann, um durch das Tor in das Inne- 5
re zu sehn. Als der Türhüter das merkt, lacht er und sagt:
„Wenn es dich so lockt, versuche es doch, trotz meines
Verbotes hineinzugehn. Merke aber: Ich bin mächtig. Und
ich bin nur der unterste Türhüter. Von Saal zu Saal stehn
aber Türhüter, einer mächtiger als der andere. Schon den 10
Anblick des dritten kann nicht einmal ich mehr ertragen."
Solche Schwierigkeiten hat der Mann vom Lande nicht erwartet; das Gesetz soll doch jedem und immer zugänglich
sein, denkt er, aber als er jetzt den Türhüter in seinem Pelz-
mantel genauer ansieht, seine große Spitznase, den langen, 15
dünnen, schwarzen tatarischen Bart, entschließt er sich
doch lieber zu warten, bis er die Erlaubnis zum Eintritt bekommt. Der Türhüter gibt ihm einen Schemel und lässt ihn
seitwärts von der Tür sich niedersetzen. Dort sitzt er Tage
und Jahre. Er macht viele Versuche, eingelassen zu werden, 20
und ermüdet den Türhüter durch seine Bitten. Der Türhüter stellt öfters kleine Verhöre mit ihm an, fragt ihn über
seine Heimat aus und nach vielem andern, es sind aber teil-
nahmslose Fragen, wie sie große Herren stellen, und zum
Schlusse sagt er ihm immer wieder, dass er ihn noch nicht 25
einlassen könne. Der Mann, der sich für seine Reise mit vielem ausgerüstet hat, verwendet alles, und sei es noch so
wertvoll, um den Türhüter zu bestechen. Dieser nimmt

---

Im zweitletzten Kapitel des Romans erzählt ein Geistlicher der
Hauptfigur K. den Text, um ihn vor Selbsttäuschungen in Bezug auf
das Gericht zu warnen. „Der Türhüter hat den Mann getäuscht",
sagte K., was den Geistlichen zu verschiedenen (sich widerspre-
chenden) Deutungen veranlasst.
Durch die Trennung des Textes von dem ursprünglichen Kontext
wird die Geschichte „nach dem Willen des Autors zu einer offenen Parabel, die nun nicht mehr eine fiktive Figur, sondern unmittelbar den Leser zur Deutung und Stellungnahme herausfordert".
(Carsten Schlingmann S. 99, Reclam 15204)
Der Text wurde vor der Aufnahme in den Erzählband „Ein Landarzt"
1919 in der Prager Wochenschrift „Selbstwehr" veröffentlicht.

zwar alles an, aber sagt dabei: „Ich nehme es nur an, damit
du nicht glaubst, etwas versäumt zu haben." Während der
vielen Jahre beobachtet der Mann den Türhüter fast ununterbrochen. Er vergisst die andern Türhüter und dieser ers-
5 te scheint ihm das einzige Hindernis für den Eintritt in das
Gesetz. Er verflucht den unglücklichen Zufall, in den ersten
Jahren rücksichtslos und laut, später, als er alt wird, brummt
er nur noch vor sich hin. Er wird kindisch, und, da er in
dem jahrelangen Studium des Türhüters auch die Flöhe in
10 seinem Pelzkragen erkannt hat, bittet er auch die Flöhe,
ihm zu helfen und den Türhüter umzustimmen. Schließlich
wird sein Augenlicht schwach, und er weiß nicht, ob es um
ihn wirklich dunkler wird oder ob ihn nur seine Augen täu-
schen. Wohl aber erkennt er jetzt im Dunkel einen Glanz,
15 der unverlöschlich aus der Türe des Gesetzes bricht. Nun
lebt er nicht mehr lange. Vor seinem Tode sammeln sich in
seinem Kopfe alle Erfahrungen der ganzen Zeit zu einer
Frage, die er bisher an den Türhüter noch nicht gestellt hat.
Er winkt ihm zu, da er seinen erstarrenden Körper nicht
20 mehr aufrichten kann. Der Türhüter muss sich tief zu ihm
hinunterneigen, denn der Größenunterschied hat sich sehr
zuungunsten des Mannes verändert. „Was willst du denn
jetzt noch wissen?", fragt der Türhüter, „du bist unersätt-
lich." „Alle streben doch nach dem Gesetz", sagt der Mann,
25 „wieso kommt es, dass in den vielen Jahren niemand außer
mir Einlass verlangt hat?" Der Türhüter erkennt, dass der
Mann schon an seinem Ende ist, und um sein vergehendes
Gehör noch zu erreichen, brüllt er ihn an: „Hier konnte
niemand sonst Einlass erhalten, denn dieser Eingang war
30 nur für dich bestimmt. Ich gehe jetzt und schließe ihn."

### Eine kaiserliche Botschaft[1]

Der Kaiser – so heißt es – hat dir, dem Einzelnen, dem
jämmerlichen Untertanen, dem winzig vor der kaiserlichen

---

[1]  Die Parabel „Eine kaiserliche Botschaft" entstand 1917 als Teil des
Fragmentes „Beim Bau der Chinesischen Mauer", aus dem Kafka
sie später herauslöst, um sie zunächst in der jüdischen Wochenschrift „Selbstwehr", im selben Jahr in der Sammlung „Ein Landarzt" zu veröffentlichen.

Sonne in die fernste Ferne geflüchteten Schatten, gerade
dir hat der Kaiser von seinem Sterbebett aus eine Botschaft gesendet. Den Boten hat er beim Bett niederknien
lassen und ihm die Botschaft ins Ohr geflüstert; so sehr
war ihm an ihr gelegen, dass er sich sie noch ins Ohr wie- 5
dersagen ließ. Durch Kopfnicken hat er die Richtigkeit des
Gesagten bestätigt. Und vor der ganzen Zuschauerschaft
seines Todes – alle hindernden Wände werden niederge-
brochen und auf den weit und hoch sich schwingenden
Freitreppen stehen im Ring die Großen des Reichs – vor 10
allen diesen hat er den Boten abgefertigt. Der Bote hat
sich gleich auf den Weg gemacht; ein kräftiger, ein uner-
müdlicher Mann; einmal diesen, einmal den andern Arm
vorstreckend schafft er sich Bahn durch die Menge; findet
er Widerstand, zeigt er auf die Brust, wo das Zeichen der 15
Sonne ist; er kommt auch leicht vorwärts, wie kein anderer. Aber die Menge ist so groß; ihre Wohnstätten nehmen
kein Ende. Öffnete sich freies Feld, wie würde er fliegen
und bald wohl hörtest du das herrliche Schlagen seiner
Fäuste an deiner Tür. Aber statt dessen, wie nutzlos müht 20
er sich ab; immer noch zwängt er sich durch die
Gemächer des innersten Palastes; niemals wird er sie
überwinden; und gelänge ihm dies, nichts wäre gewonnen;
die Treppen hinab müsste er sich kämpfen; und gelänge
ihm dies, nichts wäre gewonnen; die Höfe wären zu durch- 25
messen; und nach den Höfen der zweite umschließende
Palast; und wieder Treppen und Höfe; und wieder ein Palast; und so weiter durch Jahrtausende; und stürzte er
endlich aus dem äußersten Tor – aber niemals, niemals
kann es geschehen – liegt erst die Residenzstadt vor ihm, 30
die Mitte der Welt, hochgeschüttet voll ihres Bodensatzes.
Niemand dringt hier durch und gar mit der Botschaft eines Toten. – Du aber sitzt an deinem Fenster und er-
träumst sie dir, wenn der Abend kommt.

---

Der Ich-Erzähler, der als Bauführer am Bau der Chinesischen Mauer beteiligt ist, nennt die Geschichte von der kaiserlichen Botschaft
eine „Sage", in der sich die Beziehung des chinesischen Volkes zum
Kaisertum „gut ausdrückt".

## Heimkehr[1]

Ich bin zurückgekehrt, ich habe den Flur durchschritten und blicke mich um. Es ist meines Vaters alter Hof. Die Pfütze in der Mitte. Altes, unbrauchbares Gerät, ineinanderverfahren, verstellt den Weg zur Bodentreppe. Die
5 Katze lauert auf dem Geländer. Ein zerrissenes Tuch, einmal im Spiel um eine Stange gewunden, hebt sich im Wind. Ich bin angekommen. Wer wird mich empfangen? Wer wartet hinter der Tür der Küche? Rauch kommt aus dem Schornstein, der Kaffee zum Abendessen wird gekocht. Ist
10 dir heimlich, fühlst du dich zu Hause? Ich weiß es nicht, ich bin sehr unsicher. Meines Vaters Haus ist es, aber kalt steht Stück neben Stück, als wäre jedes mit seinen eigenen Angelegenheiten beschäftigt, die ich teils vergessen habe, teils niemals kannte. Was kann ich ihnen nützen, was bin
15 ich ihnen und sei ich auch des Vaters, des alten Landwirts Sohn. Und ich wage nicht, an der Küchentür zu klopfen, nur von der Ferne horche ich, nur von der Ferne horche ich stehend, nicht so, dass ich als Horcher überrascht werden könnte. Und weil ich von der Ferne horche, erhorche
20 ich nichts, nur einen leichten Uhrenschlag höre ich oder glaube ihn vielleicht nur zu hören, herüber aus den Kindertagen. Was sonst in der Küche geschieht, ist das Geheimnis der dort Sitzenden, das sie vor mir wahren. Je länger man vor der Tür zögert, desto fremder wird man. Wie
25 wäre es, wenn jetzt jemand die Tür öffnete und mich etwas fragte. Wäre ich dann nicht selbst wie einer, der sein Geheimnis wahren will.

---

[1] Der Titel „Heimkehr" stammt von Max Brod, der den Text mit anderen Schriften aus dem Nachlass Kafkas 1936 in der Sammlung „Beschreibung eines Kampfes" veröffentlichte. Das Gleichnis von der „Heimkehr des verlorenen Sohnes" aus dem Lukas-Evangelium (Kapitel 15, 11-32) erfährt darin eine für Kafka typische Umkehrung.
Vorstufen der Parabel, die Kafka nach den ersten Sätzen verwarf, wählten als Schauplatz des Geschehens eine urbane Umgebung.

## Der Schlag ans Hoftor[1]

Es war im Sommer, ein heißer Tag. Ich kam auf dem Nach-
hauseweg mit meiner Schwester an einem Hoftor vorüber.
Ich weiß nicht, schlug sie aus Mutwillen ans Tor oder aus
Zerstreutheit oder drohte sie nur mit der Faust und
schlug gar nicht. Hundert Schritte weiter an der nach links 5
sich wendenden Landstraße begann das Dorf. Wir kannten
es nicht, aber gleich nach dem ersten Haus kamen Leute
hervor und winkten uns, freundschaftlich oder warnend,
selbst erschrocken, gebückt vor Schrecken. Sie zeigten
nach dem Hof, an dem wir vorübergekommen waren, und 10
erinnerten uns an den Schlag ans Tor. Die Hofbesitzer
werden uns verklagen, gleich werde die Untersuchung beginnen. Ich war sehr ruhig und beruhigte auch meine
Schwester. Sie hatte den Schlag wahrscheinlich gar nicht
getan, und hätte sie ihn getan, so wird deswegen nirgends 15
auf der Welt ein Beweis geführt. Ich suchte das auch den
Leuten um uns begreiflich zu machen, sie hörten mich an,
enthielten sich aber eines Urteils. Später sagten sie, nicht
nur meine Schwester, auch ich als Bruder werde angeklagt
werden. Ich nickte lächelnd. Alle blickten wir zum Hofe 20
zurück, wie man eine ferne Rauchwolke beobachtet und
auf die Flamme wartet. Und wirklich, bald sahen wir Reiter ins weit offene Hoftor einreiten. Staub erhob sich, verhüllte alles, nur die Spitzen der hohen Lanzen blinkten.
Und kaum war die Truppe im Hof verschwunden, schien 25
sie gleich die Pferde gewendet zu haben und war auf dem
Wege zu uns. Ich drängte meine Schwester fort, ich werde
alles allein ins Reine bringen. Sie weigerte sich, mich allein
zu lassen. Ich sagte, sie solle sich aber wenigstens umklei-
den, um in einem besseren Kleid vor die Herren zu treten. 30
Endlich folgte sie und machte sich auf den langen Weg nach
Hause. Schon waren die Reiter bei uns, noch von den
Pferden herab fragten sie nach meiner Schwester. Sie ist
augenblicklich nicht hier, wurde ängstlich geantwortet,
werde aber später kommen. Die Antwort wurde fast 35

---

[1]  Erstmals in „Beim Bau der Chinesischen Mauer". Ungedruckte Erzählungen und Prosa aus dem Nachlass. Herausgegeben von Max
Brod und Hans Joachim Schoeps. Berlin 1931

gleichgültig aufgenommen; wichtig schien vor allem, dass sie mich gefunden hatten. Es waren hauptsächlich zwei Herren, der Richter, ein junger, lebhafter Mann, und sein stiller Gehilfe, der Aßmann genannt wurde. Ich wurde auf-
5 gefordert, in die Bauernstube einzutreten. Langsam, den Kopf wiegend, an den Hosenträgern rückend, setzte ich mich unter den scharfen Blicken der Herren in Gang. Noch glaubte ich fast, ein Wort werde genügen, um mich, den Städter, sogar noch unter Ehren, aus diesem Bauern-
10 volk zu befreien. Aber als ich die Schwelle der Stube über- schritten hatte, sagte der Richter, der vorgesprungen war und mich schon erwartete: „Dieser Mann tut mir leid." Es war aber über allem Zweifel, dass er damit nicht meinen gegenwärtigen Zustand meinte, sondern das, was mit mir
15 geschehen würde. Die Stube sah einer Gefängniszelle ähn- licher als einer Bauernstube. Große Steinfliesen, dunkel, ganz kahle Wand, irgendwo eingemauert ein eiserner Ring, in der Mitte etwas, das halb Pritsche, halb Operationstisch war.
20 Könnte ich noch andere Luft schmecken als die des Ge- fängnisses? Das ist die große Frage oder vielmehr, sie wäre es, wenn ich noch Aussicht auf Entlassung hätte.

### Der Nachbar[1]

Mein Geschäft ruht ganz auf meinen Schultern. Zwei Fräu- lein mit Schreibmaschinen und Geschäftsbüchern im Vor- zimmer, mein Zimmer mit Schreibtisch, Kasse, Beratungs- tisch, Klubsessel und Telefon, das ist mein ganzer
5 Arbeitsapparat. So einfach zu überblicken, so leicht zu führen. Ich bin ganz jung, und die Geschäfte rollen vor mir her. Ich klage nicht, ich klage nicht.
Seit Neujahr hat ein junger Mann die kleine, leerstehende Nebenwohnung, die ich ungeschickterweise so lange zu
10 mieten gezögert habe, frischweg gemietet. Auch ein Zim- mer mit Vorzimmer, außerdem aber noch eine Küche. —

---

[1] Erstmals in „Beim Bau der Chinesischen Mauer". Ungedruckte Er- zählungen und Prosa aus dem Nachlass. Herausgegeben von Max Brod und Hans Joachim Schoeps. Berlin 1931

Zimmer und Vorzimmer hätte ich wohl brauchen können
– meine zwei Fräulein fühlten sich schon manchmal über-
lastet –, aber wozu hätte mir die Küche gedient? Dieses
kleinliche Bedenken war daran schuld, dass ich mir die
Wohnung habe nehmen lassen. Nun sitzt dort dieser junge ⁵
Mann. Harras heißt er. Was er dort eigentlich macht, weiß
ich nicht. Auf der Tür steht: ›Harras, Büro‹. Ich habe Er-
kundigungen eingezogen, man hat mir mitgeteilt, es sei ein
Geschäft ähnlich dem meinigen. Vor Kreditgewährung könne man nicht geradezu warnen, denn es handle sich doch ¹⁰
um einen jungen, aufstrebenden Mann, dessen Sache vielleicht Zukunft habe, doch könne man zum Kredit nicht geradezu raten, denn gegenwärtig sei allem Anschein nach
kein Vermögen vorhanden. Die übliche Auskunft, die man
gibt, wenn man nichts weiß. ¹⁵
Manchmal treffe ich Harras auf der Treppe, er muss es immer außerordentlich eilig haben, er huscht förmlich an mir
vorüber. Genau gesehen habe ich ihn noch gar nicht, den
Büroschlüssel hat er schon vorbereitet in der Hand. Im
Augenblick hat er die Tür geöffnet. Wie der Schwanz einer ²⁰
Ratte ist er hineingeglitten, und ich stehe wieder vor der
Tafel ›Harras, Büro‹, die ich schon viel öfter gelesen habe, als
sie es verdient.
Die elend dünnen Wände, die den ehrlich tätigen Mann
verraten, den Unehrlichen aber decken. Mein Telefon ist an ²⁵
der Zimmerwand angebracht, die mich von meinem Nach-
bar trennt. Doch hebe ich das bloß als besonders ironi-
sche Tatsache hervor. Selbst wenn es an der entgegenge-
setzten Wand hinge, würde man in der Nebenwohnung
alles hören. Ich habe mir abgewöhnt, den Namen der Kun- ³⁰
den beim Telefon zu nennen. Aber es gehört natürlich
nicht viel Schlauheit dazu, aus charakteristischen, aber un-
vermeidlichen Wendungen des Gesprächs die Namen zu
erraten. – Manchmal umtanze ich, die Hörmuschel am
Ohr, von Unruhe gestachelt, auf den Fußspitzen den Appa- ³⁵
rat und kann es doch nicht verhüten, dass Geheimnisse
preisgegeben werden.
Natürlich werden dadurch meine geschäftlichen Entscheidungen unsicher, meine Stimme zittrig. Was macht Harras,
während ich telefoniere? Wollte ich sehr übertreiben – ⁴⁰

aber das muss man oft, um sich Klarheit zu verschaffen –, so könnte ich sagen: Harras braucht kein Telefon, er benutzt meines, er hat sein Kanapee an die Wand gerückt und horcht, ich dagegen muss, wenn geläutet wird, zum Te-
5 lefon laufen, die Wünsche des Kunden entgegennehmen, schwerwiegende Entschlüsse fassen, großangelegte Überredungen ausführen – vor allem aber während des Ganzen unwillkürlich durch die Zimmerwand Harras Bericht erstatten.
10 Vielleicht wartet er gar nicht das Ende des Gesprächs ab, sondern erhebt sich nach der Gesprächsstelle, die ihn über den Fall genügend aufgeklärt hat, huscht nach seiner Gewohnheit durch die Stadt und, ehe ich die Hörmuschel aufgehängt habe, ist er vielleicht schon daran, mir entge-
15 genzuarbeiten.

## Ein Hungerkünstler[1]

In den letzten Jahrzehnten ist das Interesse an Hungerkünstlern sehr zurückgegangen.[2] Während es sich früher gut lohnte, große derartige Vorführungen in eigener Regie zu veranstalten, ist dies heute völlig unmöglich. Es waren
5 andere Zeiten. Damals beschäftigte sich die ganze Stadt mit dem Hungerkünstler; von Hungertag zu Hungertag

---

[1] Obwohl Kafka im Frühjahr 1922 bereits schwer erkrankt war, erlebte er eine sehr fruchtbare Periode seines literarischen Schaffens, in der auch die Erzählung „Ein Hungerkünstler" entstand. Der Autor fand die Geschichte „erträglich" und in seiner testamentarischen Verfügung für Max Brod gehört sie zu den wenigen Texten seines literarischen Nachlasses, die Kafka von der Vernichtung ausgenommen wissen wollte. Es sind dies – neben dem „Hungerkünstler" – „Das Urteil", „Der Heizer", „Die Verwandlung", „In der Strafkolonie" und der Erzählband „Ein Landarzt".

[2] In der weit verbreiteten Notlage nach dem ersten Weltkrieg war das Hungern für viele Menschen eine tägliche Erfahrung, und Hungerkünstler taugten nicht mehr als Magnet für ein sensationsgieriges Publikum.
Im Entstehungsjahr der Erzählung rief z. B. das „Prager Tagblatt" zu einer Spendenaktion für das hungernde Russland auf.
In den Phänomenen der Magersucht und der Bulimie erlebt das Hungern derzeit eine traurige Aktualität.

stieg die Teilnahme; jeder wollte den Hungerkünstler zumindest einmal täglich sehn; an den spätern Tagen gab es Abonnenten[1], welche tagelang vor dem kleinen Gitterkäfig saßen; auch in der Nacht fanden Besichtigungen statt, zur Erhöhung der Wirkung bei Fackelschein; an schönen Tagen 5 wurde der Käfig ins Freie getragen, und nun waren es besonders die Kinder, denen der Hungerkünstler gezeigt wurde; während er für die Erwachsenen oft nur ein Spaß war, an dem sie der Mode halber teilnahmen, sahen die Kinder staunend, mit offenem Mund, der Sicherheit halber 10 einander bei der Hand haltend, zu, wie er bleich, im schwarzen Trikot, mit mächtig vortretenden Rippen, sogar einen Sessel verschmähend, auf hingestreutem Stroh saß, einmal höflich nickend, angestrengt lächelnd Fragen beantwortete, auch durch das Gitter den Arm streckte, um sei- 15 ne Magerkeit befühlen zu lassen, dann aber wieder ganz in sich selbst versank, um niemanden sich kümmerte, nicht einmal um den für ihn so wichtigen Schlag der Uhr, die das einzige Möbelstück des Käfigs war, sondern nur vor sich hinsah mit fast geschlossenen Augen und hie und da aus ei- 20 nem winzigen Gläschen Wasser nippte, um sich die Lippen zu feuchten.

Außer den wechselnden Zuschauern waren auch ständige, vom Publikum gewählte Wächter da, merkwürdigerweise gewöhnlich Fleischhauer, welche, immer drei gleichzeitig, 25 die Aufgabe hatten, Tag und Nacht den Hungerkünstler zu beobachten, damit er nicht etwa auf irgendeine heimliche Weise doch Nahrung zu sich nehme. Es war das aber lediglich eine Formalität, eingeführt zur Beruhigung der Massen, denn die Eingeweihten wussten wohl, dass der Hun- 30 gerkünstler während der Hungerzeit niemals, unter keinen Umständen, selbst unter Zwang nicht, auch das Geringste nur gegessen hätte; die Ehre seiner Kunst verbot dies. Freilich, nicht jeder Wächter konnte das begreifen, es fanden sich manchmal nächtliche Wachgruppen, welche die 35

---

[1] Inhaber eines Abonnements (= durch einen Pauschalpreis erlangt er Berechtigung zum Beziehen von Zeitschriften, Zeitungen, Büchern oder zum Besuch von Theateraufführungen oder Konzerten für eine bestimmte Zeitdauer)

Bewachung sehr lax[1] durchführten, absichtlich in eine ferne Ecke sich zusammensetzten und dort sich ins Kartenspiel vertieften, in der offenbaren Absicht, dem Hungerkünstler eine kleine Erfrischung zu gönnen, die er ihrer
5 Meinung nach aus irgendwelchen geheimen Vorräten hervorholen konnte. Nichts war dem Hungerkünstler quälender als solche Wächter; sie machten ihn trübselig; sie machten ihm das Hungern entsetzlich schwer; manchmal überwand er seine Schwäche und sang während dieser
10 Wachzeit, solange er es nur aushielt, um den Leuten zu zeigen, wie ungerecht sie ihn verdächtigten. Doch half das wenig; sie wunderten sich dann nur über seine Geschicklichkeit, selbst während des Singens zu essen. Viel lieber waren ihm die Wächter, welche sich eng zum Gitter setz-
15 ten, mit der trüben Nachtbeleuchtung des Saales sich nicht begnügten, sondern ihn mit den elektrischen Taschenlampen bestrahlten, die ihnen der Impresario[2] zur Verfügung stellte. Das grelle Licht störte ihn gar nicht, schlafen konnte er ja überhaupt nicht, und ein wenig hindämmern konn-
20 te er immer, bei jeder Beleuchtung und zu jeder Stunde, auch im übervollen, lärmenden Saal. Er war sehr gerne bereit, mit solchen Wächtern die Nacht gänzlich ohne Schlaf zu verbringen; er war bereit, mit ihnen zu scherzen, ihnen Geschichten aus seinem Wanderleben zu erzählen, dann
25 wieder ihre Erzählungen anzuhören, alles nur, um sie wach zu halten, um ihnen immer wieder zeigen zu können, dass er nichts Essbares im Käfig hatte und dass er hungerte, wie keiner von ihnen es könnte. Am glücklichsten aber war er, wenn dann der Morgen kam, und ihnen auf seine
30 Rechnung ein überreiches Frühstück gebracht wurde, auf das sie sich warfen mit dem Appetit gesunder Männer nach einer mühevoll durchwachten Nacht. Es gab zwar sogar Leute, die in diesem Frühstück eine ungebührliche Beeinflussung der Wächter sehen wollten, aber das ging doch
35 zu weit, und wenn man sie fragte, ob etwa sie nur um der Sache willen ohne Frühstück die Nachtwache übernehmen

---

[1] locker, lässig
[2] (ital. „Unternehmer") arrangiert für Künstler Auftritte, handelt Verträge aus, organisiert Werbeaktionen ...

wollten, verzogen sie sich, aber bei ihren Verdächtigungen
blieben sie dennoch.

Dieses allerdings gehörte schon zu den vom Hungern
überhaupt nicht zu trennenden Verdächtigungen. Niemand
war ja imstande, alle die Tage und Nächte beim Hunger- 5
künstler ununterbrochen als Wächter zu verbringen, niemand also konnte aus eigener Anschauung wissen, ob
wirklich ununterbrochen, fehlerlos gehungert worden war;
nur der Hungerkünstler selbst konnte das wissen, nur er
also gleichzeitig der von seinem Hungern vollkommen be- 10
friedigte Zuschauer sein. Er aber war wieder aus einem
andern Grunde niemals befriedigt; vielleicht war er gar
nicht vom Hungern so sehr abgemagert, dass manche zu
ihrem Bedauern den Vorführungen fernbleiben mussten,
weil sie seinen Anblick nicht ertrugen, sondern er war nur 15
so abgemagert aus Unzufriedenheit mit sich selbst. Er allein nämlich wusste, auch kein Eingeweihter sonst wusste
das, wie leicht das Hungern war. Es war die leichteste Sache auf der Welt. Er verschwieg es auch nicht, aber man
glaubte ihm nicht, hielt ihn günstigenfalls für bescheiden, 20
meist aber für reklamesüchtig oder gar für einen Schwind-
ler, dem das Hungern allerdings leicht war, weil er es sich
leicht zu machen verstand, und der auch noch die Stirn
hatte, es halb zu gestehn. Das alles musste er hinnehmen,
hatte sich auch im Laufe der Jahre daran gewöhnt, aber 25
innerlich nagte diese Unbefriedigtheit immer an ihm und
noch niemals, nach keiner Hungerperiode[1] – dieses Zeug-
nis musste man ihm ausstellen – hatte er freiwillig den Käfig verlassen. Als Höchstzeit für das Hungern hatte der Impresario vierzig Tage[2] festgesetzt, darüber hinaus ließ er 30

---

[1] Zeitraum, Zeitabschnitt, in dem der Hungerkünstler keine Nahrung zu sich nahm.

[2] Der Zeitraum von vierzig Tagen spielt in biblischen Texten eine auf-
fällige Rolle und scheint dort Synonym für eine lange Zeit gewesen
zu sein. Kafka kannte – wie Schlingmann meint – die entsprechenden Bibelstellen sicher (Literaturwissen Franz Kafka S. 140): „Die
Sintflut kommt in 40 Tagen über die Erde; Moses wartete 40 Tage
am Berg Sinai auf die Gesetzestafeln; die Stadt Ninive tut 40 Tage
lang Buße; Jesus fastete 40 Tage (!) und erscheint nach der Aufer-
stehung den Jüngern noch während 40 Tagen."

niemals hungern, auch in den Weltstädten nicht, und zwar
aus gutem Grund. Vierzig Tage etwa konnte man erfah-
rungsgemäß durch allmählich sich steigernde Reklame das
Interesse einer Stadt immer mehr aufstacheln, dann aber
5 versagte das Publikum, eine wesentliche Abnahme des Zu-
spruchs war festzustellen; es bestanden natürlich in dieser
Hinsicht kleine Unterschiede zwischen den Städten und
Ländern, als Regel aber galt, dass vierzig Tage die Höchstzeit war. Dann also am vierzigsten Tage wurde die Tür
10 des mit Blumen umkränzten Käfigs geöffnet, eine begeis-
terte Zuschauerschaft erfüllte das Amphitheater, eine Mi-
litärkapelle spielte, zwei Ärzte betraten den Käfig, um die
nötigen Messungen am Hungerkünstler vorzunehmen,
durch ein Megafon[1] wurden die Resultate dem Saale ver-
15 kündet, und schließlich kamen zwei junge Damen, glücklich
darüber, dass gerade sie ausgelost worden waren, und
wollten den Hungerkünstler aus dem Käfig ein paar Stufen
hinabführen, wo auf einem kleinen Tischchen eine sorgfältig ausgewählte Krankenmahlzeit serviert war. Und in die-
20 sem Augenblick wehrte sich der Hungerkünstler immer.
Zwar legte er noch freiwillig seine Knochenarme in die
hilfsbereit ausgestreckten Hände der zu ihm hinabgebeug-
ten Damen, aber aufstehen wollte er nicht. Warum gerade
jetzt nach vierzig Tagen aufhören? Er hätte es noch lange,
25 unbeschränkt lange ausgehalten; warum gerade jetzt aufhören, wo er im besten, ja noch nicht einmal im besten
Hungern war? Warum wollte man ihn des Ruhmes berau-
ben, weiterzuhungern, nicht nur der größte Hungerkünstler aller Zeiten zu werden, der er ja wahrscheinlich
30 schon war, aber auch noch sich selbst zu übertreffen bis
ins Unbegreifliche, denn für seine Fähigkeit zu hungern
fühlte er keine Grenzen. Warum hatte diese Menge, die
ihn so sehr zu bewundern vorgab, so wenig Geduld mit
ihm; wenn er es aushielt, noch weiter zu hungern, warum
35 wollte sie es nicht aushalten? Auch war er müde, saß gut
im Stroh und sollte sich nun hoch und lang aufrichten und
zu dem Essen gehn, das ihm schon allein in der Vorstellung
Übelkeiten verursachte, deren Äußerung er nur mit Rück-

---

[1] trichterförmiges Sprachrohr, meist mit Lautsprecher verstärkt

sicht auf die Damen mühselig unterdrückte. Und er blickte
empor in die Augen der scheinbar so freundlichen, in
Wirklichkeit so grausamen Damen und schüttelte den auf
dem schwachen Halse überschweren Kopf. Aber dann geschah, was immer geschah. Der Impresario kam, hob 5
stumm – die Musik machte das Reden unmöglich – die Arme über dem Hungerkünstler, so, als lade er den Himmel
ein, sich sein Werk hier auf dem Stroh einmal anzusehn,
diesen bedauernswerten Märtyrer, welcher der Hungerkünstler allerdings war, nur in ganz anderem Sinn; fasste 10
den Hungerkünstler um die dünne Taille, wobei er durch
übertriebene Vorsicht glaubhaft machen wollte, mit einem
wie gebrechlichen Ding er es hier zu tun habe; und über-
gab ihn – nicht ohne ihn im Geheimen ein wenig zu schüt-
teln, sodass der Hungerkünstler mit den Beinen und dem 15
Oberkörper unbeherrscht hin und her schwankte – den
inzwischen totenbleich gewordenen Damen. Nun duldete
der Hungerkünstler alles; der Kopf lag auf der Brust, es
war, als sei er hingerollt und halte sich dort unerklärlich;
der Leib war ausgehöhlt; die Beine drückten sich im 20
Selbsterhaltungstrieb fest in den Knien aneinander, scharr-
ten aber doch den Boden, so, als sei es nicht der wirkli-
che, den wirklichen suchten sie erst; und die ganze, allerdings sehr kleine Last des Körpers lag auf einer der
Damen, welche hilfesuchend, mit fliegendem Atem – so 25
hatte sie sich dieses Ehrenamt nicht vorgestellt – zuerst
den Hals möglichst streckte, um wenigstens das Gesicht
vor der Berührung mit dem Hungerkünstler zu bewahren,
dann aber, da ihr dies nicht gelang und ihre glücklichere
Gefährtin ihr nicht zu Hilfe kam, sondern sich damit be- 30
gnügte, zitternd die Hand des Hungerkünstlers, dieses
kleine Knochenbündel, vor sich herzutragen, unter dem
entzückten Gelächter des Saales in Weinen ausbrach und
von einem längst bereitgestellten Diener abgelöst werden
musste. Dann kam das Essen, von dem der Impresario 35
dem Hungerkünstler während eines ohnmachtähnlichen
Halbschlafes ein wenig einflößte, unter lustigem Plaudern,
das die Aufmerksamkeit vom Zustand des Hungerkünstlers
ablenken sollte; dann wurde noch ein Trinkspruch auf das
Publikum ausgebracht, welcher dem Impresario angeblich 40

vom Hungerkünstler zugeflüstert worden war; das Orchester bekräftigte alles durch einen großen Tusch[1], man ging auseinander, und niemand hatte das Recht, mit dem Gesehenen unzufrieden zu sein, niemand, nur der Hungerkünstler, immer nur er.

So lebte er mit regelmäßigen kleinen Ruhepausen viele Jahre, in scheinbarem Glanz von der Welt geehrt, bei alledem aber meist in trüber Laune, die immer noch trüber wurde dadurch, dass niemand sie ernst zu nehmen verstand. Womit sollte man ihn auch trösten? Was blieb ihm zu wünschen übrig? Und wenn sich einmal ein Gutmütiger fand, der ihn bedauerte und ihm erklären wollte, dass seine Traurigkeit wahrscheinlich von dem Hungern käme, konnte es, besonders bei vorgeschrittener Hungerzeit, geschehn, dass der Hungerkünstler mit einem Wutausbruch antwortete und zum Schrecken aller wie ein Tier an dem Gitter zu rütteln begann. Doch hatte für solche Zustände der Impresario ein Strafmittel, das er gern anwandte. Er entschuldigte den Hungerkünstler vor versammeltem Publikum, gab zu, dass nur die durch das Hungern hervorgerufene, für satte Menschen nicht ohne weiteres begreifliche Reizbarkeit das Benehmen des Hungerkünstlers verzeihlich machen könne; kam dann im Zusammenhang damit auch auf die ebenso zu erklärende Behauptung des Hungerkünstlers zu sprechen, er könnte noch viel länger hungern, als er hungere; lobte das hohe Streben, den guten Willen, die große Selbstverleugnung, die gewiss auch in dieser Behauptung enthalten seien; suchte dann aber die Behauptung einfach genug durch Vorzeigen von Fotografien, die gleichzeitig verkauft wurden, zu widerlegen, denn auf den Bildern sah man den Hungerkünstler an einem vierzigsten Hungertag, im Bett, fast verlöscht vor Entkräftung. Diese dem Hungerkünstler zwar wohlbekannte, immer aber von neuem ihn entnervende Verdrehung der Wahrheit war ihm zu viel. Was die Folge der vorzeitigen Beendigung des Hungerns war, stellte man hier als die Ur-

---

[1] Ein meist mehrmals wiederholter Akkord aller Instrumente eines Orchesters zur Ankündigung einer Ansprache, eines Ehrengastes usw.

sache dar! Gegen diesen Unverstand, gegen die Welt des
Unverstandes zu kämpfen, war unmöglich. Noch hatte er
immer wieder in gutem Glauben begierig am Gitter dem
Impresario zugehört, beim Erscheinen der Fotografien
aber ließ er das Gitter jedes Mal los, sank mit Seufzen ins 5
Stroh zurück und das beruhigte Publikum konnte wieder
herankommen und ihn besichtigen.
Wenn die Zeugen solcher Szenen ein paar Jahre später
daran zurückdachten, wurden sie sich oft selbst unverständlich. Denn inzwischen war jener erwähnte Um- 10
schwung eingetreten; fast plötzlich war das geschehen; es
mochte tiefere Gründe haben, aber wem lag daran, sie auf-
zufinden; jedenfalls sah sich eines Tages der verwöhnte
Hungerkünstler von der vergnügungssüchtigen Menge verlassen, die lieber zu anderen Schaustellungen strömte. 15
Noch einmal jagte der Impresario mit ihm durch halb Europa um zu sehn, ob sich nicht noch hie und da das alte
Interesse wiederfände; alles vergeblich; wie in einem geheimen Einverständnis hatte sich überall geradezu eine Abneigung gegen das Schauhungern ausgebildet. Natürlich hatte 20
das in Wirklichkeit nicht plötzlich so kommen können, und
man erinnerte sich jetzt nachträglich an manche zu ihrer
Zeit im Rausch der Erfolge nicht genügend beachtete, nicht
genügend unterdrückte Vorboten, aber jetzt etwas dagegen zu unternehmen, war zu spät. Zwar war es sicher, 25
dass einmal auch für das Hungern wieder die Zeit kommen werde, aber für die Lebenden war das kein Trost. Was
sollte nun der Hungerkünstler tun? Der, welchen Tausende
umjubelt hatten, konnte sich nicht in Schaubuden auf kleinen Jahrmärkten zeigen, und um einen andern Beruf zu er- 30
greifen, war der Hungerkünstler nicht nur zu alt, sondern
vor allem dem Hungern allzu fanatisch ergeben. So verabschiedete er denn den Impresario, den Genossen einer
Laufbahn ohnegleichen, und ließ sich von einem großen
Zirkus engagieren; um seine Empfindlichkeit zu schonen, 35
sah er die Vertragsbedingungen gar nicht an.
Ein großer Zirkus mit seiner Unzahl von einander immer
wieder ausgleichenden und ergänzenden Menschen und
Tieren und Apparaten kann jeden und zu jeder Zeit gebrauchen, auch einen Hungerkünstler, bei entsprechend 40

bescheidenen Ansprüchen natürlich, und außerdem war es
ja in diesem besonderen Fall nicht nur der Hungerkünstler
selbst, der engagiert wurde, sondern auch sein alter
berühmter Name, ja man konnte bei der Eigenart dieser
5 im zunehmenden Alter nicht abnehmenden Kunst nicht
einmal sagen, dass ein ausgedienter, nicht mehr auf der
Höhe seines Könnens stehender Künstler sich in einen ruhigen Zirkusposten flüchten wolle, im Gegenteil, der Hungerkünstler versicherte, dass er, was durchaus glaubwürdig
10 war, ebenso gut hungere wie früher, ja er behauptete sogar, er werde, wenn man ihm seinen Willen lasse, und dies
versprach man ihm ohne weiteres, eigentlich erst jetzt die
Welt in berechtigtes Erstaunen setzen, eine Behauptung allerdings, die mit Rücksicht auf die Zeitstimmung, welche
15 der Hungerkünstler im Eifer leicht vergaß, bei den Fach-
leuten nur ein Lächeln hervorrief.

Im Grunde aber verlor auch der Hungerkünstler den Blick
für die wirklichen Verhältnisse nicht und nahm es als
selbstverständlich hin, dass man ihn mit seinem Käfig nicht
20 etwa als Glanznummer mitten in die Manege stellte, sondern draußen an einem im Übrigen recht gut zugänglichen
Ort in der Nähe der Stallungen unterbrachte. Große, bunt
gemalte Aufschriften umrahmten den Käfig und verkünde-
ten, was dort zu sehen war. Wenn das Publikum in den
25 Pausen der Vorstellung zu den Ställen drängte um die Tiere
zu besichtigen, war es fast unvermeidlich, dass es beim
Hungerkünstler vorüberkam und ein wenig dort Halt
machte, man wäre vielleicht länger bei ihm geblieben,
wenn nicht in dem schmalen Gang die Nachdrängenden,
30 welche diesen Aufenthalt auf dem Weg zu den ersehnten
Ställen nicht verstanden, eine längere ruhige Betrachtung
unmöglich gemacht hätten. Dieses war auch der Grund,
warum der Hungerkünstler vor diesen Besuchszeiten, die
er als seinen Lebenszweck natürlich herbeiwünschte, doch
35 auch wieder zitterte. In der ersten Zeit hatte er die Vor-
stellungspausen kaum erwarten können; entzückt hatte er
der sich heranwälzenden Menge entgegengesehn, bis er
sich nur zu bald – auch die hartnäckigste, fast bewusste
Selbsttäuschung hielt den Erfahrungen nicht stand – davon
40 überzeugte, dass es zumeist der Absicht nach, immer wie-

der, ausnahmslos, lauter Stallbesucher waren. Und dieser
Anblick von der Ferne blieb noch immer der schönste.
Denn wenn sie bis zu ihm herangekommen waren, umtob-
te ihn sofort Geschrei und Schimpfen der ununterbrochen
neu sich bildenden Parteien, jener, welche – sie wurde 5
dem Hungerkünstler bald die peinlichere – ihn bequem ansehen wollte, nicht etwa aus Verständnis, sondern aus Laune und Trotz, und jener zweiten, die zunächst nur nach
den Ställen verlangte. War der große Haufe vorüber, dann
kamen die Nachzügler, und diese allerdings, denen es nicht 10
mehr verwehrt war stehen zu bleiben, solange sie nur
Lust hatten, eilten mit langen Schritten, fast ohne Seiten-
blick, vorüber, um rechtzeitig zu den Tieren zu kommen.
Und es war kein allzu häufiger Glücksfall, dass ein Fami-
lienvater mit seinen Kindern kam, mit dem Finger auf den 15
Hungerkünstler zeigte, ausführlich erklärte, um was es
sich hier handelte, von früheren Jahren erzählte, wo er bei
ähnlichen, aber unvergleichlich großartigeren Vorführungen
gewesen war, und dann die Kinder, wegen ihrer ungenü-
genden Vorbereitung von Schule und Leben her, zwar im- 20
mer noch verständnislos blieben – was war ihnen Hungern? – aber doch in dem Glanz ihrer forschenden Augen
etwas von neuen, kommenden, gnädigeren Zeiten verrieten. Vielleicht, so sagte sich der Hungerkünstler dann
manchmal, würde alles doch ein wenig besser werden, 25
wenn sein Standort nicht gar so nahe bei den Ställen wäre.
Den Leuten wurde dadurch die Wahl zu leicht gemacht,
nicht zu reden davon, dass ihn die Ausdünstungen der Stäl-
le, die Unruhe der Tiere in der Nacht, das Vorübertragen
der rohen Fleischstücke für die Raubtiere, die Schreie bei 30
der Fütterung sehr verletzten und dauernd bedrückten.
Aber bei der Direktion vorstellig zu werden wagte er
nicht; immerhin verdankte er ja den Tieren die Menge der
Besucher, unter denen sich hie und da auch ein für ihn Be-
stimmter finden konnte, und wer wusste, wohin man ihn 35
verstecken würde, wenn er an seine Existenz erinnern
wollte und damit auch daran, dass er, genau genommen,
nur ein Hindernis auf dem Weg zu den Ställen war.
Ein kleines Hindernis allerdings, ein immer kleiner werden-
des Hindernis. Man gewöhnte sich an die Sonderbarkeit, in 40

den heutigen Zeiten Aufmerksamkeit für einen Hungerkünstler beanspruchen zu wollen, und mit dieser Gewöhnung war das Urteil über ihn gesprochen. Er mochte so
gut hungern, als er nur konnte, und er tat es, aber nichts
5 konnte ihn mehr retten, man ging an ihm vorüber. Versuche, jemandem die Hungerkunst zu erklären! Wer es nicht
fühlt, dem kann man es nicht begreiflich machen. Die schönen Aufschriften wurden schmutzig und unleserlich, man
riss sie herunter, niemandem fiel es ein, sie zu ersetzen;
10 das Täfelchen mit der Ziffer der abgeleisteten Hungertage,
das in der ersten Zeit sorgfältig täglich erneut worden
war, blieb schon längst immer das gleiche, denn nach den
ersten Wochen war das Personal selbst dieser kleinen Arbeit überdrüssig geworden; und so hungerte zwar der
15 Hungerkünstler weiter, wie er es früher einmal erträumt
hatte, und es gelang ihm ohne Mühe ganz so, wie er es damals vorausgesagt hatte, aber niemand zählte die Tage, niemand, nicht einmal der Hungerkünstler selbst wusste, wie
groß die Leistung schon war, und sein Herz wurde schwer.
20 Und wenn einmal in der Zeit ein Müßiggänger stehen
blieb, sich über die alte Ziffer lustig machte und von
Schwindel sprach, so war das in diesem Sinn die dümmste
Lüge, welche Gleichgültigkeit und eingeborene Bösartigkeit
erfinden konnte, denn nicht der Hungerkünstler betrog, er
25 arbeitete ehrlich, aber die Welt betrog ihn um seinen
Lohn.
Doch vergingen wieder viele Tage, und auch das nahm ein
Ende. Einmal fiel einem Aufseher der Käfig auf, und er fragte die Diener, warum man hier diesen gut brauchbaren
30 Käfig mit dem verfaulten Stroh drinnen unbenützt stehen
lasse; niemand wusste es, bis sich einer mithilfe der Ziffer-
tafel an den Hungerkünstler erinnerte. Man rührte mit
Stangen das Stroh auf und fand den Hungerkünstler darin.
„Du hungerst noch immer?", fragte der Aufseher, „wann
35 wirst du denn endlich aufhören?", „Verzeiht mir alle", flüsterte der Hungerkünstler; nur der Aufseher, der das Ohr
ans Gitter hielt, verstand ihn. „Gewiss", sagte der Aufseher und legte den Finger an die Stirn, um damit den Zustand des Hungerkünstlers dem Personal anzudeuten, „wir
40 verzeihen dir." „Immerfort wollte ich, dass ihr mein Hun-

gern bewundert", sagte der Hungerkünstler. „Wir bewundern es auch", sagte der Aufseher entgegenkommend. „Ihr solltet es aber nicht bewundern", sagte der Hungerkünstler. „Nun, dann bewundern wir es also nicht", sagte der Aufseher, „warum sollen wir es denn nicht bewundern?" 5 „Weil ich hungern muss, ich kann nicht anders", sagte der Hungerkünstler. „Da sieh mal einer", sagte der Aufseher, „warum kannst du denn nicht anders?" „Weil ich", sagte der Hungerkünstler, hob das Köpfchen ein wenig und sprach mit wie zum Kuss gespitzten Lippen gerade in das 10 Ohr des Aufsehers hinein, damit nichts verlorenginge, „weil ich nicht die Speise finden konnte, die mir schmeckt. Hätte ich sie gefunden, glaube mir, ich hätte kein Aufsehen gemacht und mich voll gegessen wie du und alle." Das waren die letzten Worte, aber noch in seinen gebrochenen 15 Augen war die feste, wenn auch nicht mehr stolze Überzeugung, dass er weiterhungere.

„Nun macht aber Ordnung!", sagte der Aufseher, und man begrub den Hungerkünstler samt dem Stroh. In den Käfig aber gab man einen jungen Panther. Es war eine selbst 20 dem stumpfsten Sinn fühlbare Erholung, in dem so lange öden Käfig dieses wilde Tier sich herumwerfen zu sehn. Ihm fehlte nichts. Die Nahrung, die ihm schmeckte, brachten ihm ohne langes Nachdenken die Wächter; nicht einmal die Freiheit schien er zu vermissen; dieser edle, mit al- 25 lem Nötigen bis knapp zum Zerreißen ausgestattete Körper schien auch die Freiheit mit sich herumzutragen; irgendwo im Gebiss schien sie zu stecken; und die Freude am Leben kam mit derart starker Glut aus seinem Rachen, dass es für die Zuschauer nicht leicht war, ihr standzuhal- 30 ten. Aber sie überwanden sich, umdrängten den Käfig und wollten sich gar nicht fortrühren.

## 3. Ovid – Metamorphosen

Die „Metamorphosen", das berühmteste Werk des römischen Dichters Publius Ovidio Naso (43 v. Chr. -17/18 n. Chr.), wurden nach den Angaben des Autors im Jahre 8 n. Chr. vollendet. In seinen „Metamorphosen" fasste Ovid den ganzen Reichtum an antiken Mythen und Legenden zusammen, die sich mit Verwandlungen befassen. In 15 Büchern ordnet er den Stoff in chronologischer Folge von der Vorzeit bis zur Lebenszeit des Dichters. Sein Versmaß ist der Hexameter.

### Arachne

SECHSTES BUCH

Diesen Erzählungen lauschte Tritonia[1] gerne und lobte
der Aoniden Gesänge[2] und ihre gerechte Entrüstung.
Dann überlegt sie: „Nur andre zu rühmen ist wenig: ich
    selber
Strebe nach Ruhm; man darf meine Gottheit nicht straflos
    verachten."
5 Und sie richtet den Blick auf Arachnes[3] Verhängnis, der
    Jungfrau
Aus Maeonien[4], von der sie gehört, in der Arbeit der
    Wolle
Weigre sie ihr den Vorrang. Zwar war sie bescheidener
    Herkunft,
Aber als Künstlerin glänzend. Ihr Vater aus Colophon[5],
    Idmon[6],
Färbte die saugende Wolle mit Säften phocaeischen[7]
    Purpurs.
10 Tot war die Mutter, doch stammte auch diese aus niederem
    Volke,

---

[1] Beiname der Minerva, griech. Pallas Athene, Tochter des Jupiter (griech. Zeus), Göttin weiblicher Handfertigkeit
[2] Gesänge der Musen (Schutzgöttinnen der Künste)
[3] Spinne, hier: Mädchen aus Lydien
[4] Lydien
[5] griech. Stadt in Kleinasien
[6] Name des Vaters der Arachne
[7] von Phocaea, Küstenstreifen am Golf v. Smyrna

Gleich ihrem Gatten. Die Tochter jedoch, sie hatte durch
Kunstfleiß
Sich einen Namen gemacht in den lydischen Städten,
obschon sie,
Selbst von geringem Geschlecht, im geringen Hypaepa[1]
daheim war.
Um die erstaunliche Arbeit des Mädchens zu sehen,
verließen
Oft die Nymphen[2] die Rebengefilde des heimischen Timolus[3], 15
Und die pactolischen Nymphen[4] verließen die eigenen
Wellen.
Doch nicht allein die fertigen Werke besah man mit Freuden,
Sondern auch, wenn sie entstanden: So zierlich war sie, die
Arbeit;
Ob sie zuerst die Wolle, die rohe, zu Knäueln sich ballte,
Oder das Werk mit den Fingern betrieb und die Flocken – 20
sie glichen
Nebelgebilden – in langem und häufigem Ziehen erweichte,
Oder mit leichtem Daumen die rundliche Spindel[5] bewegte,
Ob mit der Nadel sie malte: Man dachte an Schulung
durch Pallas.
Doch sie will nicht der Gewaltigen Schülerin sein.
„Sie wetteifre",
Ruft sie, „mit mir, und wenn sie mich schlägt, will ich alles 25
erdulden!"
Pallas verstellt sich als Greisin: Sie legt an die Schläfen
sich falsche
Haare, ergraute, auch stützt ihr ein Stock die zitternden
Glieder.
Alsdann beginnt sie zu sprechen: „Nicht lauter verächtliche
Gaben
Bringt uns das höhere Alter: Es kommt mit den Jahren
Erfahrung!

---

[1] Ortschaft südl. von Sardes in Lydien
[2] göttliche oder halbgöttliche Frauengestalten, die in Wäldern, Flüssen und Bergen wohnen
[3] Gebirge in Lydien
[4] von Pactolus, einem kleinen Fluss bei Sardes in Lydien
[5] Teil des Spinnrades

30 Lass meinen Rat dir gefallen! Du magst in der Arbeit der
Wolle
Unter den Menschen den Ruhm dir erwerben, die Beste zu
heißen!
Ordne der Göttin dich unter! Demütig erflehe Verzeihung
Für dein Gerede, Verwegene! Flehst du sie an, so verzeiht
sie."
Finster blickt sie sie an; sie lässt den begonnenen Faden
35 Fallen, mit Mühe beherrscht sie die Hand, ihre Miene
verkündet
Zorn, und also entgegnet sie jetzt der verborgenen Pallas:
„Arm an Verstand, so kommst du daher, und geschwächt
durch das Alter!
Wirklich, es schadet, zu lange zu leben! Der Tochter, der
Schwiegertochter, sofern du sie hast, ihnen predige solches
Geschwätze!
40 Ich – ich besitze des Rates genug. Du bilde dir nicht ein,
Mich mit Erfolg zu belehren: Mein Standpunkt ist immer
derselbe!
Sage: Was kommt sie nicht selbst herbei? Was flieht sie den
Wettstreit?"
Jetzo die Göttin: „Gekommen ist sie!" Die Gestalt einer
Alten
Schwindet, und Pallas ist da. Es verehren die Nymphen die
Gottheit
45 Und die mygdonischen Fraun[1]: Nur die Jungfrau, sie lässt
sich nicht schrecken,
Doch sie errötet: Ihr Antlitz umzieht eine plötzliche Röte
– Unfreiwillig – und schwindet aufs neue, dem Himmel
vergleichbar,
Der sich mit Purpurfarbe bedeckt, sobald sich Aurora[2]
Zeigt, und nach kurzer Frist, wenn die Sonne sich hebt,
wieder blass wird.
50 Aber sie bleibt bei dem Vorsatz: Aus törichter Gier nach
dem Siege
Stürzt sie sich selbst ins Verderben. Denn Jupiters Tochter
versagt es

---

[1] von Mygdonien, Mygdonier = thrakischer Volksstamm
[2] Morgenröte

Nicht, auch mahnt sie nicht mehr; sie verschiebt nicht länger
den Wettkampf.
Alsbald stellen die zwei auf verschiedenen Seiten die
Webe-Stühle bereit und bespannen mit zierlichem Garn sie.
Den Webstuhl
Bindet der Querbaum zusammen, der Rohrstab sondert    55
den Aufzug.
Mitten hinein fährt jetzt mit den spitzigen Schiffchen[1] der
Einschlag[2],
Welchen die Finger entrollen; es stoßen die Zähne des
Kammes
Durch, die eingekerbten, und schlagen es fest, das Gewobne.
Jede beeilt sich: Die Brust vom Gewand umschlossen,
bewegen
Sie die Arme geschickt; für den Eifer gibt's keine    60
Ermüdung.
Purpurne Fäden verweben die beiden – ein tyrischer[3]
Kessel
Färbte sie einst – und solche von fein nuancierenden Tönen,
Ähnlich dem Bogen, der riesig sich krümmend verläuft und
den weiten
Himmel durchfärbt, wenn der Regen die Sonnenstrahlen
zerspaltet;
Tausend verschiedene Farben erglänzen darin, doch die    65
Stellen,
Wo sich die Farben berühren, entgehen den schauenden
Augen;
Hier herrscht täuschende Gleichheit: Die Ränder sind völlig
verschieden.
Auch geschmeidige Fäden von Gold verwirken die beiden
Und sie erzählen in ihren Geweben Geschichten der
Vorzeit.
Pallas malt den Felsen des Mars auf der Höhe von    70
Cecrops[4]

---

[1] kleines, längliches Gerät, auf dem der Schussfaden aufgewickelt ist,
der durch die Kettfäden geführt wird
[2] Querfäden
[3] von Tyros, Stadt in Phoenizien
[4] röm. Agrar- und Kriegsgott, Cecrops = sagenhafter König von
Athen, halb Schlange, halb Mensch, Cecropier = Athener

Samt dem uralten Streit, wer dem Lande den Namen
erteile.
Zweimal sechs der Himmlischen sitzen erhaben auf hohen
Stühlen, und Jupiter[1] thront in der Mitte: Ein jeder der
Götter
Zeigt seine eigene Art, und Jupiter gleicht einem König.

75 Alsdann malt sie den Gott des Meeres: Er steht, und den
langen
Dreizack schlägt er ins raue Gestein; aus der Wunde des
Felsens
Springt eine Welle der See: Dies Pfand soll die Stadt ihm
gewinnen.
Sich aber gibt sie den Schild und die Lanze, geschärft an
der Spitze,
Und auf dem Haupte den Helm; die Brust ist geschützt
durch die Aegis[2].

80 Aber die Erde, so stellt sie es dar, von der Lanze getroffen,
Lässt einen silbrigen Ölbaum erwachsen: Schon trägt er
Oliven.
Staunend sehen's die Götter; Victoria[3] endet das Kunst-
werk.
Aber damit an Exempeln die Konkurrentin erkenne,
Was für ein Lohn sie erwartet für solche vermessene
Tollheit,

85 Fügt sie noch Bilder hinzu: Vier Kämpfe in vierfacher
Teilung,
Deutlich und hell in den Farben, geziert mit kleinen Figuren.
Rhodope sieht man aus Thracien in einer der Ecken und
Haemus,[4]
Jetzt eiskalte Gebirge, doch einstmals sterbliche Menschen,
Die sich vermaßen, die Namen der obersten Götter zu
tragen.

90 Und auf der anderen Seite erblickt man das klägliche
Schicksal

---

[1]  röm. Name für (griech.) Zeus = Göttervater
[2]  vermutlich Teil des Brustpanzers
[3]  röm. Siegesgöttin, griech. Nike
[4]  nach Plutarch: Bruder und Schwester, die sich in verbotener Weise
liebten, sich ‚Zeus' und ‚Hera' nannten und damit die Götter ver-
höhnten

Jener pygmaeischen Mutter[1]: Von Juno im Wettkampf
geschlagen,
War sie ein Kranich geworden und musste ihr Volk nun
bekriegen.
Auch Antigone[2] malt sie: Die wagte es einst, mit des
großen
Jupiters Gattin zu streiten. Da wandelt die Königin Juno
Sie zum Vogel; ihr Vater Laomedon kann es nicht hindern,   95
Ilion[3] nützt ihr nichts: Sie bekommt jetzt Flügel und
spendet
Selber als weißer Storch sich Beifall mit klapperndem
Schnabel.
Cinyras[4] ist in der letzten der Ecken zu sehn, der Verwaiste,
Wie er die Tempelstufen umfasst, die Glieder der eignen
Töchter: Er liegt auf dem Stein und man sieht ihn Tränen   100
vergießen.
Dann umgibt sie den Rand mit den friedlichen Zweigen des
Ölbaums
– Das ist der Saum –: Sie beendet ihr Werk mit dem
eigenen Baume.
Doch die Maeonierin schildert Europa[5], die einstmals
vom falschen
Stiere getäuscht: Lebendig erscheinen der Stier und die
Wellen;
Nach dem Land, dem verlassenen, schaut sie zurück auf   105
dem Bilde,
Ruft den Gefährtinnen zu und fürchtet des Wassers
Berührung,
Das sie bespült: Man sieht, wie sie ängstlich die Sohlen
zurückzieht.
Auch Asterië[6] malt sie, vom ringenden Adler gehalten,

---

[1]  Die Zwergin Oinoe verachtete Hera, die Gattin des Zeus.
[2]  Tochter des trojanischen Königs Laomedon
[3]  Troja
[4]  König von Zypern
[5]  Tochter des phönikischen Königs Agenor, wird von Zeus, der sich
     ihr in Gestalt eines Stieres nähert, nach Kreta entführt
[6]  verschmähte die Liebe des Zeus, der ihr in Gestalt eines Adlers er-
     scheint

Malt auch Leda[1], wie unter den Flügeln des Schwanes sie
ruhte,
110 Fügte hinzu, wie Jupiter Nycteus' liebliche Tochter
In der Gestalt eines Satyrs mit Zwillingskindern
geschwängert,
Wie er Amphitryon war,[2] als er dich, Tiryntherin, liebte,
Dann, wie er Danaë[3] täuschte als Gold, als Feuer Asopos'
Kind, als ein Hirt Mnemosyne[4], ferner als fleckige Schlange
115 Deos[5] Tochter. Auch du, Neptunus, verwandelt zum wilden
Jungstier, wurdest gemalt bei des Aeolus[6] Kind; als
Enipeus[7]
Zeugst du die Aloïden[8], als Widder berückst du Bisaltes'
Tochter[9]. Die blonde, die freundliche Mutter der
Früchte[10], erlebte
Dich als Pferd, als Vogel die schlangenhaarige Mutter
120 Jenes geflügelten Rosses, Melantho[11] erlitt dich als Delphin.
Diesen allen verlieh sie ihr Wesen, verlieh auch den Orten
Ihren Charakter. Man sah dort Phoebus[12] als Landmann
gestaltet,
Dann wie er Federn des Habichts, bald wieder das Fell
eines Löwen

---

[1] Zeus zeugt mit ihr in Gestalt eines Schwans Helena, die schönste
Frau der Antike, deren Raub den Trojanischen Krieg auslöste.
[2] Zeus täuschte Alkmene, die Gattin Amphitryons, indem er ihr in
der Gestalt ihres Mannes erschien. Er zeugte mit ihr Herakles.
[3] Tochter des Flussgottes
[4] Mutter der Musen
[5] Demeter, Göttin der Fruchtbarkeit
[6] Gott des Windes
[7] südl. Nebenfluss des Peneus in Tessalien; Flussgott
[8] Otos und Ephialtes, urweltliche Riesen
[9] Aus einer Verbindung des Flussgottes Neptun mit der Tochter des
Bisaltes entstand der Widder mit dem goldenen Vlies.
Ovid sieht in diesen Mythen vor allem die Verwandlungen. In ihnen
zeigen sich jedoch auch Spuren des uralten Glaubens an die Tierge-
stalten der Götter.
[10] Deo/Demeter; Anspielung auf einen Mythos, nach dem Poseidon
und Demeter sich in Gestalt von Pferden vereinigten.
[11] Geliebte des Neptun
[12] Apollo(n), Sohn des Zeus, Gott mit schillernden Wesenszügen,
Gott der Künste und der Mantik (= Wahrsagekunst)

Trug, wie als Hirte er Isse, des Macareus Tochter, betrogen,
Ferner wie Liber[1] Erigone[2] täuschte mit trügender Traube   125
Und wie Saturnus[3] als Hengst den zwiefachen Chiron[4]
            erzeugte.
Schließlich zeigte der Rand des Gewebes als feine Bordüre
Blumen, hineinverflochten in rankendes Efeugeschlinge.
Nicht vermöchte da Pallas, der Neid selbst könnte das
            Werk nicht
Tadeln; doch ob dem Erfolg ergrimmte die Jungfrau, die   130
            blonde,
Und zerriss das durchwirkte Gewebe, der Himmlischen
            Schmähung.
Jetzt mit dem Stab vom Berge Cytorus – sie hielt ihn noch –
            schlug sie
Dreimal und viermal die Stirne Arachnes, der Tochter des
            Idmon.
Doch das ertrug die Unselige nicht und umschnürte sich
            trotzig
Mit einer Schlinge die Kehle. Die Hängende löste aus   135
            Mitleid
Pallas und sprach: „Du magst leben, doch fürderhin hangen,
            du Schlimme!
Und auf dass du nicht hoffst auf die Zukunft: Es gelte
            dergleichen
Strafe Gesetz deinem ganzen Geschlecht und den spätesten
            Enkeln!"

---

[1] Bacchus, Gott des Weines und der Fruchtbarkeit

[2] Tochter des Ikaros (nicht Sohn des Daedalus), der von Bauern erschlagen wurde, denen er im Auftrag des Dionysos/Bacchus Wein zu trinken gegeben hatte. Weil sie die Wirkung des Weines nicht kannten, glaubten sie, er habe sie vergiftet. Erigone, Ikaros' Tochter, erhängte sich aus Schmerz am Grab des Vaters.

[3] griech. Kronos, Titan, jüngster Sohn des Uranos (= Himmel) und der Gäa (= Erde), entmannt seinen Vater (evt. Symbol für die Trennung von Himmel und Erde) und verschlingt seine Kinder, um nicht ein ähnliches Schicksal zu erleiden, wie er es seinem Vater Uranos bereitet hat. Rhea, seine Gemahlin, kann den jüngsten Sohn Zeus vor dem Vater retten, der den Vater besiegt und die Titanen in den Tartarus verbannt.

[4] Kentaur, Wesen aus Menschen- und Pferdegestalt

Und mit dem Saft eines Hecatekrautes bespritzte im
Weggehn
140 Sie die Jungfrau: Berührt von dem Zaubermittel, dem
düstern,
Schwand ihr sogleich das Haar, es schwanden ihr Nase
und Ohren,
Winzig wurde das Haupt, sie schrumpfte am Leibe
zusammen;
Magere Fingerlein hingen anstelle der Beine zur Seite.
Aber der Rest blieb Leib; doch siehe! Sie lässt einen Faden
145 Ihm entquellen: Die frühere Webekunst übt sie als – Spinne.
Doch ganz Lydien empört sich; durch Phrygiens Städte
verbreitet
Sich die Kunde; und überall spricht man davon auf der Erde.

## Die Gefährten des Odysseus

VIERZEHNTES BUCH

Wir auch, als wir das Schiff am circaeischen Strande[1]
befestigt,
Wollten nicht gehn: An Antiphates und an den wilden
Cyclopen[2]
150 Mussten wir denken. Da wurden vom Los wir bestimmt,
uns dem fremden
Hause zu nähern: Das Los hat mich und den treuen
Polites,
Ferner Eurylochus und Elpenor, den kräftigen Zecher,
Und noch achtzehn Gefährten[3] zu Circes Behausung
entsendet.
Als wir nahten und schon bei der Schwelle des Hauses
verweilten,
155 Rannten unzählige Wölfe uns an und, vermengt mit den
Wölfen,

---

[1] Circe, Tochter des Sonnengottes und Zauberin, wohnt bei Ovid
wie bei Homer auf einer Insel.
[2] gewalttätiger König der Laestrygonen
Riese, Menschenfresser, den Odysseus blendete und überlistete
[3] Gefährten des Odysseus (mit Eurylochos dreiundzwanzig)

Löwinnen, Bären machten uns Angst; doch keines war
wirklich
Furchtbar: Keines der Tiere gedachte den Leib uns zu
wunden.
Ja, sie wedelten gar mit den Schwänzen schmeichlerisch –
freundlich,
Schmiegten sich an und begleiteten unsere Schritte, bis
Mägde
Uns empfingen und dann durch eine mit Marmor bedeckte 160
Halle zur Herrin uns führten. Sie saß in schönem Gemache,
Feierlich thronend, von strahlendem Kleid umflossen,
darüber
War ein Mantel gebreitet, ein golddurchwirktes Gewebe.
Nereustöchter[1] sind da und Nymphen; doch krempeln
die flinken
Finger nicht Wolle, noch drehn sie gehorsam gleitende 165
Fäden:
Gräser werden sortiert und regellos liegende Blumen
Sorglich in Körbe geordnet und Kräuter verschiedener
Farben.
Und sie selbst dirigiert das Geschäft: Sie kennt ja den Nutzen
Jeglichen Blattes und weiß, wie sie fein zu Mixturen sich
fügen;
Achtsam kehrt sie sich hin: Sie wägt die Kräuter und prüft 170
sie.
Jetzt erblickt uns die Fürstin: Man spendet den Gruß und
empfängt ihn
Und ihre Miene entspannt sich, sie beut[2] uns freundliche
Wünsche.
Unverzüglich befiehlt sie, geröstete Körner der Gerste,
Honig und kräftigen Wein und Quark zu mischen, und
heimlich
Fügt sie noch Säfte hinzu, die unter der Süße verdeckt sind; 175
Und wir erhalten aus göttlicher Hand die gebotenen Becher.
Durstig sind wir und trinken sie aus mit trockenen Kehlen.
Aber die grässliche Göttin berührt mit dem Stab uns den
Scheitel:

---

[1]  Nereus, Meergott (dem Neptunos untergeordnet)
[2]  sie bietet

Da – ich erzähl es mit Scham![1] –, da beginnen mir
                Borsten zu wachsen,
180 Sprechen, ich hab es verlernt – nur heiser vermag ich zu
                grunzen! –,
Bin ganz mit dem Gesicht zur Erde gebeugt und ich spüre,
Wie sich der Mund mir verhärtet zu einem sich
                krümmenden Rüssel,
Wie mir der Nacken von Muskeln erschwillt; mit den
                Gliedern des Leibes,
Die noch soeben den Becher erfasst, betret ich den Boden.
185 Mit den Genossen, die Gleiches erlitten – so stark sind die
                Tränke! –,
Werd in den Stall ich gesperrt. Nur Eurylochus, seh ich, ist
                einzig
Nicht zum Schweine geworden: Nur er hat den Becher
                gemieden.
Wär' er ihm nicht entronnen, ich bliebe noch immer ein
                borsten-
Tragendes Vieh; nicht wäre Ulixes, von ihm unterrichtet,
190 Um den schrecklichen Frevel zu rächen, zu Circe
                gekommen.
Doch ihm gab der Cyllenier, der Frieden bringt,[2] eine
                weiße
Blüte aus schwarzer Wurzel; die Himmlischen nennen sie
                Moly.
So, und zugleich durch die Warnung des Gottes gesichert,
                betritt er
Circes Haus und auch er wird zum tückischen Becher
                geladen.
195 Aber sowie sie das Haar mit dem Stab ihm zu streicheln
                sich anschickt,

---

[1] Durch die Einführung des Macareus, der bei Homer nicht erwähnt ist, kann Ovid die Geschichte der Verwandlung der Gefährten des Odysseus von einem unmittelbar Betroffenen erzählen lassen. Nach Ovid war Macareus freiwillig bei Gaeta zurückgeblieben und kann so später Aeneas treffen und ihn vor den Gefahren, die ihm auf der Insel der Circe drohen, warnen.

[2] Hermes, griech. Gott des sicheren Geleits, Schutzgott der Kaufleute, Wanderer und Schelme (röm. Mercurius).

Stößt er sie weg und bedroht mit gezogenem Schwert die
                              Bestürzte.
Handschlag gibt es hernach und Vertrag; in die Kammer
                              gelassen,
Wünscht er als Ehegeschenk die wahre Gestalt der
                              Gefährten.
Und wir werden besprengt mit dem besseren Saft eines
                              fremden
Krautes; sie schlägt uns den Kopf mit dem oberen Teile des 200
                              Stabes,
Formeln werden gesprochen entgegen den früheren
                              Formeln.
Und je stärker sie singt, je kräftiger richtet und hebt es
Uns vom Boden, es fallen die Borsten, die Ritze
                              verschwindet
In den gespaltenen Füßen, es kehren die Ober-, die Unter-
Arme, die Schultern zurück! Wir umarmen den weinenden 205
                              Helden[1]
Weinend und hangen am Hals des Führers, aufs Neue
                              erscheinen
Worte, doch bringen die ersten den innigen Dank für die
                              Rettung.

Aus: Ovid: Metamorphosen.
Stuttgart: Reclam, 1971, S. 454–456; S. 180–185.

---

[1] Odysseus

## 4. Verwandlungsmärchen der Brüder Grimm

*Die vorliegenden Märchen sind der Sammlung „Kindermärchen und Hausmärchen" der Brüder Jakob und Wilhelm Grimm entnommen.*
*Die Sammlung erschien in zwei Teilen 1812 und 1815.*
*Die Brüder Grimm sammelten nach mündlicher Überlieferung (vor allem in Hessen und in der Grafschaft Hanau) deutsche Märchen. „Methodisch verfuhren die Brüder nach dem Grundsatz, alles ‚so rein als möglich [...] treu und genau mit aller Eigentümlichkeit selbst des Dialekts, ohne Zusatz und sogenannte Verschönerung' wiederzugeben." (Kindlers Literaturlexikon, Bd 12, S. 5238)*

### Die zwölf Brüder

Es war einmal ein König und eine Königin, die lebten in Frieden miteinander und hatten zwölf Kinder, das waren aber lauter Buben. Nun sprach der König zu seiner Frau: „Wenn das dreizehnte Kind, was du zur Welt bringst, ein
5 Mädchen ist, so sollen die zwölf Buben sterben, damit sein Reichtum groß wird und das Königreich ihm allein zufällt." Er ließ auch zwölf Särge machen, die waren schon mit Hobelspänen gefüllt, und in jedem lag das Totenkisschen, und ließ sie in eine verschlossene Stube bringen, dann gab er
10 der Königin den Schlüssel und gebot ihr, niemand etwas davon zu sagen. Die Mutter aber saß nun den ganzen Tag und trauerte, sodass der kleinste Sohn, der immer bei ihr war und den sie nach der Bibel Benjamin nannte, zu ihr sprach: „Liebe Mutter, warum bist du so traurig?"
15 „Liebstes Kind", antwortete sie, „ich darf dir's nicht sagen." Er ließ ihr aber keine Ruhe, bis sie ging und die Stube aufschloss und ihm die zwölf mit Hobelspänen schon gefüllten Totenladen zeigte. Darauf sprach sie: „Mein liebster Benjamin, diese Särge hat dein Vater für dich und deine
20 elf Brüder machen lassen, denn wenn ich ein Mädchen zur Welt bringe, so sollt ihr allesamt getötet und darin begraben werden."

Und als sie weinte, während sie das sprach, so tröstete sie
der Sohn und sagte: „Weine nicht, liebe Mutter, wir wollen uns schon helfen und wollen fortgehen." Sie aber
sprach: „Geh mit deinen elf Brüdern hinaus in den Wald
und einer setze sich immer auf den höchsten Baum, der zu 5
finden ist, und halte Wacht und schaue nach dem Turm
hier im Schloss. Gebär ich ein Söhnlein, so will ich eine
weiße Fahne aufstecken, und dann dürft ihr wiederkommen; gebär ich ein Töchterlein, so will ich eine rote Fahne
aufstecken, und dann flieht fort, so schnell ihr könnt, und 10
der liebe Gott behüte euch. Alle Nacht will ich aufstehen
und für euch beten, im Winter, dass ihr an einem Feuer
euch wärmen könnt, im Sommer, dass ihr nicht in der Hit-
ze schmachtet." Nachdem sie also ihre Söhne gesegnet
hatte, gingen sie hinaus in den Wald. Einer hielt um den an- 15
dern Wacht, saß auf der höchsten Eiche und schauete nach
dem Turm.
Als elf Tage herum waren und die Reihe an Benjamin kam,
da sah er, wie eine Fahne aufgesteckt wurde: Es war aber
nicht die weiße, sondern die rote Blutfahne, die verkünde- 20
te, dass sie alle sterben sollten. Wie die Brüder das hörten, wurden sie zornig und sprachen: „Sollten wir um eines Mädchens willen den Tod leiden! Wir schwören, dass
wir uns rächen wollen: Wo wir ein Mädchen finden, soll
sein rotes Blut fließen." 25
Darauf gingen sie tiefer in den Wald hinein, und mitten-
drein, wo er am dunkelsten war, fanden sie ein kleines,
verwünschtes Häuschen, das leer stand. Da sprachen sie:
„Hier wollen wir wohnen und du, Benjamin, du bist der
Jüngste und Schwächste, du sollst daheim bleiben und 30
haushalten, wir andern wollen ausgehen und Essen holen."
Nun zogen sie in den Wald und schossen Hasen, wilde Rehe, Vögel und Täuberchen und was zu essen stand; das
brachten sie dem Benjamin, der musste es ihnen zurecht-
machen, damit sie ihren Hunger stillen konnten. In dem 35
Häuschen lebten sie zehn Jahre zusammen und die Zeit
ward ihnen nicht lang. Das Töchterchen, das ihre Mutter,
die Königin, geboren hatte, war nun herangewachsen, war
gut von Herzen und schön von Angesicht und hatte einen
goldenen Stern auf der Stirne. 40

Einmal, als große Wäsche war, sah es darunter zwölf Mannshemden und fragte seine Mutter: „Wem gehören diese zwölf Hemden, für den Vater sind sie doch viel zu klein?"

5 Da antwortete sie mit schwerem Herzen: „Liebes Kind, die gehören deinen zwölf Brüdern." – Sprach das Mädchen: „Wo sind meine zwölf Brüder, ich habe noch niemals von ihnen gehört." Sie antwortete: „Das weiß Gott, wo sie sind: Sie irren in der Welt herum."

10 Da nahm sie das Mädchen und schloss ihm das Zimmer auf und zeigte ihm die zwölf Särge mit den Hobelspänen und den Totenkisschen. „Diese Särge", sprach sie, „waren für deine Brüder bestimmt, aber sie sind heimlich fortgegangen, eh du geboren warst", und erzählte ihm, wie sich

15 alles zugetragen hatte. Da sagte das Mädchen: „Liebe Mutter, weine nicht, ich will gehen und meine Brüder suchen." Nun nahm es die zwölf Hemden und ging fort und geradezu in den großen Wald hinein. Es ging den ganzen Tag, und am Abend kam es zu dem verwünschten Häuschen. Da trat

20 es hinein und fand einen jungen Knaben, der fragte: „Wo kommst du her und wo willst du hin?", und erstaunte, dass sie so schön war, königliche Kleider trug und einen Stern auf der Stirne hatte. Da antwortete sie: „Ich bin eine Königstochter und suche meine zwölf Brüder und will gehen,

25 so weit der Himmel blau ist, bis ich sie finde." Sie zeigte ihm auch die zwölf Hemden, die ihnen gehörten. Da sah Benjamin, dass es seine Schwester war, und sprach: „Ich bin Benjamin, dein jüngsten Bruder." Und sie fing an zu weinen vor Freude und Benjamin auch und sie küssten und

30 herzten einander vor großer Liebe. Hernach sprach er: „Liebe Schwester, es ist noch ein Vorbehalt da, wir hatten verabredet, dass ein jedes Mädchen, das uns begegnete, sterben sollte, weil wir um ein Mädchen unser Königreich verlassen mussten." Da sagte sie: „Ich will gerne sterben,

35 wenn ich damit meine zwölf Brüder erlösen kann." „Nein", antwortete er, „du sollst nicht sterben, setze dich unter diese Bütte, bis die elf Brüder kommen, dann will ich schon einig mit ihnen werden." Also tat sie; und wie es Nacht ward, kamen die andern

40 von der Jagd, und die Mahlzeit war bereit. Und als sie am

Tische saßen und aßen, fragten sie: „Was gibt's Neues?"
Sprach Benjamin: „Wisst ihr nichts?"
„Nein", antworteten sie. Sprach er weiter: „Ihr seid im
Walde gewesen und ich bin daheim geblieben und weiß
doch mehr als ihr." 5
„So erzähle uns", riefen sie. Antwortete er: „Versprecht
ihr mir auch, dass das erste Mädchen, das uns begegnet,
nicht soll getötet werden?"
„Ja", riefen sie alle, „das soll Gnade haben, erzähl uns
nur." 10
Da sprach er: „Unsere Schwester ist da", und hub die
Bütte auf und die Königstochter kam hervor in ihren kö-
niglichen Kleidern mit dem goldenen Stern auf der Stirne
und war so schön, zart und fein. Da freueten sie sich alle,
fielen ihr um den Hals und küssten sie und hatten sie vom 15
Herzen lieb. Nun blieb sie bei Benjamin zu Haus und half
ihm in der Arbeit. Die elfe zogen in den Wald, fingen Ge-
wild, Rehe, Vögel und Täuberchen, damit sie zu essen hatten, und die Schwester und Benjamin sorgten, dass es zu-
bereitet wurde. Sie suchte das Holz zum Kochen und die 20
Kräuter zum Gemüs und stellte die Töpfe ans Feuer, also
dass die Mahlzeit immer fertig war, wenn die elfe kamen.
Sie hielt auch sonst Ordnung im Häuschen und deckte die
Bettlein hübsch weiß und rein und die Brüder waren immer zufrieden und lebten in großer Einigkeit mit ihr. 25
Auf eine Zeit hatten die beiden daheim eine schöne Kost
zurechtgemacht, und wie sie nun alle beisammen waren,
setzten sie sich, aßen und tranken und waren voller Freude. Es war aber ein kleines Gärtchen an dem verwünschten Häuschen, darin standen zwölf Lilienblumen, die man 30
auch Studenten heißt; nun wollte sie ihren Brüdern ein
Vergnügen machen, brach die zwölf Blumen ab und dachte,
jedem aufs Essen eine zu schenken. Wie sie aber die Blumen abgebrochen hatte, in demselben Augenblick waren
die zwölf Brüder in zwölf Raben verwandelt und flogen 35
über den Wald hinfort und das Haus mit dem Garten war
auch verschwunden.
Da war nun das arme Mädchen allein in dem wilden Wald
und wie es sich umsah, so stand eine alte Frau neben ihm,
die sprach: „Mein Kind, was hast du angefangen? Warum 40

hast du die zwölf weißen Blumen nicht stehen lassen? Das
waren deine Brüder, die sind nun auf immer in Raben verwandelt." Das Mädchen sprach weinend: „Ist denn kein
Mittel, sie zu erlösen?"

5 „Nein", sagte die Alte, „es ist keins auf der ganzen Welt
als eins, das ist aber so schwer, dass du sie damit nicht befreien wirst, denn du musst sieben Jahre stumm sein,
darfst nicht sprechen und nicht lachen, und sprichst du ein
einziges Wort und es fehlt nur eine Stunde an den sieben
10 Jahren, so ist alles umsonst und deine Brüder werden von
dem einen Wort getötet."

Da sprach das Mädchen in seinem Herzen: „Ich weiß gewiss, dass ich meine Brüder erlöse", und ging und suchte
einen hohen Baum, setzte sich darauf und spann und
15 sprach nicht und lachte nicht.

Nun trug's sich zu, dass ein König in dem Walde jagte, der
hatte einen großen Windhund, der lief zu dem Baum, wo das
Mädchen draufsaß, sprang herum, schrie und bellte hinauf.
Da kam der König herbei und sah die schöne Königstochter
20 mit dem goldenen Stern auf der Stirne und war so entzückt
über ihre Schönheit, dass er ihr zurief, ob sie seine Gemahlin werden wollte. Sie gab keine Antwort, nickte aber ein
wenig mit dem Kopf. Da stieg er selbst auf den Baum, trug
sie herab, setzte sie auf sein Pferd und führte sie heim.

25 Da ward die Hochzeit mit großer Pracht und Freude gefeiert; aber die Braut sprach nicht und lachte nicht. Als sie
ein paar Jahre miteinander vergnügt gelebt hatten, fing die
Mutter des Königs, die eine böse Frau war, an, die junge
Königin zu verleumden, und sprach zum König: „Es ist ein
30 gemeines Bettelmädchen, das du dir mitgebracht hast, wer
weiß, was für gottlose Streiche sie heimlich treibt. Wenn
sie stumm ist und nicht sprechen kann, so könnte sie doch
einmal lachen, aber wer nicht lacht, der hat ein böses Gewissen." Der König wollte zuerst nicht daran glauben,
35 aber die Alte trieb es so lange und beschuldigte sie so viel
böser Dinge, dass der König sich endlich überreden ließ
und sie zum Tod verurteilte.

Nun ward im Hof ein großes Feuer angezündet, darin sollte sie verbrannt werden; und der König stand oben am
40 Fenster und sah mit weinenden Augen zu, weil er sie noch

immer so lieb hatte. Und als sie schon an den Pfahl festge-
bunden war und das Feuer an ihren Kleidern mit roten
Zungen leckte, da war eben der letzte Augenblick von den
sieben Jahren verflossen. Da ließ sich in der Luft ein Geschwirr hören und zwölf Raben kamen hergezogen und ⁵
senkten sich nieder; und wie sie die Erde berührten, waren es ihre zwölf Brüder, die sie erlöst hatte. Sie rissen das
Feuer auseinander, löschten die Flammen, machten ihre
liebe Schwester frei und küssten und herzten sie.
Nun aber, da sie ihren Mund auftun und reden durfte, er- ¹⁰
zählte sie dem Könige, warum sie stumm gewesen wäre
und niemals gelacht hätte. Der König freute sich, als er
hörte, dass sie unschuldig war, und sie lebten nun alle zusammen in Einigkeit bis an ihren Tod. Die böse Stiefmutter
[Schwiegermutter] ward vor Gericht gestellt und in ein ¹⁵
Fass gesteckt, das mit siedendem Öl und giftigen Schlangen
angefüllt war, und starb eines bösen Todes.

## Die sieben Raben

Ein Mann hatte sieben Söhne und immer noch kein Töchterchen, so sehr er sich's auch wünschte; endlich gab ihm
seine Frau wieder gute Hoffnung zu einem Kinde, und
wie's zur Welt kam, war's auch ein Mädchen.
Die Freude war groß, aber das Kind war schmächtig und ⁵
klein und sollte wegen seiner Schwachheit die Nottaufe
haben.

Der Vater schickte einen der Knaben eilends zur Quelle, Taufwasser zu holen; die andern sechs liefen mit, und weil jeder der Erste beim Schöpfen sein wollte, so fiel ihnen der Krug in den Brunnen. Da standen sie und wussten
5 nicht, was sie tun sollten, und keiner getraute sich heim. Als sie immer nicht zurückkamen, ward der Vater ungeduldig und sprach: „Gewiss haben sie's wieder über ein Spiel vergessen, die gottlosen Jungen." Es ward ihm angst, das Mädchen müsste ungetauft verscheiden, und im Ärger rief
10 er: „Ich wollte, dass die Jungen alle zu Raben würden."
Kaum war das Wort ausgeredet, so hörte er ein Geschwirr über seinem Haupt in der Luft, blickte in die Höhe und sah sieben kohlschwarze Raben auf- und davonfliegen. Die Eltern konnten die Verwünschung nicht mehr zurückneh-
15 men, und so traurig sie über den Verlust ihrer sieben Söhne waren, trösteten sie sich doch einigermaßen durch ihr liebes Töchterchen, das bald zu Kräften kam und mit jedem Tage schöner ward. Es wusste lange Zeit nicht einmal, dass es Geschwister gehabt hatte, denn die Eltern hüteten
20 sich, ihrer zu erwähnen, bis es eines Tags von ungefähr die Leute von sich sprechen hörte, das Mädchen wäre wohl schön, aber doch eigentlich schuld an dem Unglück seiner sieben Brüder. Da ward es ganz betrübt, ging zu Vater und Mutter und fragte, ob es denn Brüder gehabt hätte und
25 wo sie hingeraten wären. Nun durften die Eltern das Geheimnis nicht länger verschweigen, sagten jedoch, es sei so des Himmels Verhängnis und seine Geburt nur der unschuldige Anlass gewesen. Allein das Mädchen machte sich täglich ein Gewissen daraus und glaubte, es müsste seine
30 Geschwister wieder erlösen.
Es hatte nicht Ruhe und Rast, bis es sich heimlich aufmachte und in die weite Welt ging, seine Brüder irgendwo aufzuspüren und zu befreien, es möchte kosten, was es wollte. Es nahm nichts mit sich als ein Ringlein von seinen
35 Eltern zum Andenken, einen Laib Brot für den Hunger, ein Krüglein Wasser für den Durst und ein Stühlchen für die Müdigkeit.
Nun ging es immerzu, weit, weit bis an der Welt Ende. Da kam es zur Sonne, aber die war zu heiß und fürchterlich
40 und fraß die kleinen Kinder. Eilig lief es weg und lief hin zu

dem Mond, aber der war gar zu kalt und auch grausig und bös, und als er das Kind merkte, sprach er: „Ich rieche, rieche Menschenfleisch."

Da machte es sich geschwind fort und kam zu den Sternen, die waren ihm freundlich und gut, und jeder saß auf seinem besondern Stühlchen. Der Morgenstern aber stand auf, gab ihm ein Hinkelbeinchen und sprach: „Wenn du das Beinchen nicht hast, kannst du den Glasberg nicht aufschließen, und in dem Glasberg, da sind deine Brüder."

Das Mädchen nahm das Beinchen, wickelte es wohl in ein Tüchlein und ging wieder fort so lange, bis es an den Glasberg kam. Das Tor war verschlossen und es wollte das Beinchen hervorholen, aber wie es das Tüchlein aufmachte, so war es leer und es hatte das Geschenk der guten Sterne verloren. Was sollte es nun anfangen? Seine Brüder wollte es erretten und hatte keinen Schlüssel zum Glasberg. Das gute Schwesterchen nahm ein Messer, schnitt sich ein kleines Fingerchen ab, steckte es in das Tor und schloss glücklich auf. Als es eingegangen war, kam ihm ein Zwerglein entgegen, das sprach: „Mein Kind, was suchst du?"

„Ich suche meine Brüder, die sieben Raben", antwortete es. Der Zwerg sprach: „Die Herren Raben sind nicht zu Haus, aber willst du hier so lang warten, bis sie kommen, so tritt ein." Darauf trug das Zwerglein die Speise der Raben herein auf sieben Tellerchen und in sieben Becherchen und von jedem Tellerchen aß das Schwesterchen ein Bröckchen und aus jedem Becherchen trank es ein

Schlückchen; in das letzte Becherchen aber ließ es das Ringlein fallen, das es mitgenommen hatte.

Auf einmal hörte es in der Luft ein Geschwirr und ein Geweh, da sprach das Zwerglein: „Jetzt kommen die Herren Raben heimgeflogen." Da kamen sie, wollten essen und trinken und suchten ihre Tellerchen und Becherchen.

Da sprach einer nach dem andern: „Wer hat von meinem Tellerchen gegessen? Wer hat aus meinem Becherchen getrunken? Das ist eines Menschen Mund gewesen." Und wie der siebente auf den Grund des Bechers kam, rollte ihm das Ringlein entgegen. Da sah er es an und erkannte, dass es ein Ring von Vater und Mutter war, und sprach: „Gott gebe, unser Schwesterlein wäre da, so wären wir erlöst."

Wie das Mädchen, das hinter der Türe stand und lauschte, den Wunsch hörte, so trat es hervor, und da bekamen alle die Raben ihre menschliche Gestalt wieder. Und sie herzten und küssten einander und zogen fröhlich heim.

## Das singende, springende Löweneckerchen

Es war einmal ein Mann, der hatte eine große Reise vor, und beim Abschied fragte er seine drei Töchter, was er ihnen mitbringen sollte. Da wollte die älteste Perlen, die zweite wollte Diamanten, die dritte aber sprach: „Lieber Vater, ich wünsche mir ein singendes, springendes Löweneckerchen (Lerche)." Der Vater sagte: „Ja, wenn ich es kriegen kann, sollst du es haben", küsste alle drei und zog fort. – Als nun die Zeit kam, dass er wieder auf dem Heimweg war, so hatte er Perlen und Diamanten für die zwei Ältesten gekauft, aber das singende, springende Löweneckerchen für die Jüngste hatte er umsonst allerorten gesucht, und das tat ihm Leid, denn sie war sein liebstes Kind. Da führte ihn der Weg durch einen Wald und mitten darin war ein prächtiges Schloss und nah am Schloss stand ein Baum, ganz oben auf der Spitze des Baums aber sah er ein Löweneckerchen singen und springen. „Ei, du kommst mir gerade recht", sagte er ganz vergnügt und rief seinem Diener, er sollte hinaufsteigen und das Tierchen fangen.

Wie er aber zu dem Baum trat, sprang ein Löwe darunter auf, schüttelte sich und brüllte, dass das Laub an den Bäumen zitterte. „Wer mir mein singendes, springendes Löweneckerchen stehlen will", rief er, „den fresse ich auf." Da sagte der Mann: „Ich habe nicht gewusst, dass der Vogel dir gehört; ich will ein Unrecht wieder gutmachen und mich mit schwerem Golde loskaufen, lass mir nur das Leben." 5 Der Löwe sprach: „Dich kann nichts retten, als wenn du mir zu eigen versprichst, was dir daheim zuerst begegnet; willst du das aber tun, so schenke ich dir das Leben und den Vogel für deine Tochter obendrein." Der Mann aber weigerte sich und sprach: „Das könnte meine jüngste Toch- 10 ter sein, die hat mich am liebsten und läuft mir immer entgegen, wenn ich nach Haus komme." Dem Diener aber war angst, und er sagte: „Muss Euch denn gerade Eure Tochter begegnen, es könnte ja auch eine Katze oder ein Hund sein." Da ließ sich der Mann überreden, nahm das 15 singende, springende Löweneckerchen und versprach dem Löwen zu eigen, was ihm daheim zuerst begegnen würde. Wie er daheim anlangte und in sein Haus eintrat, war das Erste, was ihm begegnete, niemand anders als seine jüngste, liebste Tochter: Die kam gelaufen, küsste und herzte 20 ihn, und als sie sah, dass er ein singendes, springendes Löweneckerchen mitgebracht hatte, war sie außer sich vor Freude. Der Vater aber konnte sich nicht freuen, sondern fing an zu weinen und sagte: „Mein liebstes Kind, den kleinen Vogel habe ich teuer gekauft, ich habe dich dafür ei- 25 nem wilden Löwen versprechen müssen, und wenn er dich hat, wird er dich zerreißen und fressen", und erzählte ihr da alles, wie es zugegangen war, und bat sie, nicht hinzugehen, es möchte auch kommen, was da wollte. Sie tröstete ihn aber und sprach: „Liebster Vater, was Ihr 30 versprochen habt, muss auch gehalten werden: Ich will hingehen und will den Löwen schon besänftigen, dass ich wieder gesund zu Euch komme." Am andern Morgen ließ sie sich den Weg zeigen, nahm Abschied und ging getrost in den Wald hinein. Der Löwe aber 35 war ein verzauberter Königssohn und war bei Tag ein Löwe, und mit ihm wurden alle seine Leute Löwen, in der Nacht aber hatten sie ihre natürliche, menschliche Gestalt. Bei ihrer Ankunft ward sie freundlich empfangen und in das Schloss geführt. Als die Nacht kam, war er ein schö- 40

ner Mann und die Hochzeit ward mit Pracht gefeiert. Sie
lebten vergnügt miteinander, wachten in der Nacht und
schliefen am Tag.

Zu einer Zeit kam er und sagte: „Morgen ist ein Fest in
5 deines Vaters Haus, weil deine älteste Schwester sich verheiratet, und wenn du Lust hast hinzugehen, so sollen dich
meine Löwen hinführen." Da sagte sie, ja, sie möchte gern
ihren Vater wiedersehen, fuhr hin und ward von den
Löwen begleitet. Da war große Freude, als sie ankam,
10 denn sie hatten alle geglaubt, sie wäre von dem Löwen
zerrissen worden und schon lange nicht mehr am Leben.
Sie erzählte aber, was sie für einen schönen Mann hätte
und wie gut es ihr ginge, und blieb bei ihnen, solang die
Hochzeit dauerte, dann fuhr sie wieder zurück in den
15 Wald.

Wie die zweite Tochter heiratete und sie wieder zur
Hochzeit eingeladen war, sprach sie zum Löwen: „Diesmal
will ich nicht allein sein, du musst mitgehen." Der Löwe
aber sagte, das wäre zu gefährlich für ihn, denn wenn dort
20 der Strahl eines brennenden Lichts ihn berührte, so würde
er in eine Taube verwandelt und müsste sieben Jahre lang
mit den Tauben fliegen. „Ach", sagte sie, „geh nur mit mir:
Ich will dich schon hüten und vor allem Licht bewahren."
Also zogen sie zusammen und nahmen auch ihr kleines
25 Kind mit. Sie ließ dort einen Saal mauern, so stark und
dick, dass kein Strahl durchdringen konnte, darin sollt er
sitzen, wann die Hochzeitslichter angesteckt würden. Die
Tür aber war von frischem Holz gemacht, das sprang und
bekam einen kleinen Ritz, den kein Mensch bemerkte.
30 Nun ward die Hochzeit mit Pracht gefeiert, wie aber der
Zug aus der Kirche zurückkam mit den vielen Fackeln und
Lichtern an dem Saal vorbei, da fiel ein haarbreiter Strahl
auf den Königssohn, und wie dieser Strahl ihn berührt hatte, in dem Augenblick war er auch verwandelt, und als sie
35 hineinkam und ihn suchte, sah sie ihn nicht, aber es saß da
eine weiße Taube. Die Taube sprach zu ihr: „Sieben Jahr
muss ich in die Welt fortfliegen; alle sieben Schritte aber
will ich einen roten Blutstropfen und eine weiße Feder fallen lassen, die sollen dir den Weg zeigen, und wenn du der
40 Spur folgst, kannst du mich erlösen."

Da flog die Taube zur Tür hinaus und sie folgte ihr nach und alle sieben Schritte fiel ein rotes Blutströpfchen und ein weißes Federchen herab und zeigte ihren Weg. So ging sie immerzu in die weite Welt hinein und schaute nicht um sich und ruhte sich nicht und waren fast die sieben Jahre 5 herum; da freute sie sich und meinte, sie wären bald erlöst und war noch so weit davon.

Einmal, als sie so fortging, fiel kein Federchen mehr und auch kein rotes Blutströpfchen, und als sie die Augen aufschlug, so war die Taube verschwunden. Und weil sie dachte: „Men- 10 schen können dir da nicht helfen", so stieg sie zur Sonne hinauf und sagte zu ihr: „Du scheinst in alle Ritzen und über alle Spitzen, hast du keine weiße Taube fliegen sehen?"

„Nein", sagte die Sonne, „ich habe keine gesehen, aber da schenk ich dir ein Kästchen, das mach auf, wenn du in 15 großer Not bist." Da dankte sie der Sonne und ging weiter, bis es Abend war und der Mond schien, da fragte sie ihn: „Du scheinst ja die ganze Nacht und durch alle Felder und Wälder, hast du eine weiße Taube fliegen sehen?"

„Nein", sagte der Mond, „ich habe keine gesehen, aber da 20 schenk ich dir ein Ei, das zerbrich, wenn du in großer Not bist." Da dankte sie dem Mond und ging weiter, bis der Nachtwind herankam und sie anblies; da sprach sie zu ihm: „Du wehst ja über alle Bäume und unter allen Blättern weg, hast du keine weiße Taube fliegen sehen?" 25

„Nein", sagte der Nachtwind, „ich habe keine gesehen, aber ich will die drei andern Winde fragen, die haben sie

vielleicht gesehen." Der Ostwind und der Westwind kamen und hatten nichts gesehen, der Südwind aber sprach: „Die weiße Taube habe ich gesehen, sie ist zum Roten Meer geflogen, da ist sie wieder ein Löwe geworden, denn
5 die sieben Jahre sind herum, und der Löwe steht dort im Kampf mit einem Lindwurm, der Lindwurm ist aber eine verzauberte Königstochter."

Da sagte der Nachtwind zu ihr: „Ich will dir Rat geben, geh zum Roten Meer, am rechten Ufer, da stehen große
10 Ruten, die zähle, und die elfte schneid dir ab und schlag den Lindwurm damit, dann kann ihn der Löwe bezwingen und beide bekommen auch ihren menschlichen Leib wieder. Hernach schau dich um und du wirst den Vogel Greif sehen, der am Roten Meer sitzt, schwing dich mit deinem
15 Liebsten auf seinen Rücken: Der Vogel wird euch übers Meer nach Haus tragen. Da hast du auch eine Nuss, wenn du mitten über dem Meere bist, lass sie herabfallen, alsbald wird sie aufgehen und ein großer Nussbaum wird aus dem Wasser hervorwachsen, auf dem sich der Greif ausruht;
20 und könnte er nicht ruhen, so wäre er nicht stark genug, euch hinüberzutragen; und wenn du vergisst, die Nuss herabzuwerfen, so lässt er euch ins Meer fallen."

Da ging sie hin und fand alles, wie der Nachtwind gesagt hatte. Sie zählte die Ruten am Meer und schnitt die elfte
25 ab, damit schlug sie den Lindwurm, und der Löwe bezwang ihn; alsbald hatten beide ihren menschlichen Leib wieder. Aber wie die Königstochter, die vorher ein Lindwurm gewesen war, vom Zauber frei war, nahm sie den Jüngling in den Arm, setzte sich auf den Vogel Greif und
30 führte ihn mit sich fort. Da stand die arme Weitgewanderte und war wieder verlassen und setzte sich nieder und weinte. Endlich aber ermutigte sie sich und sprach: „Ich will noch so weit gehen, als der Wind weht, und so lange, als der Hahn kräht, bis ich ihn finde."

35 Und ging fort, lange, lange Wege, bis sie endlich zu dem Schloss kam, wo beide zusammenlebten; da hörte sie, dass bald ein Fest wäre, wo sie Hochzeit miteinander machen wollten. Sie sprach aber: „Gott hilft mir noch", und öffnete das Kästchen, das ihr die Sonne gegeben hatte, da lag
40 ein Kleid darin, so glänzend wie die Sonne selber. Da nahm

sie es heraus und zog es an und ging hinauf in das Schloss und alle Leute und die Braut selber sahen sie mit Verwunderung an; und das Kleid gefiel der Braut so, dass sie dachte, es könnte ihr Hochzeitskleid geben, und fragte, ob es nicht feil wäre. „Nicht für Geld und Gut", antwortete sie, 5 „aber für Fleisch und Blut." Die Braut fragte, was sie damit meinte. Da sagte sie: „Lasst mich eine Nacht in der Kammer schlafen, wo der Bräutigam schläft." Die Braut wollte nicht und wollte doch gerne das Kleid haben, endlich willigte sie ein, aber der Kammerdiener musste dem 10 Königssohn einen Schlaftrunk geben.

Als es nun Nacht war und der Jüngling schon schlief, ward sie in die Kammer geführt. Da setzte sie sich ans Bett und sagte: „Ich bin dir nachgefolgt sieben Jahre, bin bei Sonne und Mond und bei den vier Winden gewesen und habe 15 nach dir gefragt, und habe dir geholfen gegen den Lindwurm, willst du mich denn ganz vergessen?" Der Königssohn aber schlief so hart, dass es ihm nur vorkam, als rauschte der Wind draußen in den Tannenbäumen.

Wie nun der Morgen anbrach, da ward sie wieder hinaus- 20 geführt und musste das goldene Kleid hingeben. Und als auch das nichts geholfen hatte, ward sie traurig, ging hinaus auf eine Wiese, setzte sich da hin und weinte. Und wie sie so saß, da fiel ihr das Ei noch ein, das ihr der Mond gegeben hatte; sie schlug es auf, da kam eine Glucke heraus 25 mit zwölf Küchlein ganz von Gold, die liefen herum und

piepten und krochen der Alten wieder unter die Flügel,
sodass nichts Schöneres auf der Welt zu sehen war.

Da stand sie auf, trieb sie auf der Wiese vor sich her, so
lange, bis die Braut aus dem Fenster sah, und da gefielen
5 ihr die kleinen Küchlein so gut, dass sie gleich herabkam
und fragte, ob sie nicht feil wären. „Nicht für Geld und
Gut, aber für Fleisch und Blut; lasst mich noch eine Nacht
in der Kammer schlafen, wo der Bräutigam schläft."

Die Braut sagte ja und wollte sie betrügen wie am vorigen
10 Abend. Als aber der Königssohn zu Bett ging, fragte er seinen Kammerdiener, was das Murmeln und Rauschen in
der Nacht gewesen sei. Da erzählte der Kammerdiener alles, dass er ihm einen Schlaftrunk hätte geben müssen,
weil ein armes Mädchen in der Kammer geschlafen hätte,
15 und heute Nacht sollte er ihm wieder einen geben. Sagte
der Königssohn: „Gieß den Trank neben das Bett aus."

Zur Nacht wurde sie wieder hereingeführt, und als sie anfing zu erzählen, wie es ihr traurig ergangen wäre, da erkannte er gleich an der Stimme seine liebe Gemahlin,
20 sprang auf und rief: „Jetzt bin ich erst recht erlöst, mir ist
gewesen wie in einem Traum, denn die fremde Königstochter hatte mich bezaubert, dass ich dich vergessen
musste, aber Gott hat noch zu rechter Stunde die
Betörung von mir genommen.

25 Da gingen sie beide in der Nacht heimlich aus dem
Schloss, denn sie fürchteten sich vor dem Vater der
Königstochter, der ein Zauberer war, und setzten sich auf
den Vogel Greif, der trug sie über das Rote Meer, und als
sie in der Mitte waren, ließ sie die Nuss fallen. Alsbald
30 wuchs ein großer Nussbaum, darauf ruhte sich der Vogel
und dann führte er sie nach Haus, wo sie ihr Kind fanden,
das war groß und schön geworden und sie lebten von nun
an vergnügt bis an ihr Ende."

## Der Froschkönig oder der eiserne Heinrich

In den alten Zeiten, wo das Wünschen noch geholfen hat,
lebte ein König, dessen Töchter waren alle schön, aber die
jüngste war so schön, dass die Sonne selber, die doch so
vieles gesehen hat, sich verwunderte, sooft sie ihr ins Ge-
5 sicht schien. Nahe bei dem Schlosse des Königs lag ein

großer dunkler Wald, und in dem Walde unter einer alten Linde war ein Brunnen; wenn nun der Tag recht heiß war, so ging das Königskind hinaus in den Wald und setzte sich an den Rand des kühlen Brunnens, und wenn sie Langeweile hatte, so nahm sie eine goldene Kugel, warf sie in die Höhe 5 und fing sie wieder, und das war ihr liebstes Spielwerk.

Nun trug es sich einmal zu, dass die goldene Kugel der Königstochter nicht in ihr Händchen fiel, das sie in die Höhe gehalten hatte, sondern vorbei auf die Erde schlug und geradezu ins Wasser hineinrollte. Die Königstochter folgte ihr 10 mit den Augen nach, aber die Kugel verschwand, und der Brunnen war tief, so tief, dass man keinen Grund sah. Da fing sie an zu weinen und weinte immer lauter und konnte sich gar nicht trösten. Und wie sie so klagte, rief ihr jemand zu: „Was hast du vor, Königstochter, du schreist ja, dass 15 sich ein Stein erbarmen möchte." Sie sah sich um, woher die Stimme käme, da erblickte sie einen Frosch, der seinen dicken hässlichen Kopf aus dem Wasser streckte. „Ach, du bist's, alter Wasserpatscher", sagte sie, „ich weine über meine goldene Kugel, die mir in den Brunnen hinabgefallen ist." 20 – „Sei still und weine nicht!", antwortete der Frosch. „Ich kann wohl Rat schaffen, aber was gibst du mir, wenn ich dein Spielwerk wieder heraufhole?" – „Was du haben willst, lieber Frosch", sagte sie, „meine Kleider, meine Perlen und Edelsteine, auch noch die goldene Krone, die ich trage." 25 Der Frosch antwortete: „Deine Kleider, deine Perlen und Edelsteine und deine goldene Krone, die mag ich nicht: Aber wenn du mich liebhaben willst und ich soll dein Geselle und Spielkamerad sein, an deinem Tischlein neben dir sitzen, von deinem goldenen Tellerlein essen, aus deinem Becherlein 30 trinken, in deinem Bettlein schlafen: Wenn du mir das versprichst, so will ich hinuntersteigen und dir die goldene Kugel wieder heraufholen." – „Ach ja", sagte sie, „ich verspreche dir alles, was du willst, Wenn du mir nur die Kugel wieder heraufbringst." Sie dachte aber: „Was der einfältige 35 Frosch schwätzt, der sitzt im Wasser bei seinesgleichen und quakt und kann keines Menschen Geselle sein."

Der Frosch, als er die Zusage erhalten hatte, tauchte seinen Kopf unter, sank hinab, und über ein Weilchen kam er wieder heraufgerudert, hatte die Kugel im Maul und warf 40

sie ins Gras. Die Königstochter war voll Freude, als sie ihr schönes Spielwerk wieder erblickte, hob es auf und sprang damit fort. „Warte, warte", rief der Frosch, „nimm mich mit, ich kann nicht so laufen wie du." Aber was half ihm,
5 dass er ihr sein Quak, Quak so laut nachschrie, als er konnte! Sie hörte nicht darauf, eilte nach Haus und hatte bald den armen Frosch vergessen, der wieder in seinen Brunnen hinabsteigen musste.

Am andern Tage, als sie mit dem König und allen Hof-
10 leuten sich zur Tafel gesetzt hatte und von ihrem goldenen Tellerlein aß, da kam, plitsch, platsch, plitsch, platsch, etwas die Marmortreppe heraufgekrochen, und als es oben ange-langt war, klopfte es an der Tür und rief: „Königstochter, jüngste, mach mir auf!" Sie
15 lief und wollte sehen, wer draußen wäre; als sie aber auf-machte, da saß der Frosch da-vor. Da warf sie die Türe hastig zu, setzte sich wieder an
20 den Tisch und war ihr ganz angst. Der König sah wohl, dass ihr das Herz gewaltig klopfte, und
25 sprach: „Mein Kind, was fürchtest du dich, steht etwa ein Riese vor der Türe und will dich ho-
30 len?" − „Ach, nein", antwortete sie, „es ist kein Riese, sondern ein garstiger Frosch." − „Was will der Frosch von dir?" − „Ach, lieber Vater, als ich gestern im Wald bei dem Brunnen saß und spielte, da fiel meine
35 goldene Kugel ins Wasser. Und weil ich so weinte, hat der Frosch sie wieder heraufgeholt, und weil er es durchaus verlangte, so versprach ich ihm, er sollte mein Geselle werden, ich dachte aber nimmermehr, dass er aus seinem Wasser herauskönnte. Nun ist er draußen und will zu mir
40 herein." Indem klopfte es zum zweiten Mal und rief:

„Königstochter, jüngste,
mach mir auf,
weißt du nicht, was gestern
du zur mir gesagt
bei dem kühlen Brunnenwasser?          5
Königstochter, jüngste,
mach mir auf!"

Da sagte der König: „Was du versprochen hast, das musst
du auch halten; geh nur und mach ihm auf!" Sie ging und
öffnete die Türe, da hüpfte der Frosch herein, ihr immer 10
auf dem Fuße nach, bis zu ihrem Stuhl. Da saß er und rief:
„Heb mich herauf zu dir!" Sie zauderte, bis es endlich der
König befahl. Als der Frosch erst auf dem Stuhle war, wollte er auf den Tisch, und als er da saß, sprach er: „Nun
schieb mir dein goldenes Tellerlein näher, damit wir zusam- 15
men essen." Das tat sie zwar, aber man sah wohl, dass sie's
nicht gerne tat. Der Frosch ließ sich's gut schmecken, aber
ihr blieb fast jedes Bisslein im Halse. Endlich sprach er:
„Ich habe mich sattgegessen und bin müde, nun trag' mich
in dein Kämmerlein und mach dein seiden Bettlein zu- 20
recht, da wollen wir uns schlafen legen." Die Königstochter fing an zu weinen und fürchtete sich vor dem kalten
Frosch, den sie nicht anzurühren getraute und der nun in
ihrem schönen reinen Bettlein schlafen sollte. Der König
aber ward zornig und sprach: „Wer dir geholfen hat, als 25
du in der Not warst, den sollst du hernach nicht verachten." Da packte sie ihn mit zwei Fingern, trug ihn hinauf
und setzte ihn in eine Ecke. Als sie aber im Bett lag, kam
er gekrochen und sprach: „Ich bin müde, ich will schlafen
so gut wie du: Heb mich herauf oder ich sag's deinem Va- 30
ter." Da war sie erst bitterböse, holte ihn herauf und warf
ihn aus allen Leibeskräften wider die Wand: „Nun wirst du
Ruhe haben, du garstiger Frosch."

Als er aber herabfiel, war er kein Frosch, sondern ein Königssohn mit schönen und freundlichen Augen. Der war 35
nun nach ihres Vaters Willen ihr lieber Geselle und Gemahl. Da erzählte er ihr, er wäre von einer bösen Hexe
verwünscht worden, und niemand hätte ihn aus dem Brunnen erlösen können als sie allein und morgen wollten sie
zusammen in sein Reich gehen. Dann schliefen sie ein und 40

am andern Morgen, als die Sonne sie aufweckte, kam ein
Wagen herangefahren mit acht weißen Pferden bespannt,
die hatten weiße Straußfedern auf dem Kopf und gingen in
goldenen Ketten, und hinten stand der Diener des jungen
5 Königs, das war der treue Heinrich. Der treue Heinrich
hatte sich so betrübt, als sein Herr war in einen Frosch
verwandelt worden, dass er drei eiserne Bande hatte um
sein Herz legen lassen, damit es ihm nicht vor Weh und
Traurigkeit zerspränge. Der Wagen aber sollte den jungen
10 König in sein Reich abholen; der treue Heinrich hob beide
hinein, stellte sich wieder hinten auf und war voller Freude
über die Erlösung. Und als sie ein Stück Wegs gefahren waren, hörte der Königssohn, dass es hinter ihm krachte, als
wäre etwas zerbrochen. Da drehte er sich um und rief:
15        „Heinrich, der Wagen bricht."
          „Nein, Herr, der Wagen nicht,
          es ist ein Band von meinem Herzen,
          das da lag in großen Schmerzen,
          als Ihr in dem Brunnen saßt,
20        als Ihr eine Fretsche (Frosch) wast (wart.)"
Noch einmal und noch einmal krachte es auf dem Weg
und der Königssohn meinte immer, der Wagen bräche,
und es waren doch nur die Bande, die vom Herzen des
treuen Heinrich absprangen, weil sein Herr erlöst und
25 glücklich war.

## Brüderchen und Schwesterchen

Brüderchen nahm sein Schwesterchen an der Hand und
sprach: „Seit die Mutter tot ist, haben wir keine gute Stunde mehr; die Stiefmutter schlägt uns alle Tage, und wenn
wir zu ihr kommen, stößt sie uns mit den Füßen fort. Die
5 harten Brotkrusten, die übrig bleiben, sind unsre Speise,
und dem Hündlein unter dem Tisch geht's besser: Dem
wirft sie doch manchmal einen guten Bissen zu. Dass Gott
erbarm'! Wenn das unsere Mutter wüsste! Komm, wir
wollen miteinander in die weite Welt gehen." Sie gingen
10 den ganzen Tag über Wiesen, Felder und Steine, und wenn
es regnete, sprach das Schwesterchen: „Gott und unsre
Herzen, die weinen zusammen!" Abends kamen sie in ei-

nen großen Wald und waren so müde von Jammer, Hunger und dem langen Weg, dass sie sich in einen hohlen Baum setzten und einschliefen.

Am andern Morgen, als sie aufwachten, stand die Sonne schon hoch am Himmel und schien heiß in den Baum hinein. 5 Da sprach das Brüderchen: „Schwesterchen, mich dürstet, wenn ich ein Brünnlein wüsste, ich ging' und tränk' einmal; ich mein', ich hört' eins rauschen." Brüderchen stand auf, nahm Schwesterchen an der Hand, und sie wollten das Brünnlein suchen. Die böse Stiefmutter aber war eine He- 10 xe und hatte wohl gesehen, wie die beiden Kinder fortgegangen waren, war ihnen nachgeschlichen, heimlich, wie die Hexen schleichen, und hatte alle Brunnen im Walde verwünscht. Als sie nun ein Brünnlein fanden, das so glitzerig über die Steine sprang, wollte das Brüderchen daraus trin- 15 ken; aber das Schwesterchen hörte, wie es im Rauschen sprach: „Wer aus mir trinkt, wird ein Tiger, wer aus mir trinkt, wird ein Tiger." Da rief das Schwesterchen: „Ich bitte dich, Brüderchen, trink nicht, sonst wirst du ein wildes Tier und zerreißest mich." Das Brüderchen trank nicht, ob 20 es gleich so großen Durst hatte, und sprach: „Ich will warten bis zur nächsten Quelle." Als sie zum zweiten Brünnlein kamen, hörte das Schwesterchen, wie auch dieses sprach: „Wer aus mir trinkt, wird ein Wolf, wer aus mir trinkt, wird ein Wolf." Da rief das Schwesterchen: „Brüder- 25 chen, ich bitte dich, trink nicht, sonst wirst du ein Wolf und frissest mich." – Das Brüderchen trank nicht und sprach: „Ich will warten, bis wir zur nächsten Quelle kommen, aber dann muss ich trinken, du magst sagen, was du willst: mein Durst ist gar zu groß." Und als sie zum dritten Brünn- 30 lein kamen, hörte das Schwesterlein, wie es im Rauschen sprach: „Wer aus mir trinkt, wird ein Reh, wer aus mir trinkt, wird ein Reh." Das Schwesterchen sprach: „Ach, Brüderchen, ich bitte dich, trink nicht, sonst wirst du ein Reh und läufst mir fort." Aber das Brüderchen hatte sich 35 gleich beim Brünnlein niedergekniet, hinabgebeugt und von dem Wasser getrunken, und wie die ersten Tropfen auf seine Lippen gekommen waren, lag es da als ein Rehkälbchen. Nun weinte das Schwesterchen über das arme, verwünschte Brüderchen, und das Rehchen weinte auch und 40

saß so traurig neben ihm. Da sprach das Mädchen endlich:
„Sei still, liebes Rehchen, ich will dich ja nimmermehr verlassen." Dann band es sein goldenes Strumpfband ab und
tat es dem Rehchen um den Hals und rupfte Binsen und
5 flocht ein weiches Seil daraus. Daran band es das Tierchen
und führte es weiter und ging immer tiefer in den Wald
hinein. Und als sie lange, lange gegangen waren, kamen sie
endlich an ein kleines Haus, und das Mädchen schaute
hinein, und weil es leer war, dachte es: „Hier können wir
10 bleiben und wohnen." Da suchte es dem Rehchen Laub
und Moos zu einem weichen Lager, und jeden Morgen ging
es aus und sammelte sich Wurzeln, Beeren und Nüsse, und
für das Rehchen brachte es zartes Gras mit, das fraß es
ihm aus der Hand, war vergnügt und spielte vor ihm he-
15 rum. Abends, wenn Schwesterchen müde war und sein Ge-
bet gesagt hatte, legte es seinen Kopf auf den Rücken des
Rehkälbchens, das war sein Kissen, darauf es sanft einschlief. Und hätte das Brüderchen nur seine menschliche
Gestalt gehabt, so wäre es ein herrliches Leben gewesen.
20 Das dauerte eine Zeitlang, dass sie so allein in der Wildnis
waren. Es trug sich aber zu, dass der König des Landes eine große Jagd in dem Walde hielt. Da schallte das Hörner-
blasen, Hundegebell und das lustige Geschrei der Jäger
durch die Bäume, und das Rehlein hörte es und wäre gar
25 zu gerne dabei gewesen. „Ach", sprach es zum Schwesterlein, „lass mich hinaus in die Jagd, ich kann's nicht länger
mehr aushalten", und bat so lange, bis es einwilligte.
„Aber", sprach es zu ihm, „komm mir ja abends wieder,
vor den wilden Jägern schließ' ich mein Türlein; und damit
30 ich dich kenne, so klopf und sprich: ‚Mein Schwesterlein,
lass mich herein!' und wenn du nicht so sprichst, so
schließ' ich mein Türlein nicht auf." Nun sprang das Rehlein hinaus und war ihm so wohl und war so lustig in freier
Luft. Der König und seine Jäger sahen das schöne Tier und
35 setzten ihm nach, aber sie konnten es nicht einholen, und
wenn sie meinten, sie hätten es gewiss, da sprang es über
das Gebüsch hinweg und war verschwunden. Als es dunkel ward, lief es zu dem Häuschen, klopfte und sprach:
„Mein Schwesterlein, lass mich herein." Da ward ihm die
40 kleine Tür aufgetan, es sprang hinein und ruhte sich die

ganze Nacht auf seinem weichen Lager aus. Am andern
Morgen ging die Jagd von neuem an, und als das Rehlein
wieder das Hüfthorn hörte und das Hoh-hoh! der Jäger,
da hatte es keine Ruhe und sprach: „Schwesterchen, mach'
mir auf, ich muss hinaus." Das Schwesterchen öffnete ihm  5
die Türe und sprach: „Aber zu Abend musst du wieder da
sein und dein Sprüchlein sagen." Als der König und seine
Jäger das Rehlein mit dem goldenen Halsband wiedersa-
hen, jagten sie ihm alle nach, aber es war ihnen zu schnell
und behände. Das währte den ganzen Tag, endlich aber  10
hatten die Jäger es abends umzingelt, und einer verwunde-
te es ein wenig am Fuß, sodass es hinken musste und
langsam fortlief. Da schlich ihm ein Jäger nach bis zu dem
Häuschen und hörte, wie es rief: „Mein Schwesterlein, lass
mich herein!", und sah, dass die Türe ihm aufgetan und als-  15
bald wieder zugeschlossen ward. Der Jäger behielt das alles wohl im Sinn, ging zum König und erzählte ihm, was er
gesehen und gehört hatte. Da sprach der König: „Morgen
soll noch einmal gejagt werden."
Das Schwesterchen aber erschrak gewaltig, als es sah, dass  20
sein Rehkälbchen verwundet war. Es wusch ihm das Blut
ab, legte Kräuter auf und sprach: „Geh auf dein Lager, lieb
Rehchen, dass du wieder heil wirst." Die Wunde aber war
so gering, dass das Rehchen am Morgen nichts mehr davon
spürte. Und als es die Jagdlust wieder draußen hörte,  25
sprach es: „Ich kann's nicht aushalten, ich muss dabei sein;
so bald soll mich keiner kriegen!" Das Schwesterchen
weinte und sprach: „Nun werden Sie dich töten und ich bin
hier allein im Wald und bin verlassen von aller Welt: Ich lass
dich nicht hinaus." – „So sterb' ich hier vor Betrübnis", ant-  30
wortete das Rehchen, „wenn ich das Hüfthorn höre, so
mein' ich, ich müsst' aus den Schuhen springen!" Da konnte das Schwesterlein nicht anders und schloss ihm mit
schwerem Herzen die Tür auf und das Rehchen sprang gesund und fröhlich in den Wald. Als der König es erblickte,  35
sprach er zu seinen Jägern: „Nun jagt ihm nach den ganzen
Tag bis in die Nacht, aber dass ihm keiner etwas zuleide
tut." Sobald die Sonne untergegangen war, sprach der König zum Jäger: „Nun komm und zeige mir das Waldhäuschen." Und als er vor dem Türlein war, klopfte er an und  40

rief: „Lieb Schwesterlein, lass mich herein." Da ging die Tür
auf und der König trat herein, und da stand ein Mädchen,
das war so schön, wie er noch keins gesehen hatte. Das
Mädchen erschrak, als es sah, dass nicht sein Rehlein, son-
5 dern ein Mann hereinkam, der eine goldene Krone auf dem
Haupt hatte. Aber der König sah es freundlich an, reichte
ihm die Hand und sprach: „Willst du mit mir gehen auf
mein Schloss und meine liebe Frau sein?" – „Ach ja", antwortete das Mädchen, „aber das Rehchen muss auch mit,
10 das verlass' ich nicht." Sprach der König: „Es soll bei dir
bleiben, solange du lebst, und soll ihm an nichts fehlen." Indem kam es hereingesprungen; da band das Schwesterchen
es wieder an das Binsenseil, nahm es selbst in die Hand
und ging mit ihm aus dem Waldhäuschen fort.
15 Der König nahm das schöne Mädchen auf sein Pferd und
führte es in sein Schloss, wo die Hochzeit mit großer
Pracht gefeiert wurde, und es war nun die Frau Königin,
und sie lebten lange Zeit vergnügt zusammen; das Rehlein
ward gehegt und gepflegt und sprang in dem Schlossgarten
20 herum. Die böse Stiefmutter aber, um derentwillen die
Kinder in die Welt hineingegangen waren, die meinte nicht
anders, als Schwesterchen wäre von den wilden Tieren im
Walde zerrissen worden und Brüderchen als ein Rehkalb
von den Jägern totgeschossen. Als sie nun hörte, dass sie
25 so glücklich waren und es ihnen so wohl ging, da wurden
Neid und Missgunst in ihrem Herzen rege und ließen ihr
keine Ruhe, und sie hatte keinen anderen Gedanken, als
wie sie die beiden doch noch ins Unglück bringen könnte.
Ihre rechte Tochter, die hässlich war wie die Nacht und
30 nur ein Auge hatte, die machte ihr Vorwürfe und sprach:
„Eine Königin zu werden, das Glück hätte mir gebührt." –
„Sei nur still", sagte die Alte und sprach sie zufrieden,
„wenn's Zeit ist, will ich schon bei der Hand sein." Als nun
die Zeit herangerückt war und die Königin ein schönes
35 Knäblein zur Welt gebracht hatte und der König gerade
auf der Jagd war, nahm die alte Hexe die Gestalt der Kam-
merfrau an, trat in die Stube, wo die Königin lag, und
sprach zu der Kranken: „Kommt, das Bad ist fertig, das
wird euch wohl tun und frische Kräfte geben: Geschwind,
40 eh' es kalt wird." Ihre Tochter war auch bei der Hand, sie

trugen die schwache Königin in die Badestube und legten sie in die Wanne: Dann schlossen sie die Türe ab und liefen davon. In der Badestube hatten sie aber ein rechtes Höllenfeuer angemacht, dass die schöne Königin bald ersticken musste. 5

Als das vollbracht war, nahm die Alte ihre Tochter, setzte ihr eine Haube auf und legte sie ins Bett an der Königin Stelle. Sie gab ihr auch die Gestalt und das Ansehen der Königin; nur das verlorene Auge konnte sie ihr nicht wiedergeben. Damit es aber der König nicht merkte, musste 10 sie sich auf die Seite legen, wo sie kein Auge hatte.

Am Abend, als er heimkam und hörte, dass ihm ein Söhnlein geboren war, freute er sich herzlich und wollte ans Bett seiner lieben Frau gehen und sehen, was sie machte. Da rief die Alte geschwind: „Beileibe nicht, lasst die Vor- 15 hänge zu, die Königin darf noch nicht ins Licht sehen und muss Ruhe haben." Der König ging zurück und wusste nicht, dass eine falsche Königin im Bett lag.

Als es aber Mitternacht war und alles schlief, da sah die Kinderfrau, die in der Kinderstube neben der Wiege saß 20 und allein noch wachte, wie die Tür aufging und die rechte Königin hereintrat. Sie nahm das Kind aus der Wiege, legte es in ihren Arm und gab ihm zu trinken. Dann schüttelte sie ihm sein Kisschen, legte es wieder hinein und deckte es mit dem Deckbettchen zu. Sie vergaß aber auch das Rehchen 25 nicht, ging in die Ecke, wo es lag, und streichelte ihm über den Rücken. Darauf ging sie ganz stillschweigend wieder zur Türe hinaus, und die Kinderfrau fragte am andern Morgen die Wächter, ob jemand während der Nacht ins Schloss gegangen wäre, aber sie antworteten: „Nein, wir haben nie- 30 mand gesehen." So kam sie viele Nächte und sprach niemals ein Wort dabei; die Kinderfrau sah sie immer, aber sie getraute sich nicht, jemand etwas davon zu sagen.

Als nun so eine Zeit verflossen war, da hub die Königin der Nacht an zu reden und sprach: 35

„Was macht mein Kind? Was macht mein Reh?

Nun komm ich noch zweimal und dann nimmermehr."

Die Kinderfrau antwortete ihr nicht, aber als sie wieder verschwunden war, ging sie zum König und erzählte ihm alles. Sprach der König: „Ach Gott, was ist das! Ich will in 40

der nächsten Nacht bei dem Kinde wachen." Abends ging
er in die Kinderstube, aber um Mitternacht erschien die
Königin wieder und sprach:

„Was macht mein Kind? Was macht mein Reh?

5 Nun komm ich noch einmal und dann nimmermehr",
und pflegte dann das Kind, wie sie gewöhnlich tat, ehe sie
verschwand. Der König getraute sich nicht, sie anzureden,
aber er wachte auch in der folgenden Nacht. Sie sprach
abermals:

10 „Was macht mein Kind? Was macht mein Reh?

Nun komm ich noch diesmal und dann nimmermehr."
Da konnte sich der König nicht zurückhalten, sprang zu
ihr und sprach: „Du kannst niemand anders sein als meine
liebe Frau." Da antwortete sie: „Ja, ich bin deine liebe
15 Frau", und hatte in dem Augenblick durch Gottes Gnade
das Leben wieder erhalten, war frisch, rot und gesund.
Darauf erzählte sie dem König den Frevel, den die böse
Hexe und ihre Tochter an ihr verübt hatten. Der König
ließ beide vor Gericht führen, und es ward ihnen das Ur-
20 teil gesprochen. Die Tochter ward in den Wald geführt, wo
die wilden Tiere sie zerrissen, die Hexe aber ward ins Feuer gelegt und musste jammervoll verbrennen. Und wie sie
zu Asche verbrannt war, verwandelte sich das Rehkälbchen
und erhielt seine menschliche Gestalt wieder; Schwester-
25 chen und Brüderchen aber lebten glücklich zusammen bis
an ihr Ende.

## Die sechs Schwäne

Es jagte einmal ein König in einem großen Wald und jagte
einem Wild so eifrig nach, dass ihm niemand von seinen
Leuten folgen konnte. Als der Abend herankam, hielt er
still und blickte um sich; da sah er, dass er sich verirrt hat-
5 te. Er suchte einen Ausgang, konnte aber keinen finden. Da
sah er eine alte Frau mit wackelndem Kopfe, die auf ihn
zukam; das war aber eine Hexe. „Liebe Frau", sprach er
zur ihr, „könnt Ihr mir nicht den Weg durch den Wald zeigen?" – „O ja, Herr König", antwortete sie, „das kann ich
10 wohl, aber es ist eine Bedingung dabei: Wenn Ihr die nicht
erfüllt, so kommt Ihr nimmermehr aus dem Wald und

müsst darin Hungers sterben." – „Was ist das für eine Bedingung?", fragte der König. – „Ich habe eine Tochter", sagte die Alte, „die so schön ist, wie Ihr eine auf der Welt
nicht finden könnt, und wohl verdient Eure Gemahlin zu
werden; wollt Ihr die zur Frau Königin machen, so zeige 5
ich Euch den Weg aus dem Walde." Der König in der
Angst seines Herzens willigte ein, und die Alte führte ihn
zu ihrem Häuschen, wo ihre Tochter beim Feuer saß. Sie
empfing den König, als wenn sie ihn erwartet hätte, und er
sah wohl, dass sie sehr schön war, aber sie gefiel ihm doch 10
nicht, und er konnte sie ohne heimliches Grausen nicht
ansehen. Nachdem er das Mädchen zu sich aufs Pferd gehoben hatte, zeigte ihm die Alte den Weg und der König
gelangte wieder in sein königliches Schloss, wo die Hochzeit gefeiert wurde. 15
Der König war schon einmal verheiratet gewesen und hatte von seiner ersten Gemahlin sieben Kinder, sechs Knaben und ein Mädchen, die er über alles in der Welt liebte.
Weil er nun fürchtete, die Stiefmutter möchte sie nicht gut
behandeln und ihnen gar ein Leid antun, so brachte er sie 20
in ein einsames Schloss, das mitten in einem Walde stand.
Es lag so verborgen und der Weg war so schwer zu finden,
dass er ihn selbst nicht gefunden hätte, wenn ihm nicht eine weise Frau ein Knäuel Garn von wunderbarer Eigenschaft geschenkt hätte; wenn er das vor sich hinwarf, so 25
wickelte es sich von selbst los und zeigte ihm den Weg.
Der König ging aber so oft hinaus zu seinen lieben Kindern, dass der Königin seine Abwesenheit auffiel; sie ward
neugierig und wollte wissen, was er draußen ganz allein in
dem Walde zu schaffen habe. Sie gab seinen Dienern viel 30
Geld, und die verrieten ihr das Geheimnis und sagten ihr
auch von dem Knäuel, das allein den Weg zeigen könnte.
Nun hatte sie keine Ruhe, bis sie herausgebracht hatte, wo
der König das Knäuel aufbewahrte, und dann machte sie
kleine weißseidene Hemdchen, und da sie von ihrer Mut- 35
ter die Hexenkünste gelernt hatte, so nähte sie einen Zauber hinein. Und als der König einmal auf die Jagd geritten
war, nahm sie die Hemdchen und ging in den Wald und das
Knäuel zeigte ihr den Weg. Die Kinder, die aus der Ferne
jemand kommen sahen, meinten, ihr lieber Vater käme zu 40

ihnen, und sprangen ihm voll Freude entgegen. Da warf sie über jedes eins von den Hemdchen, und wie das ihren Leib berührt hatte, verwandelten sie sich in Schwäne und flogen über den Wald hinweg. Die Königin ging ganz vergnügt
5 nach Hause und glaubte, ihre Stiefkinder los zu sein, aber das Mädchen war ihr mit den Brüdern nicht entgegengelaufen, und sie wusste nichts von ihm. Andern Tags kam der König und wollte seine Kinder besuchen; er fand aber niemand als das Mädchen. „Wo sind deine Brüder?", fragte
10 der König. „Ach, lieber Vater", antwortete es, „die sind fort und haben mich allein zurückgelassen", und erzählte ihm, dass es aus seinem Fensterlein mitangesehen habe, wie seine Brüder als Schwäne über den Wald geflogen wären, und zeigte ihm die Federn, die sie in den Hof hatten
15 fallen lassen und die es aufgelesen hatte. Der König trauerte, aber er dachte nicht, dass die Königin die böse Tat vollbracht hätte, und weil er fürchtete, das Mädchen würde ihm auch geraubt, so wollte er es mit fortnehmen. Aber es hatte Angst vor der Stiefmutter und bat den König, dass er
20 es nur noch diese Nacht im Waldschloss lassen möchte.
Das arme Mädchen dachte: „Meines Bleibens ist nicht länger hier, ich will gehen und meine Brüder suchen." Und als die Nacht kam, entfloh es und ging gerade in den Wald hinein. Es ging die ganze Nacht durch und auch den andern
25 Tag in einem fort, bis es vor Müdigkeit nicht weiterkonnte. Da sah es eine Wildhütte, stieg hinauf und fand eine Stube mit sechs kleinen Betten, aber es getraute sich nicht, sich in eins zu legen, sondern kroch unter eins, legte sich auf den harten Boden und wollte die Nacht da zubringen. Als
30 aber die Sonne bald untergehen wollte, hörte es ein Rauschen und sah, dass sechs Schwäne zum Fenster hereingeflogen kamen. Sie setzten sich auf den Boden und bliesen einander an und bliesen sich alle Federn ab, und ihre Schwanenhaut streifte sich ab wie ein Hemd. Da sah das
35 Mädchen sie an und erkannte ihre Brüder, freute sich und kroch unter dem Bett hervor. Die Brüder waren nicht weniger erfreut, als sie ihr Schwesterchen erblickten, aber ihre Freude war von kurzer Dauer. „Hier kann deines Bleibens nicht sein", sprachen sie zu ihm, „das ist eine
40 Herberge für Räuber; wenn die heimkommen und finden

dich, so ermorden sie dich." – „Könnt ihr mich denn nicht beschützen?", fragte das Schwesterchen. „Nein", antworteten sie, „denn wir können nur eine Viertelstunde lang jeden Abend unsere Schwanenhaut ablegen und haben in dieser Zeit unsere menschliche Gestalt, aber dann werden wir wieder in Schwäne verwandelt." Das Schwesterchen weinte und sagte: „Könnt ihr denn nicht erlöst werden?" – „Ach nein", antworteten sie, „die Bedingungen sind zu schwer. Du darfst sechs Jahre lang nicht sprechen und nicht

lachen und musst in der Zeit sechs Hemdchen für uns aus Sternenblumen zusammennähen. Kommt ein einziges Wort aus deinem Munde, so ist alle Arbeit verloren." Und als die Brüder das gesprochen hatten, war die Viertelstunde herum, und sie flogen als Schwäne wieder zum Fenster hinaus.

Das Mädchen aber fasste den festen Entschluss, seine Brüder zu erlösen, und wenn es auch sein Leben kostete. Es verließ die Wildhütte, ging mitten in den Wald und setzte sich auf einen Baum und brachte da die Nacht zu. Am andern Morgen ging es aus, sammelte Sternblumen und fing an zu nähen. Reden konnte es mit niemand und zum Lachen hatte es

keine Lust, es saß da und sah nur auf seine Arbeit. Als es schon lange Zeit da zugebracht hatte, geschah es, dass der König des Landes in dem Wald jagte und seine Jäger zu dem Baum kamen, auf welchem das Mädchen saß. Sie rie-
5 fen es an und sagten: „Wer bist du?" Es gab aber keine Antwort. „Komm herab zu uns", sagten sie, „wir wollen dir nichts zuleid tun." Es schüttelte bloß mit dem Kopf. Als sie es weiter mit Fragen bedrängten, so warf es ihnen seine goldene Halskette herab und dachte sie damit zufrie-
10 denzustellen. Sie ließen aber nicht ab; da warf es ihnen seinen Gürtel herab, und als auch dies nichts half, seine Strumpfbänder und nach und nach alles, was es anhatte und entbehren konnte, sodass es nichts mehr als sein Hemdlein behielt. Die Jäger ließen sich aber damit nicht
15 abweisen, stiegen auf den Baum, hoben das Mädchen herab und führten es vor den König. Der König fragte: „Wer bist du? Was machst du auf dem Baum?" Aber es antwortete nicht. Er fragte es in allen Sprachen, die er wusste, aber es blieb stumm wie ein Fisch. Weil es aber so schön
20 war, so ward des Königs Herz gerührt, und er fasste eine große Liebe zu ihm. Er tat ihm seinen Mantel um, nahm es vor sich aufs Pferd und brachte es in sein Schloss. Da ließ er ihm reiche Kleider antun und es strahlte in seiner Schönheit wie der helle Tag, aber es war kein Wort aus
25 ihm herauszubringen. Er setzte es bei Tisch an seine Seite, und seine bescheidenen Mienen und seine Sittsamkeit gefielen ihm so sehr, dass er sprach: „Diese begehre ich zu heiraten und keine andre auf der Welt", und nach einigen Tagen vermählte er sich mit ihr.
30 Der König aber hatte eine böse Mutter, die war unzufrieden mit dieser Heirat und sprach schlecht von der jungen Königin. „Wer weiß, wo die Dirne her ist", sagte sie, „die nicht reden kann: Sie ist eines Königs nicht würdig." Über ein Jahr, als die Königin das erste Kind zur Welt brachte,
35 nahm die Alte es ihr weg und bestrich ihr im Schlafe den Mund mit Blut. Da ging sie zum König und klagte sie an, sie wäre eine Menschenfresserin. Der König wollte es nicht glauben und litt nicht, dass man ihr ein Leid antat. Sie saß aber beständig und nähte an den Hemden und achtete
40 auf nichts anderes. Das nächste Mal, als sie wieder einen

schönen Knaben gebar, übte die falsche Schwiegermutter
denselben Betrug aus, aber der König konnte sich nicht
entschließen, ihren Reden Glauben beizumessen. Er
sprach: „Sie ist zu fromm und gut, als dass sie so etwas tun
könnte; wäre sie nicht stumm und könnte sie sich verteidi- 5
gen, so würde ihre Unschuld an den Tag kommen." Als
aber das dritte Mal die Alte das neugeborene Kind raubte
und die Königin anklagte, die kein Wort zu ihrer Verteidi-
gung vorbrachte, so konnte der König nicht anders, er
musste sie dem Gericht übergeben, und das verurteilte 10
sie, den Tod durchs Feuer zu erleiden.
Als der Tag herankam, wo das Urteil sollte vollzogen werden, da war zugleich der letzte Tag von den sechs Jahren
herum, in welchen sie nicht sprechen und nicht lachen
durfte, und sie hatte ihre lieben Brüder aus der Macht des 15
Zaubers befreit. Die sechs Hemden waren fertig geworden, nur dass an dem letzten der linke Ärmel noch fehlte.
Als sie nun zum Scheiterhaufen geführt wurde, legte sie
die Hemden auf ihren Arm, und als sie oben stand und
das Feuer eben sollte angezündet werden, so schaute sie 20
sich um: Da kamen sechs Schwäne durch die Luft daher-
gezogen. Da sah sie, dass ihre Erlösung nahte, und ihr
Herz regte sich in Freude. Die Schwäne rauschten zu ihr
her und senkten sich herab, sodass sie ihnen die Hemden
überwerfen konnte: Und wie sie davon berührt wurden, 25
fielen die Schwanenhäute ab, und ihre Brüder standen
leibhaftig vor ihr und waren frisch und schön; nur dem
jüngsten fehlte der linke Arm und er hatte dafür einen
Schwanenflügel am Rücken. Sie herzten und küssten sich
und die Königin ging zu dem Könige, der ganz bestürzt 30
war, und fing an zu reden und sagte: „Liebster Gemahl,
nun darf ich sprechen und dir offenbaren, dass ich unschuldig bin und fälschlich angeklagt", und erzählte ihm
von dem Betrug der Alten, die ihre drei Kinder wegge-
nommen und verborgen hätte. Da wurden sie zu großer 35
Freude des Königs herbeigeholt, und die böse Schwiegermutter wurde zur Strafe auf den Scheiterhaufen gebunden
und zu Asche verbrannt. Der König aber und die Königin
mit ihren sechs Brüdern lebten lange Jahre in Glück und
Frieden. 40

### Schneeweißchen und Rosenrot

Eine arme Witwe, die lebte einsam in einem Hüttchen, und vor dem Hüttchen war ein Garten, darin standen zwei Rosenbäumchen, davon trug das eine weiße, das andere rote Rosen: Und sie hatte zwei Kinder, die glichen den beiden
5 Rosenbäumchen, und das eine hieß Schneeweißchen, das andere Rosenrot. Sie waren aber so fromm und gut, so arbeitsam und unverdrossen, als je zwei Kinder auf der Welt gewesen sind: Schneeweißchen war nur stiller und sanfter als Rosenrot. Rosenrot sprang lieber in den Wiesen und
10 Feldern umher, suchte Blumen und fing Sommervögel; Schneeweißchen aber saß daheim bei der Mutter, half ihr im Hauswesen oder las ihr vor, wenn nichts zu tun war. Die beiden Kinder hatten einander so lieb, dass sie sich immer an den Händen fassten, sooft sie zusammen ausgin-
15 gen; und wenn Schneeweißchen sagte: „Wir wollen uns nicht verlassen", so antwortete Rosenrot: „Solange wir leben, nicht", und die Mutter setzte hinzu: „Was das eine hat, soll's mit dem andern teilen." Oft liefen sie im Walde allein umher und sammelten rote Beeren, aber kein Tier tat
20 ihnen etwas zuleid, sondern sie kamen vertraulich herbei: Das Häschen fraß ein Kohlblatt aus ihren Händen, das Reh graste an ihrer Seite, der Hirsch sprang ganz lustig vorbei, und die Vögel blieben auf den Ästen sitzen und sangen, was sie nur wussten. Kein Unfall traf sie: Wenn sie sich im Wal-
25 de verspätet hatten und die Nacht sie überfiel, so legten sie sich nebeneinander in das Moos und schliefen, bis der Morgen kam, und die Mutter wusste das und hatte ihretwegen keine Sorge. Einmal, als sie im Walde übernachtet hatten und das Morgenrot sie aufweckte, da sahen sie ein
30 schönes Kind in einem weißen glänzenden Kleidchen neben ihrem Lager sitzen. Es stand auf und blickte sie ganz freundlich an, sprach aber nichts und ging in den Wald hinein. Und als sie sich umsahen, so hatten sie ganz nahe bei einem Abgrund geschlafen und wären gewiss hineingefallen,
35 wenn sie in der Dunkelheit noch ein paar Schritte weitergegangen wären. Die Mutter aber sagte ihnen, das müsste der Engel gewesen sein, der gute Kinder bewache.
Schneeweißchen und Rosenrot hielten das Hüttchen der Mutter so reinlich, dass es eine Freude war hineinzuschau-

en. Im Sommer besorgte Rosenrot das Haus und stellte der Mutter jeden Morgen, ehe sie aufwachte, einen Blumenstrauß vors Bett, darin war von jedem Bäumchen eine Rose. Im Winter zündete Schneeweißchen das Feuer an und hing den Kessel an den Feuerhaken, und der Kessel war von Messing, glänzte aber wie Gold, so rein war er gescheuert. Abends, wenn die Flocken fielen, sagte die Mutter: „Geh, Schneeweißchen, und schieb den Riegel vor", und dann setzten sie sich an den Herd, und die Mutter nahm die Brille und las aus einem großen Buche vor, und die beiden Mädchen hörten zu, saßen und spannen; neben ihnen lag ein Lämmchen auf dem Boden und hinter ihnen auf einer Stange saß ein weißes Täubchen und hatte seinen Kopf unter den Flügel gesteckt.

Eines Abends, als sie so vertraulich beisammensaßen, klopfte jemand an die Türe, als wollte er eingelassen werden. Die Mutter sprach: „Geschwind, Rosenrot, mach auf, es wird ein Wanderer sein, der Obdach sucht." Rosenrot ging und schob den Riegel weg und dachte, es wäre ein armer Mann, aber der war es nicht, es war ein Bär, der seinen dicken schwarzen Kopf zur Türe hereinstreckte. Rosenrot schrie laut auf und sprang zurück: Das Lämmchen blökte, das Täubchen flatterte auf und Schneeweißchen versteckte sich hinter der Mutter Bett. Der Bär aber fing an zu sprechen und sagte: „Fürchtet euch nicht, ich tue euch nichts zuleid, ich bin halb erfroren und will mich nur ein wenig bei euch wärmen." „Du armer Bär", sprach die Mutter, „leg dich ans Feuer und gib nur Acht, dass dir dein Pelz nicht brennt." Dann rief sie: „Schneeweißchen, Rosenrot, kommt hervor, der Bär tut euch nichts, er meint's ehrlich." Da kamen sie beide heran und nach und nach näherten sich auch das Lämmchen und Täubchen und hatten keine Furcht vor ihm. Der Bär sprach: „Ihr Kinder, klopft mir den Schnee ein wenig aus dem Pelzwerk", und sie holten den Besen und kehrten dem Bären das Fell rein: Er aber streckte sich ans Feuer und brummte ganz vergnügt und behaglich. Nicht lange, so wurden sie ganz vertraut und trieben Mutwillen mit dem unbeholfenen Gast. Sie zausten ihm das Fell mit den Händen, setzten ihre Füßchen auf seinen Rücken und walgerten ihn hin und her,

oder sie nahmen eine Haselrute und schlugen auf ihn los,
und wenn er brummte, so lachten sie. Der Bär ließ sich's
aber gerne gefallen, nur wenn sie's gar zu arg machten, rief
er: „Lasst mich am Leben, ihr Kinder:

5     Schneeweißchen, Rosenrot,
    Schlägst dir den Freier tot."

Als Schlafenszeit war und die andern zu Bett gingen, sagte
die Mutter zu dem Bär: „Du kannst in Gottes Namen da
am Herde liegen bleiben, so bist du vor der Kälte und dem

10 bösen Wetter geschützt." Sobald der Tag graute, ließen ihn
die beiden Kinder hinaus, und er trabte über den Schnee
in den Wald hinein. Von nun an kam der Bär jeden Abend
zu der bestimmten Stunde, legte sich an den Herd und erlaubte den Kindern, Kurzweil mit ihm zu treiben, soviel sie

15 wollten; und sie waren so gewöhnt an ihn, dass die Türe
nicht eher zugeriegelt ward, als bis der schwarze Gesell
angelangt war.

Als das Frühjahr herangekommen und draußen alles grün
war, sagte der Bär eines Morgens zu Schneeweißchen:

20 „Nun muss ich fort und darf den ganzen Sommer nicht
wiederkommen." – „Wo gehst du denn hin, lieber Bär?",
fragte Schneeweißchen. „Ich muss in den Wald und meine
Schätze vor den bösen Zwergen hüten. Im Winter, wenn
die Erde hart gefroren ist, müssen sie wohl unten bleiben

25 und können sich nicht durcharbeiten, aber jetzt, wenn die
Sonne die Erde aufgetaut und erwärmt hat, da brechen sie
durch, steigen herauf, suchen und stehlen; was einmal in
ihren Händen ist und in ihren Höhlen liegt, das kommt
nicht so leicht wieder an des Tages Licht." Schneeweißchen

30 war ganz traurig über den Abschied, und als es ihm die Tür
aufriegelte und der Bär sich hinausdrängte, blieb er an
dem Türhaken hängen, und ein Stück seiner Haut riss auf,
und da war es Schneeweißchen, als hätte es Gold durch-
schimmern sehen; aber es war seiner Sache nicht gewiss.

35 Der Bär lief eilig fort und war bald hinter den Bäumen verschwunden.

Nach einiger Zeit schickte die Mutter die Kinder in den
Wald, Reisig zu sammeln. Da fanden sie draußen einen
großen Baum, der lag gefällt auf dem Boden, und an dem

40 Stamme sprang zwischen dem Gras etwas auf und ab, sie

konnten aber nicht unterscheiden, was es war. Als sie
näherkamen, sahen sie einen Zwerg mit einem alten, ver-
welkten Gesicht und einem ellenlangen, schneeweißen
Bart. Das Ende des Bartes war in eine Spalte des Baumes
eingeklemmt und der Kleine sprang hin und her wie ein
Hündchen an einem Seil und wusste nicht, wie er sich helfen sollte. Er glotzte die Mädchen mit seinen roten feuri-
gen Augen an und schrie: „Was steht ihr da! Könnt ihr
nicht herbeigehen und mir Beistand leisten?" – „Was hast
du angefangen, kleines Männchen?", fragte Rosenrot.
„Dumme neugierige Gans", antwortete der Zwerg, „den
Baum habe ich mir spalten wollen, um kleines Holz in der
Küche zu haben; bei den dicken Klötzen verbrennt gleich
das bisschen Speise, das unsereiner braucht, der nicht so
viel herunterschlingt wie ihr grobes, gieriges Volk. Ich hatte den Keil schon glücklich hineingetrieben, und es wäre
alles nach Wunsch gegangen, aber das verwünschte Holz
war zu glatt und sprang unversehens heraus, und der Baum
fuhr so geschwind zusammen, dass ich meinen schönen
weißen Bart nicht mehr herausziehen konnte; nun steckt
er drin und ich kann nicht fort. Da lachen die albernen
glatten Milchgesichter! Pfui, was seid ihr garstig!" Die Kinder gaben sich alle Mühe, aber sie konnten den Bart nicht
herausziehen, er steckte zu fest. „Ich will laufen und Leute
herbeiholen", sagte Rosenrot. „Wahnsinnige Schafsköpfe",
schnarrte der Zwerg, „wer wird gleich Leute herbeirufen,
ihr seid mir schon um zwei zu viel; fällt euch nichts Besseres ein?" – „Sei nur nicht ungeduldig", sagte Schneeweißchen, „ich will schon Rat schaffen", holte sein Scher-
chen aus der Tasche und schnitt das Ende des Bartes ab.
Sobald der Zwerg sich frei fühlte, griff er nach einem Sack,
der zwischen den Wurzeln des Baumes steckte und mit
Gold gefüllt war, hob ihn heraus und brummte vor sich
hin: „Ungehobeltes Volk, schneidet mir ein Stück von meinem stolzen Barte ab! Lohn's euch der Kuckuck!" Damit
schwang er seinen Sack auf den Rücken und ging fort, ohne die Kinder nur noch einmal anzusehen.
Einige Zeit danach wollten Schneeweißchen und Rosenrot
ein Gericht Fische angeln. Als sie nahe bei dem Bach waren, sahen sie, dass etwas wie eine große Heuschrecke

nach dem Wasser zuhüpfte, als wollte es hineinspringen.
Sie liefen heran und erkannten den Zwerg. „Wo willst du
hin", sagte Rosenrot, „du willst doch nicht ins Wasser?" –
„Solch ein Narr bin ich nicht", schrie der Zwerg, „seht ihr
5 nicht? Der verwünschte Fisch will mich hineinziehen!" Der
Kleine hatte dagesessen und geangelt und unglücklicher-
weise hatte der Wind seinen Bart mit der Angelschnur
verflochten; als gleich darauf ein großer Fisch anbiss, fehl-
ten dem schwachen Geschöpf die Kräfte, ihn herauszuzie-
10 hen; der Fisch behielt die Oberhand und riss den Zwerg
zu sich hin. Zwar hielt er sich an allen Halmen und Binsen,
aber das half nicht viel, er musste den Bewegungen des Fi-
sches folgen und war in beständiger Gefahr, ins Wasser gezogen zu werden. Die Mädchen kamen zu rechter Zeit,
15 hielten ihn fest und versuchten, den Bart von der Schnur
loszumachen, aber vergebens: Bart und Schnur waren fest
ineinander verwirrt. Es blieb nichts übrig, als das Scher-
chen hervorzuholen und den Bart abzuschneiden, wobei
ein kleiner Teil desselben verlorenging. Als der Zwerg das
20 sah, schrie er sie an: „Ist das Manier, ihr Lorche, einem das
Gesicht zu schänden? Nicht genug, dass ihr mir den Bart
abgestutzt habt, jetzt schneidet ihr mir den besten Teil davon ab: Ich darf mich vor den Meinigen gar nicht sehen lassen. Dass ihr laufen müsstet und die Schuhsolen verloren
25 hättet!" Dann holte er einen Sack Perlen, der im Schilfe lag,
und ohne ein Wort weiter zu sagen, schleppte er ihn fort
und verschwand hinter einem Stein.
Es trug sich zu, dass bald hernach die Mutter die beiden
Mädchen nach der Stadt schickte, Zwirn, Nadeln, Schnüre
30 und Bänder einzukaufen. Der Weg führte sie über eine
Heide, auf der hier und da mächtige Felsenstücke zerstreut lagen. Da sahen sie einen großen Vogel in der Luft
schweben, der langsam über ihnen kreiste, sich immer tiefer herabsenkte und endlich nicht weit bei einem Felsen
35 niederstieß. Gleich darauf hörten sie einen durch-
dringenden, jämmerlichen Schrei. Sie liefen herzu und sahen mit Schrecken, dass der Adler ihren alten Bekannten,
den Zwerg, gepackt hatte und forttragen wollte. Die mit-
leidigen Kinder hielten gleich das Männchen fest und zerr-
40 ten so lange mit dem Adler herum, bis er seine Beute fah-

ren ließ. Als der Zwerg sich von dem ersten Schrecken er-
holt hatte, schrie er mit seiner kreischenden Stimme:
„Konntet ihr nicht säuberlicher mit mir umgehen? Geris-
sen habt ihr an meinem dünnen Röckchen, dass es überall
zerfetzt und durchlöchert ist, unbeholfenes und läppisches 5
Gesindel, das ihr seid." Dann nahm er einen Sack mit Edelsteinen und schlüpfte wieder unter den Felsen in seine
Höhle. Die Mädchen waren an seinen Undank schon gewöhnt, setzten ihren Weg fort und verrichteten ihr Geschäft in der Stadt. Als sie beim Heimweg wieder auf die 10
Heide kamen, überraschten sie den Zwerg, der auf einem
reinlichen Plätzchen seinen Sack mit Edelsteinen ausge-
schüttet und nicht gedacht hatte, dass so spät noch jemand daherkommen würde. Die Abendsonne schien über
die glänzenden Steine, sie schimmerten und leuchteten so 15
prächtig in allen Farben, dass die Kinder stehen blieben
und sie betrachteten. „Was steht ihr da und habt Maulaf-

fen feil?", schrie der Zwerg, und sein aschgraues Gesicht
ward zinnoberrot vor Zorn. Er wollte mit seinen Schelt-
worten fortfahren, als sich ein lautes Brummen hören ließ
und ein schwarzer Bär aus dem Walde herbeitrabte. Er-
5 schrocken sprang der Zwerg auf, aber er konnte nicht
mehr zu seinem Schlupfwinkel gelangen, der Bär war
schon in seiner Nähe. Da rief er in Herzensangst: „Lieber
Herr Bär, verschont mich, ich will Euch alle meine Schätze
geben; sehet die schönen Edelsteine, die da liegen. Schenkt
10 mir das Leben, was habt Ihr an mir kleinem, schmächtigem
Kerl? Ihr spürt mich nicht zwischen den Zähnen; da, die
beiden gottlosen Mädchen packt, das sind für Euch zarte
Bissen, fett wie junge Wachteln, die fresst in Gottes Namen." Der Bär kümmerte sich um seine Worte nicht, gab
15 dem boshaften Geschöpf einen einzigen Schlag mit der Tat-
ze und es regte sich nicht mehr.
Die Mädchen waren fortgesprungen, aber der Bär rief ihnen nach: „Schneeweißchen und Rosenrot, fürchtet euch
nicht, wartet, ich will mit euch gehen." Da erkannten sie
20 seine Stimme und blieben stehen, und als der Bär bei ihnen war, fiel plötzlich die Bärenhaut ab und er stand da als
ein schöner Mann und war ganz in Gold gekleidet. „Ich bin
eines Königs Sohn", sprach er, „und war ganz von dem
gottlosen Zwerg, der mir meine Schätze gestohlen hatte,
25 verwünscht, als ein wilder Bär in dem Walde zu laufen, bis
ich durch seinen Tod erlöst würde. Jetzt hat er seine wohl-
verdiente Strafe empfangen."
Schneeweißchen ward mit ihm vermählt und Rosenrot mit
seinem Bruder und sie teilten die großen Schätze mitein-
30 ander, die der Zwerg in seine Höhle zusammengetragen
hatte. Die alte Mutter lebte noch lange Jahre ruhig und
glücklich bei ihren Kindern. Die zwei Rosenbäumchen
aber nahm sie mit und sie standen vor ihrem Fenster und
trugen jedes Jahr die schönsten Rosen, weiß und rot.